総合判例研究叢書

民事訴訟法 (2)

有 斐 閣

民事訴訟法・編集委員

兼子一
中田淳一

序

フランスにおいて、自由法学の名とともに判例の研究が異常な発達を遂げているのは、その民法典が百五十余年の齢を重ねたからだといわれている。それに比較すると、わが国の諸法典は、まだ若い。最も古いものでも、六、七十年の年月を経たに過ぎない。しかし、わが国の諸法典は、いずれも、近代的法制を全く知らなかつたところに輸入されたものである。そのことを思えば、この六十年の間に極めて重要な判例の変遷があつたであろうことは、容易に想像がつく。事実、わが国の諸法典は、それに関連する判例の研究でこれを補充しなければ、その正確な意味を理解し得ないようになつている。

判例が法源であるかどうかの理論については、今日なお議論の余地があろう。しかし、実際問題として、多くの条項が判例によつてその具体的な意義を明かにされているばかりでなく、判例によつて特殊の制度が創造されている例も、決して少くはない。判例研究の重要なことについては、何人も異議のないことであろう。

判例の創造した特殊の制度の内容を明かにするためにはもちろんのこと、判例によつて明かにされた条項の意義を探るためにも、判例の総合的な研究が必要である。同一の事項についてのすべての判決を探り、取り扱われた事実の微妙な差異に注意しながら、総合的・発展的に研究するのでなければ、判例の研究は、決して終局の目的を達することはできない。そしてそれには、時間をかけた克明な努力を必要とする。

幸なことには、わが国でも、十数年来、そうした研究の必要が感じられ、優れた成果も少くないようになつた。いまや、この成果を集め、足らざるを補ない、欠けたるを充たし、全分野にわたる研究を完成すべき時期に際会している。

かようにして、われわれは、全国の学者を動員し、すでに優れた研究のできているものについては、その補訂を乞い、まだ研究の尽されていないものについては、新たに適任者にお願いして、ここに「総合判例研究叢書」を編むことにした。第一回に発表したものは、各法域に亘る重要な問題のうち、研究成果の比較的早くでき上ると予想されるものである。これに洩れた事項でさらに重要なもののあることは、われわれもよく知つている。やがて、第二回、第三回と編集を継続して、完全な総合判例法の完成を期するつもりである。ここに、編集に当つての所信を述べ、協力される諸学者に深甚の謝意を表するとともに、同学の士の援助を願う次第である。

昭和三十一年五月

編集代表

小野清一郎　宮沢俊義
末川博　我妻栄
中川善之助

凡例

一 判例の重要なものについては、判旨、事実、上告論旨等を引用し、各件毎に一連番号を附した。

二 判例年月日、巻数、頁数等を示すには、おおむね左の略号を用いた。

大判大五・一一・八民録二二・二〇七七　（大審院判決録）

（大正五年十一月八日、大審院判決、大審院民事判決録二十二輯二〇七七頁）

大判大一四・四・二三刑集四・二六二　（大審院判例集）

最判昭二二・一二・一五刑集一・一・八〇　（最高裁判所判例集）

（昭和二十二年十二月十五日、最高裁判所判決、最高裁判所刑事判例集一巻一号八〇頁）

大判昭二・一二・六新聞二七九一・一五　（法律新聞）

大判昭三・九・二〇評論一八民法五七五　（法律評論）

大判昭四・五・二二裁判例三・刑法五五　（大審院裁判例）

福岡高判昭二六・一二・一四刑集四・一四・二一一四　（高等裁判所判例集）

大阪高判昭二八・七・四下級民集四・七・九七一　（下級裁判所民事裁判例集）

最判昭二八・二・二〇行政例集四・二・二三一　（行政事件裁判例集）

名古屋高判昭二五・五・八特一〇・七〇　（高等裁判所刑事判決特報）

東京高判昭三〇・一〇・二四東京高時報六・二・民二四九　（東京高等裁判所判決時報）

札幌高決昭二九・七・二三高裁特報一・二・七一　（高等裁判所刑事裁判特報）

前橋地決昭三〇・六・三〇労民集六・四・三八九　（労働関係民事裁判例集）

その他に、例えば次のような略語を用いた。

裁判所時報＝裁　時　家庭裁判所月報＝家裁月報

判例時報＝判　時　判例タイムズ＝判　タ

目次

執行方法の異議　　中野貞一郎

請求異議の訴　　斎藤秀夫

第三者異議の訴

小野木　常

執行の停止・取消

中野貞一郎

執行方法の異議

中野貞一郎

はしがき

執行方法の異議に関して、理論上、もつとも争われるのは、その適用範囲の問題である。現在、わが国の学説は、これを執行吏の執行処分に対してのみ適用を認めるに傾いているといえるが、判例は、依然として、強制執行の方法たる執行裁判所または受訴裁判所の裁判に対しても、執行方法の異議を申し立て得るものとする態度を改めない。ところで全執行事件について執行吏執行の占める比率は、かなり大なるものであることが予想せられるが、執行方法の異議に関する判例の数からいえば、そのうち、執行吏の執行処分に対するものは、意外に少いようである。筆者は、最近、幸せにも、執行吏制度の調査に加わつて執行実務の一端に触れる機会を与えられたが、その際、執行吏の執行処分に対する執行方法の異議が、調査の対象となつた各地裁管内において、いずれも、いいあわせたように、極端に少いのに、驚かざるを得なかつた。この現象について、ある裁判官は、執行吏の執行処分に対する執行方法の異議が裁判所長宛の投書によつて代用されているからだと説明されたのであるが、果して然りとすれば、甚だ不健全である。もちろん、異議の利用度なりその分布が、これをめぐる理論上の諸問題について、なんらの帰結をもたらすものでないことは、いうまでもないが、現在の執行吏の素質および地位を考え合せて、立法論的には、一考を要する問題と考える。

一　適用範囲——他の不服申立方法との関係

強制執行の方法又は執行に際し執行吏の遵守すべき手続に関して、執行当事者又は利害関係人に不服があれば、執行裁判所に異議を申し立てることができる（民訴五四四Ⅰ）。これを執行の方法に関する異議又は執行方法の異議と呼ぶ。法文には、「申立又ハ異議」とあるが、この申立も、広く異議と解して差し支えない。この異議は、執行吏の執行受任もしくは執行実施の拒絶、手数料や立替金その他の執行費用の計算についても、申し立てることができる（民訴五四四Ⅱ）。訴訟法上の救済手段であって、執行吏が司法行政上の監督権に基く懲戒処分を受けたり、国家が賠償責任を負担することと全く無関係であることは、いうまでもない。しかし、訴訟法上の他の救済手段との関係において、執行方法の異議の概念乃至適用範囲が、しばしば、問題となる。以下に、これを分説しよう。

一　即時抗告との関係

（一）最も争われるのは、執行方法の異議の対象を執行吏の違法な執行行為に限るか否かである。法文上は、むしろ、「強制執行ノ方法」に関する限り、執行機関を限定していないように取れるので、「強制執行ノ手続ニ於テ口頭弁論ヲ経スシテ為スコトヲ得ル裁判」に対し即時抗告を認めた民訴五五八条との関係において、疑問を生ずる。執行裁判所又は受訴裁判所が執行機関であるときに、その違法な執行処分の是正を求めるには、執行方法の異議によるべきか、即時抗告によるべきかの問題が、それであるが、周知のように、この点については、顕著な見解の対立がある。即ち、⑴　常に執行方法の異議によるべしとする異議説、(2) 反対に、常に即時抗告によることを要するとする抗告説の他、(3) 不服申立人に異議と即時抗告との選択を許す選択説、及び、(4) 不服申立人を裁判前に審尋しなかつた場合には、単純な執行処分として執行方法の異議に、又、申立人が審尋を受けた場合には、同時に裁判として即時抗告のみによるべしとする、いわゆる折衷説がある。

わが大審院判例は、異議説乃至折衷説によっている。そのいずれであるかを明示するものは、意外に少い。次の【1】乃至【3】に代表せられる三つの型が大別せられ、就中、【3】の型が折衷説に属することは明瞭であるが、単純に執行方法の異議によるべしとする【1】の型と、執行方法の異議の裁判を経て即時抗告によるべしとする【2】の型は少くとも立言上執行方法たる裁判に直接即時抗告をなすことを許さない点につき裁判前の審尋の有無を要件としていないから、むしろ異議説に分類するのが素直かも知れない。当初の判例は、【1】の型をとり(強制競売開始決定に関し、大決明三九・七・一七新聞三七三・一二、大決明四三・八・九民録一六・五五二など)、その後、【2】の型が多くの判例により踏襲された(強制管理開始決定に関する大決大二・六・二三民録一九・四八六に始まり、【2】のほか、債権差押命令・転付命令につき、大決大八・八・一八民録二五・一四八八、不動産競落代金支払及び配当期日指定の裁判につき、大決大九・一〇・四民録二六・一四〇七、不動産引渡命令につき、大決大一〇・九・一九民録二七・一五三七、電話使用権差押命令・譲渡命令につき、大決昭二・一一・八評論一七・民訴七一など)。【2】の型は、折衷説の判例(【3】及び、電話使用権譲渡命令につき、大決昭六・一二・九評論二一・民訴七〇)により一旦中断されたが、その後も再び継続されたことを注意すべきである(不動産引渡命令につき、大決昭七・一〇・四民集一一・一八九七、仮差押物件換価命令につき、大決昭一一・七・二八民集一五・一六五五、再競売命令につき、昭一二・二・二民集一六・一九、配当表の作成・確定・実施の手続につき、大決昭一二・五・二六民集一六・六・六)。戦後の高裁判例においても、【3】の型をとるもの(仮処分物件の換価命令につき、福岡高決昭二七・九・二六民集五・五七、電話加入権換価命令につき、東京高決昭二九・九・二八東京高時報五・一〇・民二三四)と並んで、【2】の型をとるもの(不動産引渡命令につき、札幌高決昭三一・一一・一三民集九・一〇・六三三)が見られる。【2】の型をとる各判例について、裁判前に審尋を経ていない場合かどうかは必ずしも明らかではないが、殊に【3】の判例以後に現れたものについては、「審尋を経ずして為されたる決定なることが記録上明白なりしためで、民訴法第五四四条を常に適用すべしとの立場を採ったのではあるまい」(菊井、右大決昭七・一〇・四民集一一・一八九七事件評釈、判例民事手続法三二五頁)と見る余地もあるし、もともと折衷説自体が裁判前に審尋を経た場合における異議説適用の結果の不当を修正する点を眼目とするものと考えられる以上、両説の区別に必ずしも把われる必要はあるまい。ただ、判例の態度を統一的に解すべきものとするならば、折衷説の立場にあるものと考えなければならない。

【1】不動産強制競売開始決定に対する抗告事件につき、「斯ル競売開始決定ニ対シ不服ノ点アレハ民事訴訟法第五百四十四条ノ規定ニ依リ其決定ヲ為シタル執行裁判所ニ向テ異議ノ申告ヲ為スヘキモノニシテ之ヲ措テ同法第五百五十八条ノ規定ニ依リ抗告ヲ為スカ如キハ法律ノ許ス所ニアラス」とした(大決明三八・七・一〇民録一一・一一五五)。

【2】「債権差押命令又ハ転付命令其モノカ申請ニ対スル一ノ裁判ナルコトハ勿論」であるが、「差押命令及ヒ転付命令ヲ発スルハ即チ債権ニ対スル強制執行ノ方法ニ外ナラサレハ利害関係人カ之ニ対シテ異議アラハ民事訴訟法第五百四十四条第一項ニ依リ異議ヲ申立テテ裁判ヲ受ケ其裁判ニ対シテ不服アラハ始メテ同第五百五十八条ニ依リ抗告ヲ為スコトヲ得」るとした(大決大五・一〇・一一民録二二・一五三五)。

【3】第一審受訴裁判所が債務者を審尋してなした建物収去命令に対する抗告事件で、原審は【2】の判例と同旨の理由から抗告を不適法として却下したが、債務者は、既に審尋を受けて一切の異議につき陳述の機会を得たのであるから、執行方法の異議により執行裁判所の再考を求める必要なく、再考せしめても同一先入見による裁判を見るだけで無益だと主張して再抗告した。大審院はこれを容れて、原決定を破棄、差し戻した。「執行裁判所カ利害関係人ヲ審尋セスシテ為シタル執行処分ニ関シテハ之ニ異議アル利害関係人ヲシテ先ツ民事訴訟法第五百四十四条第一項ニ依リ異議ノ申立ヲ為サシメ之ニ依リ執行裁判所ヲシテ不服ノ点ヲ更正スルノ機会ヲ得セシメタル後利害関係人ニ於テ異議ノ裁判ニ対シ不服アラハ同法第五百五十八条ニ依リ即時抗告ヲ為

サシムルヲ至当トスレトモ執行裁判所カ利害関係人ヲ審尋シテ為シタル執行処分ニ関シテハ之ニ異議アル利害関係人ヲシテ再ヒ其ノ執行裁判所ニ対シ陳述ヲ為サシムルノ要ナキカ故ニ先ツ異議ノ申立ヲ為サシムルコトナク直ニ即時抗告ヲ以テ不服ノ申立ヲ為サシムルヲ至当トス」（大決昭六・三・二五民集一〇・八八）。

なお、次の判例は、同一の執行処分に対し、執行方法の異議と即時抗告が併行的に申し立てられた事案に関する点で注目されるが、執行処分を対象とする抗告を異議の裁判に対する抗告として取り扱つているのは、単なる瑕疵の治癒を認める以上に出で、当事者の申し立てない事項（民訴一八六参照）につき裁判するものと考えられ、当否疑問である。

【4】　競売開始決定に対する執行方法の異議の審理中、さらに、競売開始決定および競落許可決定に対する抗告がなされた事件につき、「本来ならば右抗告は、抗告人が先になした異議申立に対する原裁判所の決定があつた後でなければこれを許されず、不適法として却下を免れない」筈であるが、抗告提起後に異議却下の決定があつたので、「現在においてはその対象が生じ適法に抗告ができる状態になつたわけであるから、その瑕疵は治癒されたものと解するのを相当とするから本件抗告は異議申立に対する決定に対しなされたものとして、これを取扱うべきものである。」とした（福岡高決昭二八・九・七下級民集四・九・一二五九）。

異議説乃至折衷説は、一面において前述のように民訴五四四条の規定の文面に忠実であり、他面において実際上、上級裁判所の判断を仰がせる前に執行裁判所自身に反省の機会を与え、より迅速に救済を与え得る点で、訴訟経済にも合致する長所があり、判例がこれを支持するのも、この点に根拠があろう。ドイツにおいては、かかる折衷説に属する見解が現に判例及び学説の主流をなし（Stein-Jonas-Schönke, ZPO. 18・Aufl. § 766 1, 2. Baumbach-Lauterbach, ZPO. 22. Aufl. § 766, 2, B. Schönke, Zwangsvollstreckungsrecht, 5. Aufl. S. 194. Lent, Zwangsvollstreckungs- und Konkursrecht. 5. Aufl. S. 30）、わが国でも曾ては

通説的地位を有した（加藤・執行法要論一一二頁、雉本・判批録一巻一四九頁、仁井田・民訴要論下巻一一三八頁、松岡・執行要論上巻六一七頁など）。

しかし、現在においては、わが国の学説の大勢は既に抗告説に移り、執行吏以外の執行機関の執行処分について執行方法の異議を認めず、即時抗告一本を以て争うべきものとする（菊井・民訴（二）九六頁、小野木・中野・執行法破産法講義二五頁、兼子・執行法三二頁、吉川・執行法一三七頁など。）。即ち、執行方法の異議は、条文の体系的位置からいっても専ら執行吏の執行実施に対するものと見るのが妥当であり、執行処分たる裁判に対する適用を認めるのは、本質的に事実行為に終始する執行吏の具体的執行処分と裁判所の純粋に観念的な執行処分とを同列に取扱う点で実質的にも不当であるし、裁判所が同一形式でする行為に執行処分と裁判を区別して不服申立方法を別途に分つのは、執行処分に当つても法律的判断が当然伴う点で、その根拠が薄弱である。また、審尋を経たか否かという偶然の事実によつて不服申立方法を異別とするのも、単なる便宜論を出ない。ドイツにおいて折衷説が採られているのは、独民訴法上（ZPO. § 577 Ⅲ）、即時抗告に関し原裁判所の再度の考案が認められないことに基づいているが、わが法上は、即時抗告の場合にも、再度の考案によつて原裁判所に更正の機関が与えられ得るから（民訴四一六Ⅱ・四一七）、これを活用すれば、申立人にしても異議が排斥された後更に抗告する手数も省け、異議か抗告かと迷う必要がない点で却つて妥当な結果を導く。抗告説はかように主張するが、それはそのまま異議説乃至折衷説の理論的欠陥を充分に指摘したものといえる。

（二）　以上は、「執行ノ方法」たる裁判に関する問題であつて、然らざる裁判に対し、執行方法の異議を認める余地がないことはもちろんである。しかし、「執行ノ方法」たる裁判であるかどうかは、必ずしも、常に明瞭ではない。現に、次のような判例がある。

【5】　原審が、強制競売申立却下決定に対して直ちになされた即時抗告を不適法として却下したのに対し、大審院は、執行裁判所が強制競売の申立を却下する決定をすることは民訴五四四条にいう強制執行の方法ではないから、これに対し、同条による異議の申立をなすべきでなく、同法五五八条に依り抗告をなすべきものである、とした（大決昭四・一二・一九民集八・九五三）。

【6】　任意競売につき、競売裁判所が民訴六五六条二項を準用してなした競売手続取消決定に対する通常抗告に対し、原審は、即時抗告をなすべき場合とし、かつ、抗告期間経過を理由として、抗告を却下した。大審院は、次のように述べて、原決定を取り消し、差し戻した。「区裁判所カ競売手続取消ノ決定ヲ為スハ競売手続ノ方法ニ関スル一ノ裁判タルニ外ナラサルヲ以テ口頭弁論ヲ経スシテ之ヲ為シタルトキハ之ニ対シテハ民事訴訟法第五百四十四条ヲ準用シテ異議ノ申立ヲ為スコトヲ得ヘキモノ」であるから、若し「抗告人カ原裁判所ニ提出シタル抗告状ト題スル書面ニシテ該決定ニ対シ異議ノ申立ヲ為シタル趣旨ナリト解シ得ヘキモノトセハ異議ノ申立ニ付テハ不変期間ノ定ナキヲ以テ該申立ハ不適法ナルモノト云フヲ得ス然ルニ原裁判所カ叙上ノ競売手続取消決定ニ対シテハ抗告ヲ為スヘキモノニシテ異議申立ヲ為スヘキモノニ非サルカ如キ見解ヲ以テ右書面ノ意義ヲ釈明セシメスシテ即時抗告期間経過後ノ抗告ナリトシテ不適法トテ之ヲ却下シタルハ不法ナリトス」（大決昭六・一一・一四民集一〇・一二三〇）。

【7】　民訴六五六条二項による強制競売手続取消決定は「執行手続ヲ終了セシムル裁判」であつて「執行方法ニ関スル裁判」ではないから、これに対しては、直ちに即時抗告をなし得る、とし、執行方法の異議によるべしとした原判決を破棄し、差し戻した（大決昭九・八・一〇民集一三・一六一〇）。

【6】と【7】は、任意競売に関すると強制競売に関するとの違いはあるが、理論上は、明らかに矛盾しているし、【5】や【7】は、前述の、【1】乃至【3】によつて代表される判例の主流に背くもの

ではあるまいか。けだし、強制競売の開始が執行の方法であるならば、その開始を命ずる決定と同様、開始申立を却下する決定も執行の方法に「関スル」といわざるを得ず、執行吏の受任拒絶に対して執行方法の異議が認められることを対比しても、【5】の判旨は筋が通らないし、また、【7】のように、「執行手続を終了セシムル裁判」を、執行手続を開始続行せしめる裁判と区別するのは、執行手続の不当な終了こそ手続の適正な進行を妨げる最大の事由に他ならないことからいつても、また、この区別に応ずる各救済に内容上の差異がないことからいつても、理由のないことだからである。しかし、菊井教授のいわれるように（菊井、右判例【6】に対する評釈、判例民事手続法二八七頁）、競売手続取消決定のごときに民訴五四四条の適用を認めることは、強制執行の迅速な終了が不能となるほか、その終了期の明確を期し得ないという致命的欠陥を包蔵しており、ここにも、異議説乃至折衷説を不当とする実際的理由が見出される。

なお、民訴五四七条の執行停止決定が執行の方法に関する裁判に含まれないとして、これに対する不服申立は即時抗告によるべしとする判例（大決昭六・一二・一八評論二一・民訴六八、大決昭七・二・一裁判例六・民一三）がある。これに関しては、別稿「強制執行の停止・取消」に譲る。

二　請求異議の訴との関係

執行方法の異議は、執行又は執行行為の形式的な手続上の瑕疵に基づくことを要し、執行機関において調査の権限職責のない、債務名義記載の責任の不存在を争うには、執行方法の異議により得ず、請求異議の訴（民訴五四五）によるべきである。この関係につき、次の判例がある。

【8】 執行債務者が執行異議の訴と題する訴において、給付義務の不存在と並んで執行文を付しない債務名

義に基づく差押がなされた不法を主張したのに対し、大審院は、民事訴訟法では、強制執行に関する異議を実体上の異議と形式上の異議に区別しており、前者は必ず請求異議の訴を以て主張すべく、かつ、この訴において、実体上の異議と同時に、執行の方法に関する異議によるべき形式上の異議事由や即時抗告を以て不服を申し立て得べき事由を併せて主張することは許されない、とした（大判明三八・三・二九民録一一・四〇六）。

なお、両者の関係は、競売法による競売手続においては別に考えなければならないし、また、個別的には、不執行の合意その他について問題となる（後述二の二（五）（一一）、二の三（一）参照）。

三　第三者異議の訴との関係

第三者異議の訴（民訴五四九）は、強制執行の対象たる財産が執行債務者の責任範囲に属しないことを主張して、強制執行の排除を求めるのであつて、執行方法の適否がこれと関連して問題となることは、原則として、あり得ない。次の判例がある。

【9】　第三者異議の訴は、強制執行の方法が適法であるか否かに関係なく、裁判所もこの点の審究を要しない、とし、強制執行の方法を不当とするときは、方法に関する異議をなすべきだが、方法の当否にかかわらず、目的物上の所有権に基づき、絶対に強制執行の排除を求める場合には、第三者異議の訴によるべきである、とした（大判大三・一・一九民録二〇・六）。

しかし、例外として、民訴五六七条に関し、両者の関連が問題となる（後述二の三（二）参照）。

四　執行文付与に対する異議との関係

執行力ある正本が存する以上、当の債務名義自体の執行力の欠缺や執行文付与の違法がある場合でも、これに基づく執行は直ちに違法とはならない。かかる理由は、執行文付与に対する異議（民訴五二二）

又は異議の訴(民訴五四六)を以て主張すべく、執行方法の異議によることはできない。ただし両者の関係につき、次の判例を注意すべきである。

【10】執行債権者として、執行文の付与を受けた者がその当時既に死亡していた場合、執行債務者は、執行文付与に対する異議の申立をなし得るとともに、相続人がこの執行力ある正本によつて執行して来た場合には、相続人の氏名が執行文に表示されていないという事由で、執行の方法に関する異議をも申し立て得るとし、両者の関係につき、次のように述べた。執行方法の異議が「執行カ現実ニ開始セラレタル後ニ及ヒテ之ヲ為スヲ得ルニ過キサルノミナラス異議カ是認セラレタルトキト雖僅ニ此ノ現実ノ執行ヲ阻止スルヲ得ルニ止マリ他日或ハ執行ノ再演セラルルトキハ更ニ異議ヲ申立ツルノ煩労ヲ免レ」ないのに反し、執行文付与に対する異議は、「執行開始ノ如何ヲ問ハス執行力アル当該正本ニ対シ之ヲ為スモノナルカ故ニ一度此ノ異議ニシテ是認セラレ此ノ正本ニ基ク強制執行ハ之ヲ許サストノ裁判ヲ得タル以上将来ニ於ケル執行ハ(此ノ執行力アル正本ニ基ク限リ)完全ニ之ヲ阻止スルヲ得ルノ利便アリ」、従つて、「彼アルノ故ヲ以テ此レヲ排斥ス可キニ非サルヤ殆ト明ナリ」とした(大決昭四・七・一〇民集八・六五八)。

五　競売法一七条の異議との関係

競売法による動産の競売手続において、利害関係人は、競売の完結に至るまで、その手続に関する執行吏の処分につき、その所属地方裁判所に異議の申立をすることができる(競一七I)。この異議は、本質上、執行の方法に関する異議にほかならないが(小野木・競売法五八頁)、その適用範囲では特則として優先し、民訴五四四条の準用による異議は認められない。ただし、次の判例がある。

【11】競売債権者が、執行吏より競売完結後の計算の実行を受けないことを理由に異議を申し立てたが、原審は、競売法一七条二項を適用し、異議の裁判に対する抗告を却下した。大審院は、競売法一七条一項にいわ

ゆる「競売ノ完結」とは、執行吏が最高価競売申込人に対して為す競落の告知による競売の終了を指し、その後の執行吏の処分については、競売法一七条一項の異議は許されないが、民訴五四四条の規定を準用し執行の方法に関する異議の申立が許されるとし、本件の異議も後者と解する余地があることを示して、原決定を取り消し、差し戻した（大決大八・二・八民録二五・三七）。

もつとも、「競売ノ完結」（競一七Ⅰ）を競売手続そのものの終了と解する見解（小野木・競売法五八頁）によれば、動産の競売に関する民訴五四四条の準用の余地は、同条第二項の事由ある場合に限られることになろう。

二　異議事由と異議権者

執行の方法に関する異議の事由は、一般的にいえば、執行又は執行行為の形式的な手続上の瑕疵、即ち、執行機関が自ら判断調査の上遵守すべき執行手続法規から見た場合におけるその処置の違法不当に限られる。この異議は、異議の理由に応じ、執行機関の当の処置に対し不服の利益を有する執行債権者、執行債務者又は第三者がこれを申し立てることができるから、その各々について、判例に従い、異議の事由たり得る場合を検討して見よう。

一　執行債権者の異議事由

執行債権者の異議は、執行吏が正当の理由なく執行委任を拒絶し又は委任の趣旨に従い執行を実施しない場合や執行吏の手続料計算を不当とする場合（民訴五四四Ⅱ）、あるいは、執行記録の閲覧を拒絶せられた場合（民訴五三八）のごときに、これを認め得る。判例としては、次のものがある。

【12 a】　執行吏が一旦なした差押を正当の理由なしに中途で解除するのは、債権者の委任に従い強制執行を遂行すべき執行吏の義務に違反して不当に執行行為をしないものであり、執行債権者は、当然に執行方法の異議を申し立て得る、とした(大決昭一五・三・一二評論二九・民訴一六二)。

【12 b】　代替執行の授権決定において作為実施者として指名された執行吏がその実施を拒否しても執行機関として拒否するのでないから、執行方法の異議の事由とならない、とした（札幌高決昭三二・二・二八四民集一〇・一・一）。

二　執行債務者の異議事由

執行債務者に対しては、執行機関は執行手続法規の制限内において執行の着手及び続行をすべきであるから、執行債務者は、違法な執行又は執行行為を阻止するために、執行方法の異議を申し立て得るが、他の不服申立方法、特に、請求異議の訴や執行文付与に対する異議又は異議の訴との関係において異議事由の範囲が画定されることを注意しなければならない。判例に現われた執行債務者の異議事由には、次のようなものがある。

（一）　執行力ある正本の欠缺　　強制執行は、執行力ある正本即ち執行文を付した債務名義の正本に基づいて行われることを要し(民訴五一六Ⅰ・五六〇)、執行力ある正本の欠缺が執行方法の異議の事由たり得ることは、いうまでもない。執行文の欠缺につき、判例がある。

【13】　間接強制のため損害賠償を命ずる第一審受訴裁判所の決定(民訴七三四)に執行文を付することなく、これに基づいてなした差押は違法で執行方法の異議の理由となる、とした(大判明三八・三・二九民録一一・四〇六)。

（二）　執行力ある正本の内容と執行との不一致　　執行力ある正本は、執行の展開される基礎をなし、主観的に執行債権者の執行追行の要件であるとともに、客観的には執行の主題を提供する。これと現実の執行の内容との不一致もまた、異議の事由となる。

【14】 金銭支払の判決後、債務者Aが死亡したので、相続人Y_1 Y_2 Y_3に対し執行文の付与を受け、Y_2のみに対しAに対する債権全額につき執行した。Y_1より執行方法の異議を申し立てたのに対し、大審院は、これを容れ、執行力ある正本には「前記ノ正本ハA遺産相続人Y_1 Y_2 Y_3ニ対シ之ヲ付与ス」とあるから、右三名に対する各分割債務の強制執行の為付与されたものと解すべく、債権全額の執行は許されない、とした（大決昭五・一二・四民集九・一一一八）。

（三） 執行当事者の表示の欠缺　　死亡した当事者の名で執行文の付与を受けた相続人がかかる執行力ある正本に基づいて執行して来た場合に、執行債務者は、相続人の氏名が債務名義又は執行文に表示されていないことを理由として（民訴五二八Ⅰ）、方法の異議を申し立て得ること、及び、この場合における執行文付与に対する異議との関係につき、前出【10】の判例がある。

（四） 債務名義の不送達　　執行すべき債務名義を執行開始前又は執行開始と同時に執行債務者に送達することも、執行開始の要件の一であり（民訴五二八Ⅰ）、これを欠く執行に対し執行方法の異議を申し立て得ることは、異論がない。傍論としてこれを認める判例（大判明四四・三・一七民録一六・一三五、大決大二・九・二七民録一九・七二九）のほか、直接の判例として、次のものがある。

【15】 仮執行宣言附支払命令の送達なしにこれに基づき執行を受けた債務者が、執行文付与に対する異議により仮執行宣言の取消と執行の不許の裁判を求めたのに対し、第一、二審は、これを不適法としたが、大審院は、債務名義の不送達を理由として執行の不許を求めるのは、とりも直さず、執行方法の異議にほかならず、申立人がこれを執行文付与に対する異議としたのは法律上の見解を誤つたもので、第一、二審は用語の末にとらわれたものであるとし、原決定を取り消し移送した（大決昭一〇・四・二三民集一四・四六一）。

もっとも、右の判例に対しては、当の異議を民訴四四〇条による仮執行宣言附支払命令に対する異議と認め、強制執行については、同法五一二条による救済を与えた方が一層よい解決ではなかつたかという疑問(斎藤・判民昭和一〇年度三二事件評釈)がある。なお、一般に、債務名義不送達のままなされた執行行為の効力につき、学説上の対立が存するが、執行債務者が執行の方法に関する異議（又は即時抗告）により取消を求めない限り有効で、かつ、取消前に送達があれば瑕疵は治癒されると解する(学説の詳細につき、中田・訴訟及び仲裁の法理二八〇頁以下参照)。

（五）不執行の合意　特定の請求権につき、当事者間で執行をしない旨の合意があつたにもかかわらず、債権者が執行をあえてした場合、債務者は、いかなる救済を与えられるべきかに関し、学説上顕著な争がある。

大審院判例は、当初、「徳義的ニ任意ニ支払フヘク決シテ強制的請求ヲ為ササルコト」の契約を、強制執行権の放棄にとどまらず債権自体の放棄と見るべし、として、右の契約に反してなされた執行に対する請求異議の訴を認めたが(大判大一〇・六・一三民録二七・一一五〇)、その後の判例【16】【17】【18】は、いずれも、執行方法の異議によるべきものとしている。

【16】　旧為替訴訟の判決後、これに基づく執行はしない旨の特約が成立したのに拘らず、執行がなされた。執行債務者より右特約を理由に請求異議の訴を提起したが、大審院は、これを不適法とした。

「請求ニ関スル債務者ノ異議ナルモノハ判決其ノ他ノ債務名義ニ於テ確定セル実体上ノ権利ニ付テ異議ノ原因存スルトキニ為スヘキモノニシテ本件特約ノ如キハ敢テ実体上ノ権利ノ如何ニハ毫モ触ルル所ナク唯単ニ判決ニ基ク執行ヲ為ササルヘシトノ契約ニ止マレハナリ従テ斯ル特約ニ基ク異議ハ須ラク執行ノ方法ニ関スル異

議ノ手続ニ依ルヘキモノト云ハサルヘカラス」(大判大一五・二・二四民集五・二三五)。

【17】 執行をしない旨の合意に二種あり、「債務ノ履行期ヲ延長シ或ハ債務者ニ与フルニ所謂延期ノ抗弁権ヲ以テシ或ハ無条件ノ請求権ヲ条件附ノソレト為スカ如キ趣旨」ならば、請求そのものに関する事由だから請求異議の原因となるに反し、「債権者ニ於テ勝訴判決ヲ得ルモ之ニ基ク執行ノミハ之ヲ為サス若ハ或条件ノ成就スルマテハ之ヲ為サスト云フノ趣旨」であれば、執行申請という訴訟行為をしないというだけで、何等請求自体に関しないから、その特約がいつ成立したかを問うことなく、つねに、これに基づいて執行方法の異議を申し立て得る、とした(大判昭二・三・一六民集六・一八七)。

【18】 支払命令につき執行をしない旨の合意があつたことを請求異議の原因として主張したのに対し、実体上の権利に関係がないから執行方法の異議によるべきだ、とした(大判昭一〇・七・九評論二四民訴三三七頁)。

以上のような判例の態度(同様に、執行方法の異議によるべきものとするのは、Stein-Jonas-Schönke, § 766, II, 1, Baumbach-Lauterbach, § 767, 2, c など。ただし、ドイツにおける多数説および判例の主流は、むしろ、請求異議の訴の直接の適用を認めるに傾いているといわれる。学説の詳細につき、斉藤「執行契約」民訴講座四巻一〇六二頁参照)には、賛成することができない。けだし、不執行の合意は、執行機関が予めその存否、内容を調査することは不可能であるし実際上不適当でもあるから、これを以て直接に執行機関を拘束する執行法上の効力を生ずるものとは到底考えることができないが、もし単なる私法上の債権契約に過ぎないならば、かかる合意に違反した執行も直ちに執行法上違法となることはないから、理論上、執行方法の異議を適用する余地はないといわねばならぬ(兼子・民事法研究一巻二九一頁、斎藤・民訴講座四巻一〇六一頁、いずれも、請求異議の訴の準用乃至類推により執行債務者を救済すべきものと説かれる)。

(六)　強制執行の停滞　執行機関が執行申立に従い執行行為をしない場合、執行債務者の側でも、これを理由として執行方法の異議を申し立て得るであろうか。次の判例は、これを肯定する。

【19】 不動産仮差押命令の執行後勝訴の確定判決を得た債権者が本執行をしないことを理由に、債務者より

事情変更に基く仮差押命令の取消(民訴七四七)を求めた事件につき、大審院は右の場合には、既に勝訴判決確定により仮差押は本執行に移行し又は移行の可能性を生じたもので、債務者が本執行の停滞により苦痛を受けるならば、執行裁判所に執行の続行を促し、または、執行方法の異議を申し立てれば足りる、とし、その根拠として、次のように述べる。

「債権ノ用舎行蔵コソ債権者ノ自由ナレコレニ開始セラレタル強制執行カ如何ニ推移停頓スヘキヤハ必シモ其ノ意思ニ一任スルヲ得ス抑金銭債権ニ付テノ如何ナル執行モ目的物ニ対シ差押ノ効力ヲ生セサルハ無シ差押ノ効力トシテ当該財産ノ処分ハ即チ痛ク制限セラルルニ於テ徒ラニ斯カル状態ヲ持久スルハ是亦一個社会経済上ノ問題タラストセス殊ニ不動産ノ強制執行ニ付キ利害関係ノ衝ニ立ツモノ決シテ当該債権者ニ止マラス其ノ手続カ此債権者一個ノ意思ノ儘ニ漫然遷延セシメラルルニ当リ利害関係人ノ側ヨリ異議（民訴第五百四十四条第二項）ヲ為スヲ得ルハ則チ殆ント自明ノ理ナラスンハアラス」(大判昭一〇・五・七民集一四・八一七)。

しかし、かかる場合に民訴五四四条二項の適用を認めるのは、決して「自明ノ理」でなく、かなり疑問がある。同項は、専ら執行吏に関し執行裁判所の監督を認めた規定であり、これを直ちに執行裁判所の不行為に適用することはできないし、仮に、執行裁判所に異議を申し立てその行動を促すにしても、債権者が本執行の申立をしないならば、執行裁判所としては、どうにもならないからである(菊井・判例民事手続法三七八頁参照)。

（七）　執行停止命令に違反する執行　　次の判例がある。

【20】　不動産強制競売事件において、執行債務者が執行停止命令の正本を提出したのに、執行裁判所が競落代金の支払及び配当期日指定の裁判をした場合は、執行の方法に関する異議によつて不服申立をなすべきである、とした(大決大九・一〇・四民録二六・一四〇七)。

【21】 判決に基づく仮執行が執行停止命令により停止された後、執行裁判所が不当に執行処分をしたときは、本案の上訴裁判所にその取消を求めるべきでなく、執行の方法に関する異議によるべきである、とした（大決昭八・一〇・一八法学一三巻五五七頁）。

（八） 不当な執行費用の取立　次の判例がある。

【22】 不必要な執行費用につき強制執行をなし又は執行費用でないものを執行費用として強制執行をなす場合には、執行方法の異議を申し立て得る、とした（大決大五・六・五民録二二・一一三八）。

（九） 許可なき夜間執行　執行裁判所の許可（民訴五三九）なくして夜間になした執行行為に対しては、執行方法の異議を申し立て得るが、かかる夜間執行の制限は専ら執行債務者の利益のために認められるから、その違反についても執行債務者による責問権の放棄（民訴一四一）を認めるべきは当然で、左の判例にいう異議権の放棄もこの趣旨にほかならない（山田判民昭和八年度一二一事件評釈参照）。

【23】 仮処分の執行が執行裁判所の許可なしに日没後なされたことを理由として、仮処分債務者より執行方法の異議を申し立てたが、原審は、右の執行に際し日没後であるからという理由でこれを拒んだことが認められない以上、かかる執行も、違法でない、とした。大審院は、執行裁判所の許可を得ない夜間執行でも、債務者がこれを拒み得るのに拒まなかつた場合には、債務者の異議権の放棄と認めるべきだから異議の理由とならないが、債務者が執行当時不在でその妻又はその他の立会人が執行に立ち会い夜間執行を拒まなかつたからといつて、債務者は異議権を喪失するものではない。従つて、夜間執行であることを理由とする異議の申立に付いては、債務者が執行に立ち会いこれを拒絶できたのに拒絶しなかつたという事実の有無を審究する必要があり、原審がこれをしなかつたのは違法だ、として、原決定を取り消し差し戻した（大決昭八・七・四民集一二・一七三九）。

（一〇） 差押禁止、財産の差押　次の二つの判例は、いずれも電話至急開通規則一六条により、一定期間内、所轄官庁が止むを得ざるものとして許可した場合を除き、原則的に加入名義又は設置場所の変更を禁止せられた電話加入権に対する差押命令につき、執行方法の異議を認めたものである。

【24】 法律上差し押えることのできない権利に対する差押命令は、執行の方法に違法があり、これに対し異議の申立をなし得るが、取り消されない限り当然に無効ではない、とした（大判大一五・五・二二評論一六・民訴六〇六）。

【25】 執行の目的物たる物又は権利が法律上その譲渡を禁止せられている場合、執行機関は、これに対し強制執行に着手できず、執行のために譲渡の効力を生ずべき方法をとり得ないのはもちろん、その方法の前提として目的物を差し押えることもできないのであつて、執行機関がこれに反して執行の方法をとつた場合には、債務者又は違法の執行により権利の侵害を受くべき第三者より執行方法の異議を申し立て得る、とした（大決昭四・五・八評論一八・民訴三五一）。

法律上、直接に差押を禁止又は制限せられる財産（民訴五七〇・五七〇ノ二・六一八・六一八ノ二、恩給法一一、生活保護法五八、失業保険法二五、労働者災害補償保険法一二、労基法八三、船員法一一五等）が執行の対象たり得ないことは、異論がない。しかし、法律によつて譲渡を禁止されたに止まる財産については、それが執行の対象たり得るか否かは、その譲渡禁止の目的を考察して決すべく、これに対する執行が常に必ずしも違法となる訳ではない。けだし、金銭執行における換価は、売却処分以外の有償的処分、とくに権利行使の譲渡（権利の管理や取立）によることも可能であつて、金銭執行の対象たるには、一般に、権利行使の譲渡性があれば足り、権利の譲渡性を要しないからである（小野木・中野執行法、破産法講義四七頁）。また、右の各判例における電話加入権のように、単に一定期間のみ譲渡を禁止せられ、かつ、所轄官庁の許可による譲渡が可能である場合には、少くとも差押だけは許すのが当然である。（菊井・民訴(二)七九頁参照）。

（一一）　競売法による競売手続における実体上の異議事由　競売法による競売手続には、性質の許す限り一般の強制執行の規定を準用すべきであるが、この手続につき債務名義を要求しないわが通説及び判例（これに反対する見解として、小野木・執行法破産法講義七〇頁参照）に従うならば、債務名義の存在を前提とする請求異議の訴（民訴五四五）は競売法による競売手続に適用せられないとともに、実体上の瑕疵が直接競売手続に影響を及ぼすことを認めざるを得ないから、競売機関の競売処分を排除すべき実体上の理由もまた、執行方法の異議事由たり得ると解すべきことになろう（岩松・競売法（現代法学全集）四八六頁。なお、小野木・競売法（新法学全集）五八頁参照。）。この結論を認める判例として、次の二つを挙げることができるが（ほかに、大判昭三・六・二八民集七・五三三、大決昭一〇・七・一一民集一四・一三七など）、【27】の判例が、執行方法の異議と併行的に請求異議の訴を認めるのは、理論的に筋が通らないといわねばならぬ（菊井・判例民事手続法一六七頁参照）。

【26】　競売法による競売には執行力ある債務名義を必要としないから、裁判所は、競売に関する申立がある場合には、実体上理由ありや否やを審査することを要し、これを肯定できる場合でなければ許可できない以上、不服申立に関しても、

「競売ノ申立カ実体上理由アリヤ否ヤモ亦裁判所ノ判断ヲ受クヘキモノナルト同時ニ当事者ハ其異議ノ申立竝ニ抗告ノ申立ニ於テ手続上ノ理由ト実体上ノ理由トヲ併セテ主張スルコトヲ得ヘシ」とし、なお、意味がやや不明瞭ではあるが、「当事者カ別ニ訴ヲ提起シテ実体上ノ争ヲ決シ因テ以テ競売手続ヲ進行セシメ若クハ其進行ヲ防止スルノ権利ハ之カ為メ毫モ妨ケラルルコトナシ」とした（大決大二・六・一三民録一九・四三六）。

【27】　競売法による競売手続には、競売法に特別の規定がない限り性質の許す範囲で民訴法の強制執行に関する規定を準用すべきである、として民訴五四五条の準用による異議の訴を認めたうえ、執行の方法に関する異議との関係に及び、「但シ抵当権不存在ヲ理由トシ民事訴訟法第五百四十四条ノ準用ニ依ル異議ノ申立ヲ為シ得ルコトハ従来認メラルルトコロナルヲ以テ同法第五百四十五条ヲ準用シ本件ノ如ク異議ノ訴ヲ提起スルコ

トハ或ハ重複スルヤノ観ナキニ非スト雖モ然ラス何者彼ハ現在開始セラレタル当該手続ノ許スヘカラサルコトヲ主張シ其ノ手続ヲ取消スコトヲ目的トスルニ反シ此ハ抵当権ノ実行其ノモノノ許ス可ラサルコトヲ理由トシ一般的ニ其ノ実行ヲ阻止スルコトヲ目的トシ両者ノ主旨トスルトコロ自ラ一ナラサルモノアレハナリ」とした（大判昭六・一一・一八民集一〇・一〇七二）。

もつとも、競売手続開始決定に表示された申立抵当権額が真実の債権額よりも過大であることを争つて同決定に対し執行方法の異議を申し立て得るか否かは、判例の分れるところであり、【29】はこれを肯定し、【28】は反対にこれを否定している。

【28】「開始決定に表示の申立債権（又は基本債権）額は右決定によつて確定されるものではなく、右申立債権が真実の債権額より過大である場合に之れが匡正を求めるには通常は判決手続により債務額の確定判決を求めるか、或は請求異議の訴（民訴五四五条の準用）によるか、若しくは配当異議の手続（訴による場合をも含む）によるべきであつて、特別の事情のない限りは申立債権の過大なることを争つて開始決定に対する異議申立を為すことはその利益がなく、許さるべきでないものと解するを相当とする。」とした（高松高決昭三一・一〇・一三民集九・八・五三四）。

【29】右【28】と同旨の見解があることを挙げ、次のようにいう。すなわち、開始決定によつて債権額が終局的に確定されないということは、いずれに解する理由ともなり得ないし、右のような見解の背後には、抵当権の不可分性に基づき被担保債権が些少でも残存する限り抵当権を実行できるから異議申立人が些少でも債権の残存を自陳する限り異議申立は許されないとする考えがあるのであろうが、金一万円の残債権により目的物全部に対し抵当権を実行できるということから、金一万円の満足をうる目的で金一〇万円の債権ありと主張して抵当権を実行しうるとの結論はでてこない、競売手続は常に現存債権の満足をうる為の限度でしか許されないのであつて、例えば、甲抵当権を乙債権の抵当に供した場合、甲抵当権の被担保債権が乙債権を超過するときに限り甲抵当権の実行が許されるから、甲抵当権の被担保債権額は乙債権とともにその実行の初めにおいて

手続上確定されなければならず、前者が後者に達しないときは、債権額の多少を争つて直ちに異議を申し立て得ると解すべきである、とし、裁判所が異議を理由ありとするときは、現存債権を超過する部分についての競売手続を許さない旨の決定をなすべきである、とした（福岡高決昭三〇・八・三〇民集八・七・四三三）。

競売法による競売手続に債務名義の存在を要求しないことが根本的に問題なのであるが、これを認める以上は、実体権の不存在の場合にはその範囲において当然に競売手続を行い得ないものと解せざるを得ず、また、この理は、実体権の全部的不存在と一部的不存在によつて異なるべきものではないから、原則的には、【29】の理論を以て正当と解すべきであろう。

三　第三者の異議事由

第三者もまた、違法な執行によつて正当な利益を害せられる場合には、執行方法の異議を申し立て得る。判例に現われた異議事由には、次のようなものがある。

（一）　執行債務者と誤認せられて執行を受けた場合　次の判例がある。

【30】　債務者を「河野シキ」と表示した債務名義に基づき、河野某の内妻であつた「森山シキ」なる者に対しなされた強制執行に対し、右森山より強制執行異議の訴（請求異議の訴か第三者異議の訴かは、判例集からは不分明）を提起し、異議原因の一つとして、債務名義たる執行命令は「河野シキ」を債務者として発せられており、自己はその債務者でないことを主張した。原審は、「河野シキ」と「森山シキ」の同一性を認定し森山に対する債務名義の効力を認めたが、大審院は、右の主張は、債務名義に表示された債務者でないのに債務者と誤認せられ不当に執行処分を受けたことを異議の原因とするものであるとし、自己が債務者であることを前提として執行の基本たる請求自体に関する異議を主張するのでもなく、第三者として執行の目的物につき権利を主張するものでもないから、かかる

主張については執行方法の異議によるべきで、請求異議の訴又は第三者異議の訴の原因とすることはできない、とした（昭九・三・三〇民集一三・四〇九）。

ほかに、傍論としてではあるが、同旨の結論を認める判例（大決大一〇・二・三民録二七・二九三）がある。債務名義に債務者として表示された者と現に執行を受けた者とが同一人なりや否やは、何人が現実に債務を負担するかということと無関係な純形式上の事由であり、これを請求異議の原因となし得ず、執行方法の異議によつて主張すべきことは勿論である（斎藤・判民昭和九年度三七事件評釈参照）。もつとも、強制執行の目的物を中心に考えると、責任財産外の財産に対する執行という意味では、乙の物を甲の物とまちがえて差し押えた場合と、乙を甲とまちがえて乙の物を差し押えた場合とでは大差がないから、後の場合にも第三者異議の訴が可能なのではないか、とする見解（近藤・執行関係訴訟一三六頁）もある。

（二）自己の占有物を承諾なしに差し押えられた場合　第三者がその占有物に対する差押を拒んだのに拘らず執行吏が差押をあえてした場合には、その差押は、執行方法の異議とともに第三者異議の対象ともなる。当初の判例【31】【32】は両者を択一的な関係に立つものと見ていたようである。

【31】第三者異議訴訟において、第三者が、上告理由において、「差押物件ハ上告人即チ第三者ノ占有ニ属スルモノナルヲ以テ占有者ノ意ニ反シテ差押ヲ為スヲ得サルコトハ民事訴訟法ノ規定ニ依ツテ明カナリ」としたのに対し、大審院は、「占有者ノ意思ニ反シテ差押ヲ為シタルコトヲ異議ノ理由トスルトキハ民事訴訟法第五百四十四条ニ依ルヘキモノナルヲ以テ叙上ノ如キ理由ハ上告人カ第三者トシテ所有権ヲ主張シテ異議ヲ申立ツル本件ニ於テ之ヲ主張スルヲ許スヘキモノニ非ス」として一蹴した（大決大三・五・二九民録二〇・四二三）。

【32】【31】とは逆に、第三者がその占有する山林に対し執行債務者の占有物として執行吏保管の仮処分を受

けたことを不当とし、執行の方法に関する異議を申し立てたが、大審院は、本件は、債務者の占有権を争い自己の占有権を主張して執行不許の裁判を求めているが、第三者が債務者と誤認されて執行を受けたと主張するのでもなく、民訴五六七条の手続に違背したと主張するのでもないから、第三者異議の訴によるべく、執行の方法に関する異議申立は認められない、とした（大決大一〇・二・三 民録二七・二九三）。

【32】と同旨の判例は、ほかにもある（大決昭二・七・二七 評論一七民訴二四）。いずれも、もっともであるが、近藤判事（執行関係訴訟二三六頁）のいわれるように、民訴五六七条違反を主張する場合には、実際上、第三者が占有していたかどうかが争われることが多いであろうし、その争は占有権の有無の争でもあるのだから、執行の方法に関する異議において占有権が主張されたからといって直ちに違法の申立とすることは不当である。要は、執行の方法に関する異議においては、第三者の占有物であるとの主張以外に、提出を拒んだのに差し押えたという主張を要するということだけである。次の判例は、この点を正しく解決した。

【33】　第三者が、その占有する倉庫につき、債務者の占有物として仮処分がなされたのは執行方法を誤ったものであるとして、執行の方法に関する異議を申し立てたのに対し、原審は、かかる主張は、第三者異議の訴によるべきものとした。大審院は、「金銭債権ノ執行ニ当リ第三者ノ占有セル一ノ動産ヲ債務者ノ占有ニ属ストシテ而モ第三者ノ意ニ反シ差押タルトコロ料ラス物ハ第三者ノ所有ナリトセムカ執行方法ニ関スル異議ト第三者ノ異議ノ訴ト其ノ孰ノ道ニ出ツルヤハ一ニ第三者ノ任意ナリ必ス後者ナラサル可カラステフ何等ノ理由アルコト無キハ毫モ疑ヲ容レサルトコロナリ」と前提し、当の仮処分の目的物が第三者の占有中にあるのに執行吏がその占有を解き自己の保管に移したとすれば、この執行は、仮処分命令の内容を実現する手続即ち執行の方法自体として既に瑕疵があり、これに対して執行方法の異議が許されるとともに、執行の方法に全く違法がない場合でも、第三者の権利が害されるときは、第三者異議の訴を提起し得るのだから、この両方の瑕疵が競

合する場合には、当然、その何れの方法を選択するかは第三者の自由であるのに、原審がその一方を強いんとするのは不当であるとした（大決昭一〇・三・二六民集一四・四九一）。

なお、右の判例は、【33】の判例理論に異を立てるものとは考えられないが、第三者が提出を拒んだことを要件としないように取れる点で、やや正確を欠いている。

【34】　執行債務者でないXが第三者Aから預かって占有していた物に対し、執行債務者Zに対する強制執行として差押を受け、占有の有無を争って執行方法の異議を申し立てたのに対し、裁判所は、問題の「物件は総てXがAから預つて右階下の倉庫に保管していたものであることが認められる。従つて執行吏がZに対する強制執行として同人の占有にあるものとしこれが差押をしたのは違法で、この場合Xは右差押の排除を求めるため執行の方法に関する異議の申立をなし得ることは勿論である（民事訴訟法第五四四条、第五六六条第一項参照）」とした（東京高決昭二五・三・一一〇民集三・一・三八）。

なお、【40】の判例参照。

（三）　工場抵当法七条二項違反の執行　次の判例がある。

【35】　工場抵当権は工場建物備付の動産に及び、これらの動産は、建物と共にするのでなければ差押、仮差押又は仮処分の対象とならないから（工場抵法七Ⅱ）、かかる動産のみについて他の普通債権者が差押をした場合には、抵当権者は、執行方法の異議を申し立て得るが、同時に、抵当権は、この場合には、民訴五四九条の「譲渡若クハ引渡ヲ妨クル権利」に当ると見るべく、第三者異議の訴も許される、とした（大判昭六・三・二三民集一〇・一一六）。

右の場合、執行方法の異議は当然であるし、第三者異議の訴をも認め得るか否かについては、学説上異論がないではないが（我妻・判民昭和六年度一五事件評釈参照）、肯定すべきである（近藤・執行関係訴訟二四九頁参照。）。

（四）　処分禁止仮処分中の物件に対し他の債権者が一般の債権に基づき執行した場合　かかる場

合に、仮処分債権者を優先せしめるべきか否かについて、わが国では特別の規定がないので、大いに争われている（学説の詳細につき、斎藤・判民昭和八年度六四事件評釈参照）。以下の大審院判例は、いずれも、仮処分債権者の地位を一般債権者に優先せしめ、執行方法の異議又は第三者異議の訴によりこれに救済を受けしめんとする。

【36】 処分禁止仮処分中の電話加入権が他の債権者の金銭債権に基づく強制執行で競売せられ、仮処分債権者が勝訴判決後、競落人に対し加入名義変更請求の訴を起した事件において、大審院は、次のように述べた。即ち、かかる仮処分中は、禁止違反の任意処分を以て仮処分債権者に対抗できないだけでなく、仮処分債務者に対する他の債権者が強制執行の方法でその処分をすることも許されず、かかる強制執行に対しては、仮処分債権者は、執行方法の異議を主張できる、しかし、異議なくして執行が終了した場合には、その処分は有効で、これにより権利を取得した第三者は、仮処分債権者に対しその権利を対抗できる、と（大判昭二・四・一二民集六・一五一）。

次の判例は、更に、かかる仮処分の目的物に対しては、換価のみならず差押もまた許されないこと（差押のみは許すべきであるとする見解として、菊井・判民昭和二年度二八事件評釈）を明らかにした。

【37】 処分禁止仮処分中の電話加入権を他の債権者が差し押えたのに対し、仮処分債権者より執行方法の異議を申し立て、原審がこれを不適法としたのに対し、大審院は、若しかかる場合に仮処分債権者の異議を認めないと、仮処分権利者の不知の間に差押債権者が差押以後の手続をなし強制執行を完了して、遂に仮処分権利者をして異議を主張できなくするおそれがある、とした（大決昭三・六・二一評論一八・民訴三七）。

しかし、【36】及び【37】の判例によれば、処分禁止の仮処分を無視する強制執行は違法であるにしても、仮処分債権者に執行方法の異議申立の機会がない場合には（例、債権差押命令と同時に転付命令が発せられる場合）、仮処分債権者を救済する途がないことになる。そこで、その後の判例（大判昭四・四・三〇民集八・四二一）は、執行終了後でも、執行手続中に仮処分債権者が異議を主張したと否とを問わず、仮処分権利者の権利保全と相容れない範囲では、実体法上仮処分債権者に対抗できない、とした。さらに、次の判例がある。

【38】 処分禁止仮処分中の不動産に対し他の債権者の申立に基づき強制競売開始決定があつた事件につき、大審院は、強制競売手続による譲渡は仮処分債権者に対抗できないから、仮処分権利者は、右強制執行の目的物の譲渡を妨げる権利を有し、これに基づき第三者異議の訴を提起し得るのみならず、執行方法の異議をも主張し得る、とした（大決昭八・四・二八民集一二・八八八）。

ドイツ法では、優先主義を採用する関係上、仮処分による処分禁止にも法律上の処分禁止と同様の物権的効力を認めるのであるが（独民一三五・一三六、独民訴七七二参照）、平等主義に徹底しているわが民訴法の下に、右の各判例が認めるごとき仮処分債権者の絶対の優位を認めるのは甚だ当を得ない。本来、執行保全のための仮処分は現状の保全を目的とするものであつて、仮処分権利者にその本案の請求以上の利益を与えるものでないから、仮処分債権者の他の債権者に対する優先的地位を否定するのが当然である。むしろ、処分禁止の仮処分の効力は、仮処分債務者の任意処分を禁止するに尽きるものというべく、他の債権者が目的物に対して強制執行をしても、仮処分債権者の側でこれに対し執行方法の異議を申し立て又は第三者異議の訴を提起することは許されないと解すべきであろう（吉川・保全処分の研究二〇八頁以下、兼子・判民昭和四年度三六事件評釈、斉藤・前掲評釈参照）。

（五） 仮処分の執行方法の不当　次の判例がある。

【39】 Yは、A所有工場備付の物件を買い受けたと称して、執行吏保管の仮処分を得て執行したが、Y委任の執行吏は、一旦、現状不変更の条件でAに保管させる方法によつた後、保管換と称して目的物の取崩運搬出に着手した。そこで、Aより工場抵当権の設定を受けたとするXより、右執行は仮処分の執行として必要の

程度を超越した違法がある、として、執行方法の異議を申し立てた。原審は、仮処分の執行たる処分が仮処分命令の趣旨に合する限り、たとい利害関係人の権利を害する場合でも執行行為自体は違法とならないとしたが、大審院は、次のように述べて原決定を廃棄委任した。即ち、執行吏保管の仮処分の執行方法は、執行機関の自由裁量によるが、各場合の必要に応じ適切な処置たるべきは当然で、問題の取崩や搬出が執行の必要の程度を超えて抵当権を有するXに損害を与える場合には、Xは、執行方法の異議によりこの執行方法を排除する利益と理由を有する、と（大決昭三・一〇・三一民集七・八八二）。

原審が、執行の適法性を単に債務名義の範囲内かどうかで判定しようとする平面的見方をとつたのに対し、右の判旨は、仮処分命令の執行方法を執行吏の責任で適当に選択させ、起り得る違法を執行方法に関する異議を通じ是正しようとするもので、結果の妥当な点においてこれに賛成すべきものと考える（兼子・判民昭和三年度八四事件評釈参照）。

三　手　続

一　申　立

（一）　執行方法の異議の手続は、執行裁判所に対する異議の申立によつて開始せられる。異議の申立は、既に述べたように、各種の異議事由に応じ、執行債権者、執行債務者又は第三者がこれをなすことができるが、いずれも、対象となる執行機関の違法な処置につき、不服の利益を有する場合でなければならない。次の判例は、その一例である。

【40】　執行吏が、第三者の占有する物を、その意思に反して差し押えたことを理由として、執行債務者が執

行方法の異議を申し立てたが、裁判所は、「元来民訴第五百六十七条は第三者の所持を保護することを目的とする規定であるから、同条違反の差押によりその所持を侵された第三者以外の者は、たとえ債務者といえども、同条の違反を理由として執行方法に関する異議を申立て得ないものと解するを相当とする。」とし、これは、仮に債務者がかかる差押により間接的に損害を被むるおそれがあるとしても、同様である、とした（広島高決昭三一・九・四民集九・六・四三一）。

申立権者の債権者が、債権者代位権（民四二三）に基づき、異議の申立をなし得るであろうか。次の判例がある。

【41】 競売法による競売につき、凡そ債権者代位権の対象たり得るものは、私法上の権利に限らず公法上の権利をも含むが、訴訟法上の権利の行使については総て民事訴訟法に準拠することを要し、執行の方法に関する異議の申立又は抗告につき債権者の代位を一般的又は特別的に認めた規定は、訴訟法上全く存しないから、競売の目的たる不動産の所有者に対する債権者のごときは、異議申立の適格を欠く、とした（大決昭五・七・一九民集九・六九九）。

同旨の判例は他にもあるが（換価命令に対する即時抗告につき、大決昭七・六・三民集一一・一一五七、仮差押決定に対する異議につき、大判昭一三・四・二〇民集一七・七二六）、一般的には、訴訟法上の権利もまた、代位制度の趣旨から見て代位の目的たり得るものと解すべく、債権者は、債務者の実体法上の権利につき、訴を提起し、強制執行を申し立て、請求異議の訴や第三者異議の訴を提起しうることは、通説の認めるところである（この点の学説及び判例につき、柚木・判例債権法総論一九〇頁参照）。ただ、訴訟開始後、その訴訟手続上認められる各個の権利（攻撃防禦方法の提出、不服の申立）は、原則として、その当事者のみがなし得るものであって、特別の規定がない限り、代位は許されないのであって、執行方法の異議申立権についても同様である。【41】の判例は、その理由において正当でないがこの見地から、その結論を支持し得る。

（二） 申立の方式については、特別の定めがなく、書面又は口頭でなし得る（民訴一五〇）。抗告状と題する書面による申立であつても、内容上、異議を申し立てる趣旨と解し得る場合には、右の書面の意義を釈明しなければならないとする判例【6】については、既に述べた。なお、申立書における相手方の記載につき、次の判例がある。

【42】 凡そ形式上の異議申立のごときは片面的のものであり、常にその申立書に相手方を定めて記載することを要しないうえ、殊に公の執行機関たる執行吏を相手方として申立書に掲げ又はこれを当事者として裁判に掲げるべきではない、とし、執行方法の異議の申立書及びこれに対する決定に被申立人として執行吏を掲げた場合でも、執行吏は、その決定に対し不服を申し立てることは許されない、とした（大決明三五・六・二〇民録八・六・一一六）。

異議の申立につき対立する利害関係を有する者がある場合でも申立における相手方の表示を要求する理論的根拠は存しないが、実務上は、事案の内容を明瞭ならしめる便宜上、その表示をなすのが通例といわれる（前野・強制執行手続一三三頁、竹田・強制執行法実務総概七七頁）。なお、【48】の判例参照。

（三） 異議の申立時期についても特別の制限は定められていない。しかし、執行の方法に関する異議が執行処分に対する一の不服申立方法たる性質を有する以上、原則として、執行処分がなされた後に申し立てられることを要し、特別の事情の下に一定の違法な執行処分の実施が確定的に予想されるような例外的場合（Vgl. Stein-Jonas-Schönke, ZPO. §766. III 2）を除いて、事前の異議は許されない。その反面、異議の対象とすべき違法な執行処分を包含する執行手続が終了した後には、最早これを取り消す余地がなくなるから、その後においては異議を申し立てることができない（通説）。もつとも、執行吏の手数料・立替金その他の執行費用の計算・徴収に関する処置に対し異議を申し立てるについては（民訴五四四II）、執行手続完結後であると否とを問わないのは当然である。次の判例がある。

【43】 執行債務者に対する債務名義の送達前に債権差押命令及び転付命令が発せられ、かつ、第三債務者に送達された後、執行債務者が右の各命令につき執行方法の異議を申し立てた事件につき、大審院は、執行方法の異議は「強制執行ノ実施ニ際シ手続ノ不法ヲ匡正スルト同時ニ執行手続ヲ適法ニ進行終了セシムルコトヲ目的トシテ認メタル不服申立ニシテ執行ノ終了後ニ於テ既往ニ遡リ不法執行ノ効果ヲ除却スルコトヲモ目的トスル救済方法ニ非サルコトハ異議ノ性質自体ニ徴シテ明白ナルノミナラス同条第一項末段ノ規定ノ趣旨ヨリ推スモ亦明カナレハ強制執行ノ終了後ニ於テハ利害関係人ハ債務名義ノ送達ナキコトヲ理由トシテ訴其他ノ方法ニ依リ執行ノ無効ヲ主張スルコトヲ得ヘキモ執行方法ニ関スル異議申立ハ之ヲ許スヘキニ非ス」とし、金銭債権に対する強制執行において差押命令及び転付命令が第三債務者に適法に送達された以上、ここにその執行手続は終了し、利害関係人は、もはや執行方法の異議を申し立てることはできない、とした(大決大二・九・二七民録一九・七二九)。

【44】 債権差押命令及び転付命令の送達後、第三債務者より被転付債権の種類及び転付前の存在を争つて執行方法の異議を申し立て、原審が異議を理由ありとして右の各命令を取り消したのに対し、大審院は、「転付命令カ発セラレタルトキハソレニテ当該具体的執行ハ終了シタルナリ執行終了後ニ又執行方法ニ対スル異議テフコトノ有リ得サルハ猶訴訟ノ係属終了後ニ上訴ノ有リ得サル如シ蓋シ異議ニ依リテ是正セムトスル具体的執行ハ最早存スルコト無ケレハナリ這ハ固ヨリ転付命令ノ場合ニ限ルニ非ス如何ナル執行ノ場合ニ於テモ亦然リ又独リ執行方法ノ異議ニノミ限ルニ非ス」、請求異議の訴や第三者の異議の訴なども総て同様に執行終了後は当然に許されない、として、転付命令後の異議申立を不適法とし、原決定を取り消し差し戻したが、なお、附言して次のようにいう。第三債務者が被転付債権の存在を争うなら執行債権者が被転付債権を行使して来るのを待つてからでも遅くなく、また、執行債権者を相手取つて債務不存在確認の訴を起す道もあるのだし、また、執行債権者の執行力ある請求権の存否を争う利益は何れにせよ第三債務者には全くないのだから、本件の異議申立が許されないからといつて、第三債務者には何等不当な結果を生じない、と(大決昭八・四・一八民集一二・七二四)。

【45】 競売手続開始決定に対する執行方法の異議が競落許可決定の確定後に申し立てられた事件において、原審がこれを執行完結後の異議申立と見たのに対し、大審院は、競落許可決定後でも売得金の交付又は配当が終了しない限り競売手続はなお存続するから、異議により競売不許の宣言を求める実益があり、競落許可決定の確定の一事を以て異議がその目的を失つたと解すべきでない、とし、原決定を癈棄委任した(大決昭二・二・九民集六・四二)。

もつとも、執行手続の終了時期については一債務名義による全体としての執行と一定の財産に対し又は一定の執行の方法による個個の執行手続とを区別することを要し、前者が執行力ある請求権の完全な満足が得られた時又はかかる満足が終局的かつ全部的に不能となつた時に終了するのに対し、後者は、当該手続における最後の段階をなす所定の行為が完結した時に終了する。請求異議の訴が執行終了後はできなくなるというのは、前者の意味であるが、執行の方法に関する異議や第三者異議の訴が執行終了後はできなくなるというのは、後者の意味即ち問題となる執行行為又は当の財産に対する執行行為を包含する執行手続の終了を指すのであるから(吉川・「強制執行の終了期」強制執行法の諸問題九三頁以下、とくに、九八頁、兼子・強制執行法一二八頁参照)、【44】の判例がこれを区別せずに、あらゆる執行法上の異議が執行終了後は許されない点で異なる点がないかのように論じているのは、不正確である。なお、個々の執行手続の終了時期についても、困難かつ重要な問題がある(詳細につき、吉川・前掲論文参照。)。とくに、不動産の強制競売手続及び競売法による競売手続の終了時期については、【45】の判例(なお、同旨の判例として、大決昭二・三・一八評論一六民訴五九九、大決昭七・一・一二裁判例六・民一、大決昭七・一〇・一四裁判例六・民二八〇など。)と同様、売得金の交付又は配当の完了時と解するのに現在では異説を見ないが(吉川・前掲一一二頁、兼子・前掲一二九頁等)、債権執行については、【43】及び【44】の判例(なお、同旨の判例として、大決大五・一〇・一一民録二二・一五三五、大決大一〇・一一・二六民録二七・二〇三〇)の見解、即ち、転付命令が違法な場合でも第三債務者に対するその送達によつて直ちに執行手続が終了するとなすことに対し、学説上、反対が強い（雑本・判例批評録1二四七頁、吉川・前掲一〇九頁、兼子・前掲一二九頁等。判例の見解に賛成するものとして、菊井・判例民事手続法一二九頁）ことを注意するにとどめる。

（四）　異議の管轄裁判所は、常に、執行裁判所、即ち、不服の対象たる執行行為又は執行行為をなすべき地又はなしたる地を管轄する地方裁判所であり（民訴五四四Ⅰ・五四三Ⅱ）、この管轄は専属である（民訴五六三）。しかし執行裁判所以外の裁判所に異議の申立があつた場合でも、直ちにこれを却下すべきでない。次の判例がある。

【46】　民訴第一編第一章第一節は専ら狭義の訴訟事件の管轄に関する規定であることは明白だが、ただ、民訴三〇条だけについては、その法意を執行裁判所の管轄に属する執行方法異議事件の場合に類推を許さぬ道理はないとし、異議を不適法と見た原決定を取り消し移送した（大決昭一〇・四・二三民集一四・四六一）。

異論（中田・論叢三三巻二号一五四頁）もあるが、訴訟経済の見地から右の判旨に賛成すべきものと考える（同旨、斉藤・判民昭和一〇年度三二事件評釈）。

二　審理及び裁判

（一）　異議に対しては、口頭弁論を経又は経ないで、決定の形式を以て裁判する（民訴五四三Ⅲ）。

【47】　第一審及び原審裁判所が、いずれも、差押禁止物件の差押を理由とする異議につき口頭弁論を開き判決を以て裁判したのに対し、大審院は、執行裁判所がたとい口頭弁論を開始した場合でも、その裁判は決定でなすべく、判決によるべきものでないことは、民訴五五八条の規定に徴し明瞭である、とした（大判昭三・七・二三新聞二九〇四・一〇）。

口頭弁論を開かない場合には、裁判所は、異議申立人を審尋することができる（民訴一二五Ⅱ）。

【48】　執行方法の異議の審理につき、原審裁判所が、問題の執行行為をした執行吏を職権で審尋したのに対し、職権証拠調は現行法の下では原則として許されず、口頭弁論を開かない場合に許される審尋も、ただ当事

者に対してのみ許されるから、異議事件の当事者でない執行吏を職権で審尋したのは弁論主義に反し違法である、とした(札幌高函館支決昭二七・六・二六民集五・六・二五〇)。

異議の事由に関しては、特に規定がない以上、疎明を以ては足らず、証明を要すると解すべきである(兼子・強制執行法二九頁 Stein-Jonas-Schönke, § 766, III 3.)。

(二) 異議があつても、当然には執行の続行は停止されないが、執行裁判所は、異議に対する裁判をなすに至るまでの間の応急処分として、保証を立てしめ又は立てしめずして執行の停止を命じ又は保証を立てしめて執行の続行を許容し得る(民訴五四四I後・五二二II)。この応急処分に関しては、判例【49】のほか、別項「執行の停止・取消」参照。

(三) 異議の裁判をなすべき時期につき、次の判例がある。

【49】 不動産の競売手続開始決定に対し執行方法の異議の申立があつたが、競売裁判所は、競売手続をそのまま進行せしめ、異議の裁判をしないままで、競落許可決定をした。これに対し、「競売手続開始決定に対する異議の申立は競落許可決定前に限らず、その後でも競売手続が完結しない限り申し立てることができるのであるから、競落許可決定前に申し立てた異議でも、競売手続完結前にこれが裁判をなせばよいのである」とし、なお、かように異議の裁判が遅れる場合でも、執行停止の応急処分をするか否かは競売裁判所の自由で、これをしなくても違法ではない、とした(東京高決昭三〇・一一・一五民集八・八・五八七)。

(四) 異議を理由なしとするときは、これを棄却すべく、異議を理由ありとするときは、その趣旨に従い、執行吏にその執行をなすべき旨又はその執行を許さない旨を宣言するが、最後の場合には、申立人は、右の裁判の正本を提出して当の執行処分の取消を求めることができる(民訴五五〇1・五五一)。ところで、異議の裁判には、既判力が認められるか。判例は、これを否定する。

【50】 競売法による競売手続開始決定に対して申し立てられた方法の異議に対する裁判は、その異議が実体法上の理由に基くときでも、単に競売法により競売手続を請求できるかどうかを判断するに止まり実体上の法律関係を確定する趣旨のものでないから、異議の理由となつた法律関係の存否は異議の裁判により確定しない、として、原審が一事再理の抗弁を排斥したのは正当である、とした(大判大七・四・一五民録二四・五一五)。

同旨の判例(大判昭一五・三・一四評論二九・民訴一八六頁、大判昭一六・二・二四民集二〇・一〇六。いずれも競売法による競売手続開始決定に対する異議の裁判に関する。)がある。執行方法の異議の裁判は、執行処分の形式上の瑕疵に対する執行裁判所の監督形式に過ぎず、実体関係の確定を目的としないから、右の判例と同様に、既判力を否定するのを正当と考えるが(兼子・体系三三八頁参照)、反対の見解(Stein-Jonas-Schönke, § 766, III. 7. Baumbach-Lauterbach, § 766, 4, B)もある。

異議の裁判後、別個の事由に基づき同一執行処分に対し再度の異議が許されるか。次の判例がある。

【51】 競売開始決定に対し方法の異議を申し立て、その異議棄却の決定が確定した後、更に同一競売開始決定に対し他の理由に基づいて異議を申し立てたが、原審は、若し同一競売開始決定に数度の異議を許すときは、競売手続は容易に進行せず、その終了は期し難い、との理由で、異議棄却の裁判に対する抗告を棄却した。大審院は、これを非難し、異議の裁判には既判力はなく、又民訴五四四条には同法五四五条三項に類する例外的規定はないから、「別個ノ理由ヲ主張シテ新ニ抗告(「異議ノ申立」の誤りであろう。――筆者註)ヲ為スコトハ之ヲ妨クルモノニ非ス」、としたうえ、異議の申立があつても執行を停止するか否かは専ら裁判所の裁量によることだから、執行の停滞をおそれ原判示は一片のき憂に過ぎない、とした(大決大一五・七・一〇民集五・五五五)。

判旨は、もとより正当である(菊井・判例民事手続法二六一頁参照)。なお、同一の執行処分に対し同一の理由に基づいてなされた再度の異議は正当な利益を欠き、これを不適法として却下すべきである(Vgl. Stein-Jonas-Schönke, § 766, III 7)。

（五）　異議を却下若しくは棄却した決定に対しては、異議申立人から、また、異議を認容した決定に対しては、反対の利害関係人から、それぞれ、即時抗告をなし得る。執行吏は、執行機関としては、異議の裁判に不服を申し立てることはできないが（【42】の判例参照）、手数料や立替金の計算上損失を蒙る場合には、個人として、抗告し得ると解すべきであろう（兼子・執行法三〇頁参照）。

請求異議の訴

齋藤秀夫

はしがき

請求異議の訴の制度は実体法上の権利を反映しなくなつた債務名義の執行力を排除し、不当な執行を阻止して債務者を保護しようとする制度である。したがつて債務名義成立後弁済などによつて私法上の権利が消滅したにかかわらず債権者が執行する場合を理論上どのように説明するのが適当かということを中心にして、学者の信奉する執行請求権理論があたかも試金石としてあらわれる分野である。この分野においては、ドイツのガイプやシュタイン、わが国の雉本博士、兼子教授などの論文が代表的なものとしてあげることができよう。しかしこの制度は単に学者の学問的興味の中心であるばかりでなく、実際上はたしている機能の故に注目されなければならない分野である。

まず気付くことは、この制度、この規定に関する裁判例が他の分野にくらべて圧倒的に多いということである。たとえば第一法規編集の判例体系では、この民訴五四五条の判例は、実に、二〇三頁にわたつて掲載されていることである。判例を通して強制執行の生態を探求するには逸することができない分野であることは、この事実だけでも明らかであろう。本来債務者保護の趣旨であるこの制度が執行妨害に悪用されていないかどうかは最も戒慎を要する視角であろう。近藤判事の好著執行関係訴訟のほか、三ケ月教授の民事訴訟法（民事判例展望、昭和二二年―二八年度）、小山教授の民事訴訟法判例回顧（一九五五年度、一九五六年度別冊法律時報）には、大いにおかげをこうむつたので、厚く謝意を表する次第である。なお判例時報など関係資料は本年九月まで参照することにし、また関係の判例批評などもなるべく引用して、研究上の便宜をはかることにした。

一　訴の意義及び性質

一　訴の存在理由

（一）　執行機関は強制執行のためだけの機関で、私法上の請求権を確定するための機関から分離されているため、強制執行を迅速に処理するための技術的要請として、権利存在の公の証明文書を法定し、この権利証明文書である債務名義さえあれば、執行機関はその債務名義に表示された私法上の請求権の存否を調査することなく執行を実施すべきものとされている。従つて債務者としては現実の実体関係と一致しない債務名義に基き強制執行を受ける可能性がある。このような場合に、新たな権利確定手続を経た新たな公権的判断を呈示して債務者に執行を免れる機会を与えようとするのが、請求異議の訴の制度である。仮執行宣言附の第一審判決に対して控訴し、又は仮執行宣言附支払命令に対して異議を申立てる場合のごとく、裁判が債務名義であつて、その訴訟手続上不服申立を認めている場合には、請求に関する実体上の理由に基いて裁判そのものの取消を求める余地があるとはいえ、その事由を主張すべき訴訟手続が終了しているため間に合わないこともあり、又債務名義が執行証書のような場合は、初めから訴訟がないのであるから、債務名義に表示された請求が現在の実体法律関係と一致しないことを判決で確定し、債務名義の執行力を排除し、執行を阻止する救済方法として、債務者に別に独立の訴を提起することを認める必要がある。

（二）　判例のうちには、請求異議の訴を認めたのは、不当な強制執行の行われざらんことを期したものであると判示しているものがあるが、賛成できない。この判例の事案は限定承認を理由として請求異議の訴を提起し得るか、という問題に関するものである。すなわち、

【1】「然レトモ前記確定判決ニ接着セル口頭弁論終結前ニ於テ其ノ被告タリシ上告人ハ相続ノ限定承認ヲ為シ之ヲ被上告人ニ通知シタルニ因リ被上告人ニ於テモ該事実ヲ了知シ居リタルコトハ原審ノ確定シタル所ナレハ、被上告人ハ上告人カ其ノ為シタル限定承認ニ因リ相続ニヨリ取得シタル財産ノ限度ニ於テノミ、被相続人ノ有シタル本件債務ニ付弁済ノ責任アルモノナルコトヲ了知シナカラ、恰モ上告人ハ無制限ニ之カ弁済ノ責任ヲ負担ストノ主張ヲ維持シ、裁判所ヲシテ遂ニ本件ノ確定判決ノ如キ無留保ノ給付判決ヲ為サシメタルニ外ナラス。而シテ斯ノ如キ債務名義ニ因リ無制限ニ上告人ニ対シ強制執行ヲ敢テスルコトハ不法行為ニ属スルコト論ヲ俟タサルトコロナリ。民訴法五四五条カ異議ノ訴ヲ認メタルハ不当ナル強制執行ノ行ハレサランコトヲ期スルニ外ナラサルヲ以テ、判決ニヨリ確定シタル請求カ判決ニ接着セル口頭弁論終結後ニ変更消滅シタル場合ノミナラス判決ヲ執行スルコト自体カ不法ナル場合ニアリテモ亦異議ノ訴ヲ許容スルモノト解スルヲ正当ナリトス。蓋シ此ノ場合ニ於ケル不法ハ当事者カ判決ニヨリ強制執行ニ着手スルニ因リ外部ニ顕ハレ始メテ異議ノ原因トナルモノト解シ得ヘキヲ以テナリ。左レハ原審ハ請求ニ関スル異議ノ訴ノ本質ヲ詳ニセス、単ニ判決ノ外形ノミニ捉ハレ裁判ヲ為シタル違法アルモノニ該当シ原判決ハ全部破毀ヲ免レス。」(大判昭一五・二・三民集一九・一一〇)。

しかし、請求異議の訴は、すべての不当な強制執行の行われざらんことを期したものではなく、請求に関する異議の事由が、確定判決に接着する事実審の最終の口頭弁論終結後に生じたため、その請求を強制的に実現することが不当とされる場合に、これを排除することを目的とするものである。右の判旨が、請求異議の訴を認めた目的は、「不当ナル強制執行ノ行ハレサランコトヲ期スルモノニ外ナラサル」ことを出発点として、「判決ヲ執行スルコト自体カ不法ナル場合」にあつても異議の訴

を許容しようとしたことは、すでに出発点そのものにおいて誤りがあるといわなければならない（菊井・判民昭和一五年度六事件二六頁）。

二　訴の性質

（一）　大審院判例の主流は学界の通説（一）と同じように、債務名義の執行力を排除することを目的とする形成訴訟であるとしている。すなわち、大判明治四四・二・四（民録一七輯三〇頁）は、

【2】「本訴ハ民事訴訟法第五四五条ニ依リ債務者ノ提起シタル異議ノ訴ナルコトハ原判決ノ確定シタル事実ナレハ其訴ハ確定シタル債務名義ノ効力ヲ排除スルヲ以テ目的ト為シ唯其債務名義ニ依リテ現ニ差押ヘラレタル財産ノ解除ヲ目的トスル訴ニ非ス。何トナレハ其異議ノ訴ニシテ原告タル債務者ノ勝利ニ帰センカ其判決ノ効力ハ特ニ差押財産ヲ解除セシムヘキニ止マラス既ニ為シタル執行処分モ亦取消ササルヲ得サレハナリ（民訴法第五五一条参照）。」

と判示しており、

大判昭和七・一一・三〇（民集一一巻二三二六頁）は、さらに明確に同じ趣旨を判決している。

【3】「判決ニ因リテ肯定セラレタル請求ニ関スル異議ノ訴ハ既ニ為サレタル執行処分ノ除去ヲ以テ其ノ主眼トスルモノニ非スシテ抽象的ニ判決ナル債務名義ノ執行力ヲ排除センコトヲ目的トスルモノナルカ故ニ、強制執行ノ開始若クハ準備前ニ於テモ之カ排除ヲ求ムルニ付法律上正当ノ利益ヲ有スル者ハ此ノ訴ヲ提起スルコトヲ妨クルモノニ非ス。」

（二）　大審院判例の判旨自体には訴訟法上の異議権という表現を用いたものは見当らないが、判例の主流は、債務名義の執行力の排除に向けられた異議権を訴訟物とする訴訟法上の形成訴訟であると解しているものといってよい。下級審の判例には、明らかに、本訴の訴訟物は異議権なる訴訟法上の

権利であると判示しているものがある。すなわち、東京地判大一五・六・二九(評論一六民訴三八頁)である。

【4】「請求異議ノ訴訟物ハ所謂異議権ナル訴訟法上ノ権利ニシテ此権利ハ形式上債務名義ノ存在スルコト及其形式上存在スル債務名義ノ実体的内容タル私権ノ不存在若クハ其履行期ノ延期セラレタルコトヲ法律要件トシテ発生スルモノトス」

なお、判例の主流ではないが、大判大三・五・一四(民録二〇輯五一三頁)が「異議ノ訴ハ開始サレタル強制執行ノ排除ヲ目的トスルモノ」であるとしているのは、具体的執行行為の取消を目的とする形成の訴とみているわけであろう。

(三)　判例には学説にみられるような確認訴訟又は給付訴訟説をとるものは存在しない。確認訴訟説によれば、本訴は債務名義に表示された実体上の給付義務の不存在確認であるとし(兼子・強制執行法九五頁)、給付訴訟説は、執行機関に対する執行禁止命令を求むるものとするもの、又は、債権者に対しその債務名義の不行使を求め(吉川・強制執行法二〇二頁)、若くは、差押の目的物の返還を求めるものと説く。

通説の説く形成訴訟説によると、訴訟法上の異議権が訴訟物であつて、実体法上の関係の主張は訴訟物ではなく、本訴の事由であるにすぎない結果、これについての判断には判決の既判力がないことになる。したがつて、債務者は本訴で敗訴し、執行は阻止できなくとも、同一の事由に基いて、あらためて債権者に対して不当利得返還請求の訴を起すことができるのであり、この場合債権者は異議訴訟における勝訴判決を援用してこれを拒み得ないことになる。(二)債務者もまた実体法上の関係の主張につき既判力を得ておくためには、異議訴訟とは別に消極的確認の訴を起すか、又は異議訴訟において同時に実体法上の関係につき確認の請求をも併合しなければならないことになる。異議訴訟において右の確認請求を併合する場合には、訴訟物の価額算定は、実質上同じ債権額を二重に計算しなければならないという(三)不合理な結果になる。

(一)　加藤・強制執行法要論一二三頁、菊井・民事訴訟法(一)九八頁、松岡・強制執行要論上巻六三三頁。
(二)　兼子・前掲九四頁、吉川・前掲二〇二頁。
(三)　近藤・執行関係訴訟七頁。

三　請求の趣旨

(一)　請求異議の訴は債務名義の執行力を排除することを目的とするものであって、現実になされた具体的執行行為の取消を目的とするものではない。その実定法上の根拠としては、民訴五五〇条一号、五五一条をあげることができる。したがって本訴の請求の趣旨は当該債務名義に基く強制執行の不許を求めるものでなければならない。この点に関する判例としては、指導的地位に立つべき大審院自体が、明治、大正、昭和を通じて、不統一のままになっており、大判昭九・一一・一四(判決全集(一四)三四頁)のごときは、反対の趣旨の大判が二件も存在するのに拘らずこれを無視し、単に大判大三・五・一四(民録二〇輯五三一頁)のみをあげ、「個々の財産に対する現実の執行処分排除の為め強制執行不許の宣告を求め得ることは既に当院の判例とするところなり」と判示しているという有様で、このような大審院の態度は、この点に関する実務上の大きな混乱を来さしめた一大原因であると考えられる。次に大審院の見解が不統一のままに終始していることを示しておこう。

（二）大判明四一・三・一六（民録一四輯二七〇頁）は、債務追認契約公正証書正本により「明治三九年七月五日為シタル強制執行ハ之ヲ取消スヘシ」との申立は、請求異議の訴として適法か否かが争われた事案であり、現に差押えられた特定有体動産につき、これに対する強制執行はこれを取消すべしとの判決を求めたものである。大審院は、その請求原因が、「強制執行ヲ為シタル債権者ノ債権ヲ否定シ執行ヲ避ケントスルニ在ル以上ハ」、右の申立は不適法とはなし得ないものと判決したのである。この判旨の用語は正確ではないが、立論の基本的立場として、請求異議の訴は、債務名義に基く強制執行の不許を求めるものであるという立場をとるのかどうか、明確を欠くものがある。判旨が用いた文言では、「請求ニ関スル債務者ノ異議ニ於テハ原告ハ債権者ノ為シタル強制執行ヲ許サヽル旨ノ宣言ヲ求ムヘキモノトス」となつているのであり、「債権者ノ為シタル」という個所は、むしろ債権者のなした特定の執行の排除を求めるものであるという見解をとるものであると理解するのが正しいと私は思う。（一）

（一）近藤氏が大判明四一・三・一六（民録一四輯二七〇頁）をもつて、具体的執行行為の取消を求むべきでないことを明らかにしているとされている点は（執行関係訴訟一一頁）、私の理解するところとは異なる。

すなわち、右の大判明四一・三・一六（民録一四輯二七〇頁）は、

【5】「民訴法第五四五条ニ規定スル請求ニ関スル債務者ノ異議ノ訴ニ於テ原告ハ債権者ノ為セル強制執行ヲ許サヽル旨ノ宣言ヲ求ム可キモノナルコトハ上告論旨ノ如シト雖モ本件ニ於テ被上告人カ上告人ノ為シタル強制執行ハ許サヽル旨ノ宣言ヲ求ムト云ハスシテ強制執行ハ之ヲ取消ス可シト云ヒタルハ強制執行異議ノ訴ニ於ケル結果ヲ言顕シタルモノニシテ被上告人ノ請求セル原因ニシテ本件強制執行ヲ為シタル債権者即チ上告人ノ債権ヲ否定シ其執行ヲ避ケントスルニ在ルニ於テハ本件ノ訴ニ付キ如上ノ文辞ヲ用ヰタリトモ何等妨ケアル

コトナシ」。

と判示したのである。

大判大三・五・一四(民録二〇輯五三一頁)は、請求異議の訴で現実の執行処分を許さない旨の宣言を求めることができるとする立場に立ち、前掲【5】の大判明四一・三・一六(民録一四輯二七〇頁)とは異なる見解を採っている。

上告理由が「本件に於ける被上告人等の訴旨は執行し得べき公正証書の債務名義の効力を排除するを以て目的とするもの即ち所謂請求に関する強制執行の異議にして現に差押られたる箇箇の財産の解除を目的とするものにあらざるは明なるに原裁判所が訴の原因に副はざる被差押物件の解除を求めたる被上告人等の一定の申立を容れたるは法則の誤解若くは理由不備の違法ある裁判なりと信ず」と主張したのに対し、大審院は、

【6】「請求ニ関スル異議ノ訴ニ於テ現実ノ強制執行処分ヲ許ササル旨ノ宣言ヲ求ムルモ異議ノ訴ニ副ハサル申立ナリト謂フ可ラス何トナレハ異議ノ訴ハ開始サレタル強制執行ノ排除ヲ目的トスルモノニシテ如上ノ宣言ヲ為シタル判決ニ依ルモ強制執行排除ノ目的ヲ達スルヲ得レハナリ」(大判大三・五・一四民録二〇・五三一)。

と判示しているに止まり、その理論的証拠は示されていない。

(三)　本訴により具体的執行行為の取消を求めることができるとする立場の理論的証拠は、かえつて下級審の判例に見られる。それは、大正元年一一月九日東京控訴院判決(評論一巻民訴二四六頁)である。これによれば、ある債務名義に基く強制執行を許さない旨の一般的宣言を求めることもできるが、特定の執行処分につき執行を許さない旨の宣言を求めることも可能であると判示する。

【7】「民訴法第五四五条ニ依ル異議ノ訴ノ場合ニ於テハ或債務名義ニ基ク強制執行ハ之ヲ許ササル旨ノ一

般的宣言ヲ求ムルコトヲ得ヘク尚ホ斯ノ如キ宣言ヲ受ケタルトキハ同法第五五一条ニ依リ既ニ特定ノ物件ニ対シテ為シタル執行処分モ当然取消サルルモノトス。然レトモ請求ニ関スル異議ノ訴ノ場合ニ於テハ常ニ必スシモ右ノ如キ強制執行ヲ許ササル旨ノ一般的宣言ヲ求ムルコトヲ要スルニアラス或ハ請求ノ一部分ニ付テノミ執行ヲ許ササル旨ノ宣言ヲ求ムルコトヲ得ヘク（例ヘハ請求金額一万円中三千円ヲ弁済シタル為メ残額七千円ニ付キ異議ノ訴ヲ提起スルカ如シ）或ハ又単ニ或特定ノ物件ニ対シテ為シタル執行処分ニ付テノミ其執行ヲ許ササル旨ノ宣言ヲ求ムルコトヲ得ヘシ何トナレハ請求ノ一部又ハ特定ノ執行処分ニ付キ執行ヲ許ササル旨ノ宣言ヲ求ムル請求権ハ請求全部ニ付一般的ニ執行ヲ許ササル旨ノ宣言ヲ求ムル請求権中ニ包含スルモノナルヲ以テ其一般的強制執行不許ノ宣言ノ請求ヲ為スヲ得ルモノハ特ニ禁止ノ規定ナキ限リハ其内ニ包含スル一部的強制執行不許ノ宣言ノ請求ヲ為スヲ得ル者ト解スルヲ相当トスレハナリ」（東京控判大元・一一・九評論一巻民訴二四六頁）。

（四）　しかしながら、具体的執行行為の取消を求める訴が、一般的強制執行不許の宣言の請求の中に包含されるもので、その一部請求とみるべきものと解する点において理論的に誤っている。個々の執行行為が取消されるのは、債務名義に基く強制執行を許さずとする判決（確定判決又は仮執行宣言附判決）により債務名義の執行力が排除され、民訴五五〇条一号、五五一条の規定に基き、その結果として当然生ずるものであるから、債務名義の執行力自体の排除を求める請求と個々の執行行為の排除を求める請求とは、全部一部の関係に立つものではないというべきである。

東京地判大一四・一〇・二九（新聞二五二七号九頁）は、右と同様の理由により、請求異議の訴において個々の執行処分の取消を求めることは許されないものとし、

【8】「判例ニ於テ『請求ニ関スル異議ノ訴ニ於テ現実ノ強制執行処分ヲ許ササル旨ノ宣言ヲ求ムルモ其訴ニ副ハサル申立ナリト謂フコトヲ得ス』ト為シ或ハ債務名義ノ執行力自体ノ排除ヲ求メ得ル請求異議ノ訴ニ於テ

個々ノ執行処分ノ取消ヲ求メ得サル理ナシ是恰モ金一千円ノ債権ヲ有スルモノカ其請求ノ一部タル金五百円ノ支払ヲ請求シ得サルコトナキト同一ナリトノ説ヲ為スモノナキヲ保シ難シト雖モ固ヨリ採ルニ足ラサルナリ」

と判示しているのは、本訴によつて、具体的執行行為の取消を求めることができるとした大判大三・五・一四(民録二〇輯五三一頁)及び東京控判大元・一一・九(評論一巻民訴二四六頁)の見解を排斥したものである。

東京地判昭七・三・三〇(新報三〇三号二五頁)は、さらに進んで、本訴により具体的執行行為の取消を求めるものとする立場の不合理な所以を詳細にわたつて判示している。

【9】「若シ夫レ請求異議ノ訴ニ於テ執行名義ニ表示セラレタル執行力ノ排除ヲ求メス右執行名義ニ基キ現実ニ為サレタル個々ノ執行行為ノ排除ヲ求メ得ルモノトセンカ其ノ具体的場合ニ付為サレタル確定判決ハ当該目的物ニ付為サレタル執行行為ノ許否ニ付キテノミ其効力ヲ有スルニ止マリ時ヲ異ニシテ他ノ目的物ニ付為サルヘキ執行行為又ハ為サレタル執行行為ノ許否ニ付テハ其ノ既判力ヲ及ホササルモノト解スヘキヲ以テ該執行ノ執行力ハ猶存続スヘク従テ債権者ハ同一執行名義ニ基キ更ニ強制執行ヲ為シ得ヘク同一執行名義ニ基キ名義第二次第三次ノ執行行為カ為サレタル場合債務者ハ更ニ前訴ト同時ニ存シ且同時ニ主張シ得タリシ別個ノ異議ヲ時ヲ異ニシテ主張シ第二次第三次ノ執行行為ニ付同一執行名義ニ対シ別個ナル請求異議ノ訴ヲ提起シ得ヘキコトトナリ民訴法第五四五条第三項ニ債務者カ数個ノ異議ヲ有スルトキハ同時ニ之ヲ主張スルコトヲ要スト規定シ一般判決ノ既判力ノ外更ニ明文ヲ以テ同一執行名義ニ対シ同時ニ主張シ得タルニ拘ハラス主張セサリシ異議ニ付失権ノ効力ヲ附シ以テ執行審ニ於テ執行手続ノ迅速ヲ期シタル法ノ精神ヲ没却スルニ至ルヘキノミナラス又債務者ハ永久ニ同一執行名義ニ対スル請求異議ノ訴ヲ反覆セサルヘカラサルニ至ルノ不合理ナル結果ヲ来スヘシ」

大審院には、その趣旨明確を欠く大判明四一・三・一六(民録一四輯二七〇頁)、具体的執行行為の取消を認める大判大三・五・一四(民録二〇輯五一三頁)、及びこれを先例としてあげて踏襲する昭九・一一・一四(上決全集(一)四)三四頁)、大判昭一三・五・二八(判決全集五輯一二号三六頁)があり、大判明四四・二・四(民録一七輯三〇頁)、大判昭四・一一・一三(評論一九巻民訴一三九頁)は、通説の立場に立ち、本訴は債務名義そのものの執行力を排除することを目的とするもので、現実になされた執行を排除することを目的とするものではないと判示しているのと正面から抵触しており、大審院の見解は二つに分れ、実務上の大きな混乱を来さしめている原因となつている。これは極めて遺憾なことといわなければならない。

(五)　大審院自体右のように両説に分れている関係上これに倣う下級審判例も二つに割れていたことは当然の現象である。請求異議の訴で特定の執行の排除を求め得ないとする通説の立場に立つものとしては、新潟地判明三四(ワ)二五六号(新聞一〇四号七頁)、大阪控判明三六(子)八九四号同八九九号(新聞三〇九号九頁)、大阪地判明四三(ワ)五一八号(新聞六七七号一三頁)、東京控判明四四・一一・一七(新聞七六三号二二頁)、東京地判大六・三・一〇(評論六巻民訴一〇七頁)、東京地判大一四・一〇・二九(新聞二五二七号九頁)、東京地判昭七・三・三〇(新報三〇二号二五頁)があり、これとは反対に、特定の執行の排除を求め得るものとする下級審判例としては、東京控判明四二・一二・一八(最近判例集六巻一〇八頁)、東京控判大元・一一・九(新聞八三八号二四頁)、東京区判大五・一二・二八(新聞一一〇八号二七頁)、大阪地決大一三・一〇・七(新聞二三三二八号八頁)、浦和地判大一五・六・六(評論一五巻民訴四〇三頁)などがある。

(六)　理論上からいうと、具体的執行行為が取消されても、それによつて債務名義そのものの執行力が左右されることはなく、依然として債務名義の執行力は存続しているのであるから、債務名義の執行力の排除の請求と具体的執行行為の請求との間に全部一部の関係があるということは全くの謬論といわなければならない。それにも拘らず、判例の少くとも半分は、異議によつて具体的執行行為の取消を求めることもできるとしているのは、実際上の便宜を考慮したからであるとみてよいであろう。このような便宜論の立場を最も詳細に展開する代表的判例は、大阪地判大一三・一〇・七（新聞二三三二八号八四）である。

【10】「蓋シ極メテ小額ナル価格ノ物件ニ対シ現実強制執行ヲ為サレタル場合ナルニ拘ラス債務名義所載ノ債権額カ巨大ナルトキ若シ債務者カ必ヤ債務名義ニ基ク一般的執行力ノ排除ヲ求メサルヘカラストセハ該排除ノ手続其費用ノ点等ニ於テ甚敷債務者ノ権利伸張方法ヲ煩瑣ナラシムルノ結果ヲ生スヘシ従テ請求ニ関スル異議ノ訴ニ於テモ亦其停止命令ノ申請ニ於テモ債務者ハ其債務名義ニ基ク一般執行力ノ排除ヲ求メスシテ現実為サレタル物件ノ具体ニ及ホセル執行力其者ノ排除ヲ求メ得ヘク且右両者ノ何レニ出ツルカハ一ニ債務者ノ任意ナリト為スハ該執行力排除手続ヲ定メタル趣旨ニ副ヒ且其手続ヲシテ迅速ニ運ハシメタルモノト謂フヲ得ヘケレハナリ」

この大阪地判がいうように、債務名義所載の債権額が巨大であり、少額の価格の物件が差押えられた場合でもなおかつ債務名義の執行力全部の排除を求めるほかはないという理論を貫くときは、貼用印紙その他の費用の点で、債務者に酷である結果を生ずることは否定できない。このような便宜的考慮から、理論的には不合理な点があるに拘らず、実務上は具体的な執行行為を対象とする請求異議の訴を例外的なものとして認めているのである（一）。このような具体的執行行為に対する請求異議の訴で原告債務者が勝訴しても、理論上は債権者はさらに新たな物件に対して再び強制執行できるわけであるが、このような強引な債権者の度重なる執行の事例はほとんど生じていないといわれている（二）ところからみると、具体的執行行為の排除を対象とする請求異議の訴で債権者（被告）が敗訴した場合の判決が事実上、債権者を抑制する機能は相当強いものとみなければならない。この意味では、前掲昭和七年の東京地裁判決の想定した弊害は今のところは幸にも杞憂に終つているわけである。

（一）近藤・前掲一二頁、三ヶ月「執行に関する救済」民訴講座四巻一一一九頁参照。

（二）近藤・前掲一二頁。兼子教授（前掲一〇三頁）は、本訴における異議の請求の表示としては、確認訴訟説の立場からいえば異議の請求の内容である給付義務の不存在の状態の確定を求めなければならないわけであるが、その広義の執行力としての債務名義の執行力の排除が主眼なのであるから、それを明確にするために執行の不許の宣言を求める趣旨の表示をしても妨げないとされ、「個々の執行行為の取消はこれを求めるには及ばない」と主張される。同教授は執行力の排除は債務名義と相容れない状態の確定された当然の効果と解しておられる（前掲）ところから推すと、その趣旨は、具体的執行行為の取消の請求をしてもよいという意味（近藤・前掲一四頁はその意味に理解しておられる）ではなく、むしろそれも当然の結果として生ずるから個々の具体的な執行行為の取消はこれを求める必要がないという意味であろう。

二　訴訟物の価格

一　問題の起る場合

本訴の訴訟物の価格は、管轄違の抗弁が提出されたとき、及び訴状に貼用すべき印紙額の算定について問題とされている。本訴をもつて債務名義の執行力の排除を目的とするという通説の立場からは、当然に債務名義表示の請求権の価額を基準とすることになるが、本訴によつて、特定の執行の排除を求めることもできるという便宜論的立場においては、訴訟物の価格は債務名義の金額によらず右の執行の目的物の価額によることになる。判例において、本訴の目的につき右の両説にわかれていることは、上述三において述べたとおりであるが、その当然の結果として訴訟物の価格についても、判例は二つに分れている。理論的には前説が正しいが、後者の見解は便宜的立場から特に資力の乏しい債務者の立場を考慮したものということができよう。大審院の判例自体が二つの見解に割れているので、ここでも、実務上の混乱をひき起す原因となつている。

二　判例の一

まず、前説によるものは、大判明四四・二・四（民録一七輯三〇頁）、大阪地判明四三年（ワ）五一八号（新聞六七七号一三頁）、東京地判大六・三・一〇（評論六巻民訴一〇七頁）であり、その代表として大判明四四・二・四（民録一七輯三〇頁）を掲げる。

【11】「本訴ハ民訴法第五四五条ニ依リ債務者ノ提起シタル異議ノ訴ナルコトハ原判決ノ確定シタル事実ナレハ其訴ハ確定シタル債務名義ノ効力ヲ排除スルヲ以テ目的ト為シ唯債務名義ニ依リテ現ニ差押ヘラレタル財産ノ解除ヲ目的トスル訴ニ非ス何トナレハ其異議ノ訴ニシテ原告タル債務者ノ勝利ニ帰センカ其判決ノ効力ハ特ニ差押財産ヲ解除セシムヘキニ止マラス既ニ為シタル執行処分モ亦取消ササルヲ得サレハナリ（民訴法第五五一条参照）之ヲ要スルニ差押ノ解除ハ前掲判決ノ旁生ノ効力ニ過キス由是之ヲ観レハ本訴ノ如キ異議ノ訴状ニ貼附スヘキ民事訴訟用印紙ハ債務名義ノ債権額ヲ標準ト為スヘキモノニシテ差押ヘラレタル財産ノ価額ヲ標準ト為スヲ得サルモノト謂ハサルヲ得ス」。

三　判例の二

これに反対の立場に立つ便宜論的立場からの後者の見解も大審院自身に見られる。すなわち大判昭九・一一・一四（判決全集（一）（四）三四頁）、大判昭一三・五・二八（判決全集五輯一一号三六頁）がこれであり、下級審判例としては、東京区判大五・一二・二八（新聞一一〇八号二七頁）がある。その代表的なものとして、大判昭九・一一・一四

（判決全集（一）四）三四頁）は次のごとく判示している。

【12】「請求ニ関スル異議ノ訴ニヨリテモ個々ノ財産ニ対スル現実ノ執行処分排除ノ為メ強制執行不許ノ宣告ヲ求メ得ルコトハ既ニ当院ノ判例トスルトコロナリ（大正二年(オ)第二三九号大正三年五月一四日言渡当院判決参照）然リ而シテ被上告人ハ本件ニ於テ上告人ノ為メ現ニ差押ヘラレタル動産ノミニ付強制執行不許ノ宣告ヲ求ムルモノナルコト訴状及口頭弁論調書ノ各記載ニ徴シ明白ナレハ被上告人ノ本件訴訟ニ依リ得ヘキ判定ハ現ニ差押ヘラレタル物件ノ価額ノ上ニ出テサルコト勿論ナリト謂フヘク然ラハ原審カ差押物件ノ価額一八〇円ヲ標準トシテ印紙ヲ貼用セシメタルハ洵ニ相当ノ措置ナリ」。

四　異　例

なお大判大六・一一・五（民録二三輯一七二四頁）は、公正証書の記載金額の一部につきなした執行につき、債権者が右執行の基本とした債権額によるものとしており、差押えた物件の価額を基準としてはいないけれども、債務名義の金額によるを要しないとしている点において、やはり、このグループに入れておいてよい。しかし、この点で異色があるので、これを掲げておく。

【13】「被上告人ハ第一審以来上告人カ本訴公正証書ノ執行力アル正本ニ依リ横浜区裁判所執達吏戸倉忠夫代理伊藤正作ヲシテ被上告人住宅ニ於ケル有体動産ニ対シ為サシメタル強制執行ハ之ヲ許ササル旨ノ判決ヲ求メタルモノニシテ即チ本訴ハ上告人カ証書面記載全額ノ一部ニ付為シタル執行ニ対スル異議ノ訴ナレハ原審モ亦其一部ノ執行ニ付不許ノ判決ヲ為シタルニ外ナラス而シテ斯カル案件ニ於テハ強制執行ハ基本トセル債権額ニ相当スル印紙ヲ貼用スルヲ以テ足リ証書面記載金額ニ相当スル印紙ノ貼用ヲ要セサルモノトス故ニ記載金額ニ相当スル印紙ヲ貼用スヘキコトヲ前提トスル本論旨モ亦其理由ナキモノトス」（大判大六・一一・五民録二三・一七二四）。

五　附帯請求

主たる請求のみならず附帯の請求につき異議があつても、民訴二二三条二項が適用されるものと解すべきであり、したがつて、その価額は算入されない。大決もこの趣旨を判示している。

【14】「本件異議ノ目的タル債務名義ハ元本二万円及之ニ附スル利息並損害金一万六千六百円ノ債権ナルコト記録ニ徴シ明瞭ニシテ右金一万六千六百円ハ即チ民訴法第二三条二項ニ所謂附帯ノ請求ニ該当スルモノト解スルヲ正当ナリトス。従テカカル訴ニ於ケル訴訟物ノ価額ハ金二万円ナリト解スルヲ相当トスヘシ。原審ハ右訴訟物ノ価額ヲ金三万六千六百円ト誤認シタルカ如ク、抗告人ニ対シ之ニ相当スル金百八十九円ノ印紙ノ貼用ヲ命シ之ニ応セサリシトテ本件控訴状却下ノ命令ヲ為シタルハ違法ナリ」（大決昭七・七・二七〔一〕民集一一・一六八九）。

（一）　兼子・判民昭和七年度一三三事件（判旨賛）、吉川・強制執行法二〇六頁、山田・判研I三六二頁。

三　管　轄

本訴を提起すべき管轄裁判所については、債務名義の種類により異つた定めがある。

一　債務名義が判決であるときは、土地及び事物の管轄共に第一審の受訴裁判所の専属管轄である（五四五条一項・五六三条）。その立法趣旨は、前に本案について裁判した裁判所ならば、訴訟記録も保管されているため、同じ請求権についての実体上の異議について適正かつ迅速に裁判できることを狙つたものである。その場合必ずしも前訴訟と同一の部又は単独裁判官に分配されねばならぬわけではない。右の専属管轄は規定上明白であるに拘らず、管轄裁判所を誤つた実例が一件あるのは珍らしい。第一審、第二審共にその誤りであることを看過し、上告審の大審院によつて、始めてその誤りを指摘されたものである。

【15】「判決ニ因リテ確定シタル請求ニ関スル異議ノ訴ハ第一審ノ受訴裁判所ノ専属管轄ニ属スルコト民訴法第五四五条第五六三条ノ規定ニ依リ明ナリ而シテ本件被上告人ノ訴ハ上告人カ岡山区裁判所大正一三年(ハ)第四八八号預金請求事件ノ執行力アル判決正本ニ基キ為シタル強制執行ニ付請求ニ関スル異議ヲ主張スルモノナルコト訴状ノ記載ニ依リ明白ナルヲ以テ本訴ハ岡山区裁判所ノ専属管轄ニ属シ本件第一審裁判所タル高梁区裁判所ニ其ノ管轄権ナキモノト断セサルヲ得ス従テ同裁判所ハ本訴ニ付宜シク右ノ管轄裁判所ニ移送スル旨ノ裁判ヲ為ス可リシニ拘ラス其ノ挙ニ出ツルコトナク進テ本案ニ付審理判決ヲ為シタルノミナラス原審モ亦右専属管轄違背ノ点ヲ看過シ本案ニ付審理ノ上第一審判決ヲ是認スル旨ノ判決ヲ為シタルハ共ニ違法ナリ」(大判昭一二・二・一六法学六巻七八〇頁)。

二　債務名義が仮執行宣言附支払命令であれば、これを発した簡易裁判所又は訴訟物の価額により定まる管轄地方裁判所の管轄に属する(五六一条三項)。この場合土地管轄は専属であるが(五六三条)、事物管轄は一般の定めによる任意管轄であり、応訴管轄(二六条)、合意管轄を生ずることがあり得る。判例もこの趣旨を明かにしている。

【16】「民訴法第五六一条第三項ニ拠レハ、支払命令ニ対シ請求ニ関スル異議ヲ主張スル訴ハ曩ニ当該支払命令ヲ発シタル区裁判所所在地ノ裁判所之ヲ管轄スルモノニシテ、而モ此管轄ハ同法第五六三条ニ所謂本編ニ定メタル裁判籍ニ外ナラサルカ故ニ其専属タルハ論ヲ俟タス。然レトモ其訴訟物ノ価額ニ従ヒ区裁判所若クハ地方裁判所ノ管轄ニ属セシムルハ則チ一般規定（裁判所構成法一四条一号・二六条一号）ノ適用ニ止マリ必シモ明文ヲ俟チテ後知ル可キ事柄ニ非ス。前記第五六一条三項ノ規定ハ比ノ点ニ関シテハ注意的ノ意義ヲ有スルニ過キス。従ヒテ此事物ノ管轄ハ専属ナラサルノ結果同法第二五条二六条ノ如キモ亦当然其ノ適用ヲ見ルモノトス」(大判昭五・八・九(一)民集九・八九四)。

（一）兼子・判民昭和五年度八四事件（判旨賛）、吉川・前掲二〇五頁、山田・判研I一九六頁。

三　債務名義が請求の認諾調書又は訴訟上の和解調書であれば、確定判決に準じて（五六〇条・五四五条一項）、第一審の受訴裁判所の管轄に専属する。起訴前の和解（三五六条）、すなわちいわゆる即決和解に対する請求異議は訴訟物の価額の如何に拘らず当該和解をした簡易裁判所に専属するというのが判例の見解である。

【17】「民訴法第五六〇条ノ規定ニ依レハ訴訟上ノ和解ノ調書ノ執行力ヲ排除スル目的ヲ以テスル請求ニ関スル異議ノ訴ハ同法第五六〇条第五四五条ニ依リ和解事件ノ係属シタル区裁判所之ヲ管轄スヘキモノト解スルヲ相当トス」（大決昭六・一二・一八新聞三三六六・一二）。

東京地判大一四・一〇・二〇（新聞二五一六号一四頁）も同趣旨である。

しかしながら、起訴前の和解の場合は、訴訟上の和解の場合と異なり、訴訟裁判権でないところの非訟裁判権であるため、訴額に拘らず簡易裁判所の権限としているのであるから、この簡易裁判所に請求異議訴訟の裁判権を当然に行使させる実質上の根拠はないものというべきであり（一）、裁判所法の一般規定の適用によって（二）、訴訟物の価額により簡易裁判所又は地方裁判所の管轄に属するものと解するのが妥当である（三）。すなわち、事物管轄は支払命令の場合に準じて、訴額に応じて管轄地方裁判所であることもあると解すべきである。起訴前の和解調書につき最近の下級審判例はこの旨を判示していることは注目に値する（豊橋簡決昭三〇・九・三〇判例時報六五号一八頁、東京地判昭三二・一・二九判例時報一一二号三八頁）。

（一）兼子・法協七四巻二号二〇二頁、兼子・強制執行法一〇三頁。
（二）大判昭五・八・九民集九巻八九四頁。

(三)　近藤・前掲一五三頁。

四　債務名義が調停調書であれば調停の成立した裁判所の専属管轄に属するというのが最高裁判所の判例である。

【18】　「調停調書の執行力ある正本に基く強制執行の排除を求める請求異議の訴の第一審は当該調停の成立した裁判所の専属管轄に属することは当裁判所の判例とするところであつて（昭和二四(オ)二七一号、昭和二八・五・七第一小法廷判決）論旨は理由がない」(最判昭三一・二・二四民集一〇・二・一三九)。

この判決は最高裁としては真正面から裁判所法の一般の事物管轄の標準からいえば地方裁判所の管轄に属する事件でもなおかつ簡易裁判所の専属管轄に属することを始めて明言した判決であり、下級審の不統一な取扱を統一したものとして実務上極めて重要な意義を有するものである。(一)

この判決の事案では、本訴は宇都宮簡易裁判所で被上告人の申立により成立した宅地明渡事件の調停調書の執行力ある正本に基く強制執行の排除を求めるもので訴訟物の価額金三万円(十万円に高められた改正法の施行は昭和二九年六月一日)(二)を超えるものと算定し管轄権ある宇都宮地方裁判所に提起したものであった。もっとも、この判旨自身は、最高裁判決昭和二八年五月七日(民集七巻五号五一〇頁)を引用し、当裁判所の判例であるといっているけれども、昭和二八年の判決は、抽象的に、調停調書が債務名義である場合、これに対する請求異議の訴の第一審は当該調停の成立した裁判所の管轄に専属するものと判示しているだけで、実は、「当該調停は札幌区裁判所に申立てられ、昭和二二年一月二二日同裁判所の調停委員会の調停によつて成立したのであるが、この調停に対し本件請求異議の訴が提起された昭和二四年一月二四日当時は、すでに裁判所法が施行され同区裁判所は廃止せられたのであるから、裁判所法施行令(昭和二三年五月三日、政令第二四号)三条一項の適用により本件調停は右区裁判所の所在地を管轄する地方裁判所たる札幌地方裁判所で成立したものとみなされ、したがつて本件調停に対する請求異議の訴の第一審は同地方裁判所の専属管轄に属することとなつたことは明らかである」という判示をしたものである。したがつて、その事案は、「裁判所法施行後に、旧制度の区裁判所で成立した調停調書に対する請求異議訴訟の裁判権は新制度の地方裁判所に属するに至つたものとした点で、問題はむしろ裁判所法施行令に関するものであつた(三)」。又同判決が引用した大審院判例(昭一四・一二・二一民集一八・一三〇二)(四)の事案も、福島地方裁判所で成立した小作調停調書に対し請求異議の訴が福島区裁判所に提起され、同区裁判所が第一審として審理裁判をしたのは、専属管轄に違反するものとして是正したものであつた。したがつて、上記の昭和二八年の最高裁判決も昭和一四年の大審院判決も正確な意味では決して先例とはいえないものである。

上記の昭和三一年の最高裁の判例と同じく明瞭に訴訟物の価額の如何に拘らず調停の成立した裁判所の専属管轄であるとして、土地ならびに事物共に専属であることを判示した下級審の判例は二件ある(東京地判大一四・一二・一評論一五巻民訴三〇九頁、山形地判昭一一・一〇・二〇新聞四〇七八号七頁)。

なお事物管轄の標準の問題を正面から取扱つたものではないが、調停調書に対する請求異議の訴は調停の成立した裁判所の専属管轄であることを判示した判例は近年のものも含み極めて多い。大判昭一二・一二・一〇(判決全集五輯一号二一頁)、東京高判昭二六・七・一九(判例タイムズ一八号五七頁)、札幌高判昭二五・五・三一(高裁民集三巻二号七三頁)(五)、京都簡判昭二五・三・四(下級民集一巻三号三四四頁)がこれである。

これに反して高松高決昭二九・一・二九(高裁民集七巻三号二六五頁)は、簡易裁判所において成立した調停調書に対する請求異議の訴は、訴訟によつて当該簡易裁判所又はその地の地方裁判所の管轄に専属する旨を判示している。この点において下級審の判例は不統一であつた。このような実務上の不統一を統一する意味において前記の昭和三一年の最高裁の判例は大きな意義を有するものである。

【19】「調停調書は裁判上の和解と同一の効力を有するからそれに対する請求異議の訴は民訴法五六〇条五四五条五六三条により調停の成立した裁判所の専属管轄ということになるが、簡易裁判所で調停が成立した場合にこれをそのまま適用して訴訟の如何にかかわらず複雑な事件でもすべて当該簡易裁判所の専属管轄と解することは軽微な訴訟事件を簡易な手続で迅速に処理することを立前とする簡易裁判所の性格上適当でない。むしろ民訴法五六一条が仮執行宣言附支払命令に対する請求異議等につき訴額によつて事物管轄を定める一般原則を維持している法意から考えると簡易裁判所で成立した調停調書に対する請求異議の訴は、民訴法五六一条殊に第三項の規定に準じ訴額によつて当該簡易裁判所又はその所在地を管轄する地方裁判所に各専属するものと解するのが相当である。」(高松高決昭二九・一・二九高裁民集七・三・三六五)。

理論的には、前に起訴前の和解調書について述べたように、支払命令に準じて管轄地方裁判所であることもあると解すべきであり、(六)私も右の高松高決の見解を支持したいと思う。

(一)　兼子・法協七四巻二号二〇三頁、野間・民商法三四巻五号八六頁、川井・法協七三巻五号六三五頁。
(二)　斎藤・民事訴訟法等の一部改正について、法律時報二六巻九号九九二頁。
(三)　兼子・前掲。なお小山・民商二九巻四号二五二頁、土井・判例タイムズ三一号六一頁。
(四)　菊井・判民昭和一四年度八三事件(判旨賛)、村松・民商法一一巻四号六五五頁。
(五)　菊井・田中英夫・法協七〇巻四号三六五頁。

（六） 兼子・法協七四巻二号二〇三頁、高島・関大法学論集六巻三号一〇二頁。

五 債務名義が執行証書であれば、土地管轄は債務者（原告）の普通裁判籍所在地の裁判所又はこれがないときは第八条の規定により債務者に対し訴を起し得べき地の裁判所の管轄に専属する（五六二条四項）。事物管轄は裁判所法の一般の定めによる。執行証書の管轄について特に問題となつた判例はないようである（但し、これに対する執行文付与に対する訴については、大判昭一六・五・六新聞四七〇六号二五頁）。

六 **債務名義が抗告をもつてのみ不服を申立て得る裁判であればその裁判の第一審裁判所に専属する**（五四五条一項・五六〇条・五六三条）。訴訟費用確定決定に対する請求異議の訴は、その決定をした裁判所の専属管轄であるとの下級審判例がある（鹿児島地判昭一二・四・二二評論二六巻民訴一八八頁）。なお本来の請求異議の訴についてではないが、判決の無効確認を求める訴は、確定力の廃棄を求める点で請求異議の訴に類似するから民訴第五四五条一項の管轄に従うべきであるとして移送を申立てたのに対し、かかる訴には同条の準用は認められないとした下級審判例がある（東京地判昭二四・一一・一九民事裁判例特報二一五頁、三ケ月「民事判例展望」民事訴訟法三八九頁）。共に判旨は正当である。

四　訴提起の時期

請求異議の訴につき形成訴訟説をとる立場でも、また確認訴訟説をとる立場でも、本訴の目的とするところは、債務名義記載の請求権と実体上の権利関係の不一致を理由にして債務名義の執行力を排除することにある点では同じであるから、両説とも本訴提起の時期については、異ならない。

一　執行開始前

債務名義が成立し有効に存続している以上、何時でも本訴を提起できる。債務名義（仮執行宣言附支払命令）が一旦成立しても、その後に失効していれば（異議の申立により訴訟が係属したが、訴の取下があつたものとみなされ、債務名義は存在しないこととなつた事件）本訴は提起できないとの判例がある（大判昭八・二・二五法学二巻一〇号一二四八頁）。執行文の付与前でもまた執行の開始前でも差支えない。この点についても判例がある。

【20】「判決ニ因リテ肯定セラレタル請求ニ関スル異議ノ訴ハ既ニ為サレタル執行処分ノ除去ヲ以テ其ノ主眼トスルモノニ非スシテ抽象的ニ判決ナル債務名義ノ執行力ヲ排除センコトヲ目的トスルモノナルカ故ニ、強制執行ノ開始若クハ準備前ニ於テモ之カ排除ヲ求ムルニ付法律上正当ノ利益ヲ有スル者ハ此ノ訴ヲ提起スルコトヲ妨クルモノニ非ス」（大判昭七・一一・三〇民集一一・二二一六）[一]。

【21】「請求異議の訴は強制執行の着手前であつても提起することができる」（最高裁三小判昭二六・四・三民集五・二〇七）[二]。

この点については学説上もすべて肯定されているところである。古い下級審判例には、現実の執行に着手しなくとも、少くとも、執行文の送達があつたことを条件とするように解せられるものがあるが（東京控判明四四・一二・二〇評論一巻民訴一一頁）[三]、妥当ではない。請求異議の訴によつて具体的執行行為の取消を求めることができるとする便宜論からくる判例の立場では、もちろん、執行着手後でなければならないわけである。

（一）　菊井・判民昭和七年度一七七事件。同趣旨の下級審判例もある。大阪控判年月日不明新聞四四一号五頁、東京控判明四四・一二・二〇新聞七七一号二二頁、東京区判昭一〇・一二・二八新聞三九五八号九頁。

（二）　菊井・判例研究五巻一号九三頁、中田・民商法二七巻四号二六五頁、長谷部・判例タイムズ一二号六五頁。

（三）　近藤・前掲一五頁。

二　執行終了後

当該債務名義に基く執行が全部完了し、これに表示された請求権が実現されてしまつた後は、もはや本訴を提起又は維持する余地はない。判例の中には、本訴により具体的執行行為の取消を求めることができるとする立場から、この結論を導いているものがあるが、本訴は債務名義の執行力の排除を目的とするものであつて、特定の具体的執行行為の取消を目的とするものではないという立場から、この結論を導かねばならぬものである。

【22】「民訴法第五四五条ニ依リ請求ニ関スル異議ノ訴ヲ提起シ得ルハ強制執行ノ継続中ニ限リ其完結後ニ於テハ之ヲ提起スルヲ許サザルハ訴ノ目的カ執行処分ヲ排除スルニ在ルニ徴シテ自ラ明ナリ故ニ異議ノ訴ノ提起ニシテ強制執行ノ完結後ニ係ルトキハ此理由ヲ以テ其請求ヲ却下スヘキハ当然ニシテ異議ノ事由ノ何タルヲ問ハス進ンテ其存否ヲ判断スルノ要ナク之ヲ判断スルハ寧ロ訴ノ目的ニ副ハサルモノト謂ハサルヘカラス本件異議ノ訴ノ提起カ強制執行ノ完結後ニ係ルハ原院ノ確定セル所ナレハ原院カ異議ノ事由タル執行債権ノ存否ニ付キ判断スル所ナクシテ請求ヲ排斥シタルハ正当ニシテ所論ノ如キ違法ナキモノトス」（大判明四三・一・二九民録一六・二七）。

その後も、大判大八・一一・二九（民録二五輯一三九九頁）が右の判例を引用して当院の判例とする所であるとしてこれを踏襲している。大判昭一七・七・一三（新聞四七八九号六頁）も執行が終了前ならば許されるとしている（同旨、東京控判明四二・一〇・二〇新聞六一三号一二頁）。個々の執行行為の完了、例えば現に差押えられた物件が競売され配当手続が終了しても請求の一部の満足だけの場合、債務名義の効力の全部が消滅したわけではないから、請求異議の訴によつて債務名義の有する執行力の取消を求める必要がある。判例はこのことを正当に判示している。

【23】「請求ニ関スル異議ノ訴ハ確定シタル債務名義ノ効力ヲ排除スルヲ以テ目的ト為シ唯其債務名義ニヨリ現ニ差押ヘラレタル物件ノ解除ヲ目的トスルニアラサルヲ以テ仮令現ニ差押ヘラレタル物件カ競売セラレ配当手続ヲ経ルト雖モ未タ債務名義ノ効力全部消滅セサル場合ニ於テハ尚ホ之ヲ提起スルコトヲ得ヘシ」（東京控判大五・六・一七新聞一一三三号二一頁）。

【24】「民訴法第五四五条ノ請求ニ関スル異議ハ債務名義ノ効力ヲ排除スルコトヲ目的トスルモノナレハ之ニ基ク強制執行カ完結シ債権者カ其全部ノ満足ヲ得タル場合ニ於テハ異議ノ訴ノ目的ハ既ニ消滅シ債務者ハ斯ル訴ヲ提起スルコトヲ得サルニ至ルモノナレトモ債権者カ強制執行ノ結果債権ノ一部ノ満足ヲ得タルニ止マリ其残部ニ付債務者ノ他ノ財産ニ対シ強制執行ヲ為シ得ル場合ニ於テハ債務者ハ尚ホ其債務名義ノ効力ヲ排除スル為此ノ訴ヲ提起スルコトヲ得ルハ勿論ナリ」（大判昭一二・六・二二法学六巻一〇号一三三九頁）。

債務名義記載の請求権が執行により一部満足を得たにすぎない場合は、残額につき請求権はなお存続しているから、この部分についての請求異議は適法である。下級審判例もこれを認めている（東京地判大六・一二・二七評論六巻民訴五二九頁）。

三　訴の変更

債務名義に基く執行が完了し、債権者が満足を得た後は、債務者は本訴を提起し又は維持できない。別に不当利得の返還請求又は不法行為による損害賠償の請求をするほかはない。本訴の係属中に執行が完了した場合は、訴の変更の手続により異議の請求をこれらの請求に変更することができる。この点についても旧民訴法時代に判例があるが（大判大五・六・二〇民録二二・一二〇九）、現行法においても同じ理論が妥当する。請求の基礎に変更がないものとして許されるわけである（二三二条）。請求の変更をしない限り本訴の排斥は免れない。

【25】「請求ニ関スル債務者ノ異議ノ訴ハ強制執行不許ノ宣言ヲ求ムル訴ニシテ強制執行ノ完結以前ニ於テ其続行ヲ妨ケスシテ提起スルコトヲ得ル手続ナレハ債務者カ強制執行ノ完結以前ニ之ヲ提起シタル以上ハ其執行完結ノ為メニ当然排斥セラルヘキモノニ非スシテ其訴ノ進行中ニ執行完結シテ異議ノ目的ヲ達スルコト能ハサルニ至リタルトキハ民訴法第一九六条第三号ニ所謂最初求メタル物ノ滅尽ニ該当スルヲ以テ其規定ニ従ヒ損害賠償ヲ求ムルコトヲ得ルモノトス」（大判大五・六・二〇民録二二・一二〇九・一二一八）。

五　異議の原因

一　異議と異議の原因の意義及び両者の区別

（一）二つの立場

通説たる形成訴訟説の立場では、本訴における異議すなわち請求とは、債務名義の執行力を排除するために認められた訴訟法上の異議権に基く執行不許の主張であり、異議の原因とは異議権の発生する事実上の原因である。異議権という形成権を基礎にするから、異議そのものには異る態様というものはあり得ないが、(一)異議の原因との関係においてのみ数種の種類が考えられるという立場をとる。したがつて、債務者が数個の異議を有するときは同時にこれを主張しなければならないと定めている（五四五条三項）、いわゆる同時主張の制限も、異議の原因が数個存する場合の規定であり、この場合に執行の遅延を防ぐために異議の集中をはかり、訴提起の際知り得た異議の原因については、同一審級で又は訴の変更の要件を充す限り上級審においても、すべて必ず主張せしめようとしたものであると解しているのである。

これに対し、確認訴訟説によれば、本訴の請求は債務名義に表示された実体上の給付義務の不存在の主張であり、債務名義に表示された給付義務を目標として、これがなんらかの点で現在の実体関係と一致しないことを主張するものであるから、債務名義の表示と実体関係との不一致の態様が異るのに応じて、同一債務名義の表示に対しても、それぞれ別個独立の数種の異議の請求が考えられるものと説くのである。すなわち債務名義の表示と実体関係との不一致の態様が異るのに応じて、請求権そのものの全部又は一部の存在を争うもの乃至はその帰属を争うものと、給付義務の態様としての条件や期限を争うものが考えられ、前者の勝訴判決によって債務名義の執行力は永久的に排除されるのに対し、後者のそれは単に延期的に阻止するにすぎないと説くのである。そしてこれらの異議の請求はそれぞれ別個独立の請求であって、一の異議を理由なしとして棄却する判決があっても、その既判力は他の異議には及ばないから、他の異議を別訴で主張することは、元来可能なわけであるが、執行妨害を防ぐために特に異る数種の異議の間に別訴禁止（人訴九条参照）を定めたものが、民訴第五四五条三項の規定であると解するのである。したがって、これらの異議を理由あらしめる異議の原因となる個々の具体的事実の主張については、民訴第一三七条の例外として攻撃防禦方法の同時提出を強制しているわけではないと説くのである。同一請求に関する攻撃防禦方法に関しては一般原則に従うものであり、民訴第一三九条、第二五五条等の制限を受けない限り、口頭弁論の終結に至るまで提出できる。

（二）　両者の区別

以上のように、本訴について形成訴訟説をとるとまた確認訴訟説とをとるとを問わず、異議と異議の原因とはこれを明確に区別しなければならない。異議とは、請求異議の訴における請求すなわち原告の異議の請求であり、異議の原因とは異議を理由あらしめる事由をいう。私は確認訴訟説に従い、本訴の請求は債務名義に掲げられた給付請求権に関する反対主張と解し、異議（すなわち異議の請求）には、同一債務名義の表示に対しても、給付請求権の消滅の主張、給付請求権の不発生の主張、給付請求権の帰属否定の主張、給付請求権の効力停止の主張という四種の別個のものがあり得ると解するのである。異議が給付請求権の消滅の主張である場合には、これを理由あらしめる事由である異議の原因（すなわち異議の事由）は、弁済、時効、免除、相殺、詐欺強迫による取消等の事由であり、異議が給付請求権不発生の主張であるときは、その異議の原因は錯誤、公序良俗違反、代理権の欠缺等の事由であり、異議が給付請求権の帰属否定の主張であるときは、その異議の原因は、請求権の譲渡、交替的債務引受等の事由であり、又、異議が給付請求権の効力停止の主張であるときは、その異議の原因は、期限の猶予、合意による延期、モラトリアム等の事由である。

判例の中には、異議（すなわち異議の請求）と異議をあらしめるところの異議の原因（すなわち異議の事由）とを区別しないため、本訴につき形成訴訟説をとる学者（たとえば菊井教授）からも、又確認訴訟説をとる学者（たとえば兼子教授）からも非難されている。すなわち、前者の立場に立つ菊井教授は大判大一三・五・二〇（民集三巻二一九頁）を批判されて、

「大審院は時効を以て異議の原因と解して居るが、請求に関する異議の訴を形成の訴なりと解し、異議権なる形成権を認め、所謂請求の原因に関して同一認識説をとるときは、単に請求をして理由あらしめる事由たるに過ぎない。大審院が事実記載説をとり、請求をして理由あらしめる各個の事由を以て異議権なりと解して居る態度に対しては不満なきを得ない」（判民大正一三年度四五事件）とせられ、また後者の立場に立つ兼子教授も、右と同じ大審院判決を引用されて、「判例中には異議の種類と異議を理由あらしめる事由とを区別せぬため、弁済免除更改等に基く異議の請求を別個の如く認めるものがある」（強制執行法九七頁）と批判されたのである。理論上は弁済、錯誤、時効、免除、更改、相殺、譲渡等は一の異議の請求を理由あらしめる事実であつて、五四五条にいう数個の異議には該当しないものである。法文にいう異議の原因とは（五四五条）各異議の請求を理由づけるために主張すべき事実である。これは異議の請求原因（二二四条）とは区別されなければならない。何故ならば異議の請求原因としては具体的にこれを理由づける事実を表示する必要はなく、単に抽象的に請求権の存在又は帰属に関する異議か、給付義務の態様を争う義務かを表示すれば足りるからである。（二）

（一）　近藤判事は、本訴につき形成訴訟説をとられるに拘らず、異議権に数種あることを容認される点において、純粋の形成訴訟説の立場とはかなりの相違が見られ、実質的にはむしろ確認訴訟説の立場に近い。確認訴訟的立場を考慮した上で新しく考えられた形成訴訟説ともいうべきであつて、在来の形成訴訟説ではない。同判事によれば、「請求異議の訴訟物は訴訟法上の異議権という形成権であつて、それは債務名義の記載と、実体的権利関係の喰いちがいそのものから生ずる。……債務名義の記載と実体との不一致は記載された請求の消滅、不発生、効力停止、当事者の変動という概念的事実そのものによって生ずるわけであって、弁済、時効、免除、錯誤、取消、債権譲渡、延期の合意などは消滅不発生等々の事由が生じたかどうかの理由にしかすぎない。換言すれば、訴訟物たる異議権は、消滅による不一致、不発生による不一致、当事者の変動による不一致等なのであって、この不一致がそれぞれ一個の異議権を発生せしめ、各独立の形成権として訴訟物となる。民訴第五四五条三項が同時に主張せよといっているのは、この数個の異議権のことであって、各種の不一致を生ぜしめる原因たる事実、たとえば前掲の弁済、錯誤その他は一の請求を理由あらしめる事実にすぎず、三項にいう数個の異議ではない」（前掲六九頁、七〇頁）。

（二）　兼子・強制執行法九八頁。

二　判例における両者の混同

判例においては、大多数のものは、異議と異議の原因とを区別せず、学者が異議の原因としているものを異議そのものであると誤解している。

（一）　代表的なものは、前記の大判大一三・五・二〇（民集三巻三一九頁）であるから、まずこの事件についてみておく。事実は次のごとくである。[(一)] ——「篠原は、明治三六年二月二五日藤田外一名に金九五円を貸与したが、返済期日たる同年五月二五日を過ぎても容易に返済しないので、篠原は鹿児島区裁判所に支払命令の申請をなし、次いで明治四〇年九月二一日執行命令を得、同命令は故障の申立なきため、明治四〇年中に確定した。そして篠原は其後大正一一年一二月二八日に至つて漸く藤田等所有の有体動産に対して強制執行をなすに至つたので、藤田等が異議の訴を起した。藤田側においては第一審に於て異議として弁済のみを主張したが、その第二回口頭弁論期日に於て右債権は商事債権であり、且つ執行命令が発せられたる以来五年以上経過して居るから既に時効にかかつて居る旨の異議を主張した。第一審第二審共に藤田外一名の勝訴となつたので篠原に於て上告した。その上告理由の一つとして、異議が数個ある場合には之を同時に主張しなければならないことは五四五条三項の命ずる所である。しかるに藤田外一名はまず訴状に弁済のみを掲げ、第二回口頭弁論期日に至つて時効を主張したのは明らかに本項に違背する。」

これに対して大審院は上告理由を理由なしとして棄却したのであるが、弁済と時効を請求異議の訴における独立の異議と解し、同時主張に関する五四五条三項の適用の問題として判決している。

【26】「一　被上告人カ本件異議ノ訴ノ原因トスル所ハ、本件執行命令ノ基本タル消費貸借ノ債権ハ五年ノ時効ニ因リ消滅シタリト云フニ在リテ、其ノ主張ニヨレハ右債権ノ消滅時効完成ノ事実ハ執行命令ノ確定シタル後ニ発生シタルモノニシテ且故障ヲ以テ之ヲ主張スルコトヲ得サルモノナルコト明ナレハ、其時効ノ効力カ起算日ニ遡リ執行命令確定前ニ債権消滅シタル結果ヲ生スルノ故ヲ以テ異議ノ主張カ民訴法五四五条二項ノ規定ニ牴触スルモノト為スヲ得サルモノトス。

二　同条第三項ニ数個ノ異議ヲ同時ニ主張スルコトヲ要ストアルハ、必スシモ此等ヲ同一ノ訴状ニ掲ケテ主張スルコトヲ要シ然ラサレハ爾後之ヲ主張スルノ権利ヲ喪失スト為シタル趣旨ニアラサルヲ以テ、債務者タル原告ハ訴状ニ記載セサリシ異議ノ原因ヲ訴ノ変更ニ関スル規定ニ牴触セサル限リ後ノ弁論ニ於テ提出スルコトヲウヘキモノトス」（大判大一三・五・二〇民集三・二一九）。

（二）また大判大一二・四・一二（民集二・二二六）は、公正証書記載の請求権は、金銭の授受がないために不成立であること、債権が成立しているとしても反対債権をもつて相殺すること、及び停止条件不成就による効力不発生をそれぞれ独立の異議と解して、五四五条三項を適用している。その事実は次のごとくである。「被上告人（被控訴人・被告）Yは鳥取地方裁判所公証人小林茂作成第七三号金銭貸借公正証書正本に基く同証書に連帯保証人として署名した原告X（控訴人・上告人）に対し大正一〇年一月一四日原告住所において原告所有の女帯外九三点の動産に対し強制執行をした。Xはこれに対し本訴を提起し、(1)右公正証書に掲げられた金円は主債務者石黒において受領しない。(2)仮に同証書記載の金銭貸借が成立したとしても、石黒は被告Yに対し損害賠償請求の債権を有し大正一〇年六月三日本件公正証書記載の債権と対当額において相殺をし右被告Yの債権は消滅したと主張して前記強制執行を許さない旨の判決を求めた。Xは第一審において敗訴し控訴の上、控訴審において前記(1)(2)の外、(3)仮に石黒が被告Y主張の如き債務を負担したとしても原告Xは石黒が買受けた石油発動機船を石黒の所有名義たらしめることを条件として保証をしたのに、被告Yは石黒との契約のみでその所有名義を被告名義としたから本件保証はその効力を生じない、と主張したのである」。大審院がそれぞれ独立の異議と解し五四五条三項の適用の問題として処理しているのは、理論的には誤りを犯したものである。山田正三博士も、「判旨は二重の誤謬を有する不当の裁判なり」として攻撃を加えておられる。(二)

【27】「民訴法第五四五条第三項ノ規定ハ数個ノ異議カ同時ニ存スルトキハ各異議ヲ別訴訟ニ於テ主張スルコトヲ許ササルハ勿論同一ノ訴訟ニ在リテモ下級審ニ於テ主張シ得タル異議ヲ其ノ審級ニ提出セスシテ上級審

ニ提出スルコトヲ許ササル趣旨ナリ。」(大判大一二・四・一二民集二・二二六)。

(三)　同様に大判昭六・一一・一四(民集一〇・一〇五二)は、弁済と時効とを独立の異議と解している。その事実は次のごとくである。

被上告人X(控訴人・原告)は第一審において弁済による債務の消滅を理由として上告人Y(被控訴人・被告)との間に成立した公正証書の執行力ある正本に基く差押の解除を求めたのに拘らず、第二審に至り右公正証書の債務は第一審最終の口頭弁論期日前既に時効により消滅した旨を主張し異議の理由を追加した。これに対し上告人はなんら訴訟上の抗弁を提出しなかつたため、第二審裁判所は後者の異議を理由ありとなし被上告人Xの請求を認容した。

大審院はこれを独立の異議と解し五四五条三項の問題として処理したのは誤りである。(三) 菊井教授が正当に批判されたように、「大審院は従来、『債務の弁済』『時効の援用』は各々五四五条の異議と解する立場を採つて居る(大判大正一三・五・二〇民集三巻二一九頁、判例民事法大正一三年度五事件菊井評釈)。従て学者の論ずる如くこれ等は異議を理由あらしめる事実に外ならないと解すれば、問題は自らその性質を変じ、攻撃防禦の方法は如何なる程度に於て第二審に提出し得るかと云う点に帰着することに注意せねばならぬ。(四)」

(四)　また大判大八・一一・二七(民録二五・二一三七)は、本訴において異議の理由として債務の弁済を主張し、次に仮に債務が弁済されないとするも時効によつて消滅したと主張したという事案において、弁済と時効とを独立の異議と解する立場をとり、五四五条三項の問題として処理したのである。

（五）下級審の判例も大審院の判例にならつて、同じような見解の下にあつたのであるが、僅かに東京控判大一三・一二・二六（評論一四巻民訴一二二頁）は、弁済、免除、代物弁済等の異時主張は、事実上の申述を更正したにすぎず、訴の原因の変更でない、と判決しているのが異色ある存在といつてよい。

【28】「訴カ債務名義タル公正証書記載ノ債務ノ消滅ヲ理由トシテ其ノ執行不許ノ宣言ヲ訴求スルモノナルトキハ原審ニ於テ弁済及免除ニ因リ消滅シタリト主張シ後ニ当審ニ於テ代物弁済ニ因リ消滅シタリト主張スルモ這ハ単ニ債務名義ノ執行力排除ヲ訴求スル原因タル事実上ノ申述ヲ更正シタルニ過キスシテ訴ノ原因変更ヲ為シタルモノト謂フヲ得サルモノトス。」（岡村裁判長竹田向山各判事判決）。

（一）菊井教授評釈の判民大正一三年度四五事件の事実によつて記述する。
（二）山田・法学論叢一一巻一号一一一頁（判例批評民事訴訟法二巻五三六頁）。但し、藤田東三氏は判旨に賛成される（判民大正一二年度四四事件一七七頁）。
（三）菊井・判民昭和六年度一一〇事件四四二頁。
（四）なお大判昭六・一一・一四の批評は、山田正三・民訴法判例研究I二九二頁。

三　債務名義の存在

前述したように本訴を提起する要件としては、まず債務名義が成立し有効に存続していなければならない。

（一）たとえば仮執行宣言附支払命令に対して異議の申立があつたため裁判所が口頭弁論期日を指定したのに、当事者双方がその期日に出頭せず、その後期日指定の申立がなくて三ケ月を経過したときは、訴を取下げたものと看做されるから、債務名義は失効したことになる。したがつてその仮執行宣言附支払命令には執行文を付与することができないわけであるが、もし誤つて執行文の付与があれば、債務者は民訴五二二条の執行文付与の異議の申立をすることができるのであつて、五四五条の請求異議の訴又は五四六条の執行文付与に対する異議の訴を提起することはできない。大判昭八・一・二五（法学二巻一〇号一二四八頁）は、このことを正当に判示している。この判例及び次の（二）（三）は判例の主流をなすものといつてよい。

（二）　大決昭四・七・一〇（民集八・六五八）は、原告勝訴の仮執行宣言附判決が言渡された後、原告が死亡し、その判決は訴訟代理人に送達され、その訴訟代理人は死んだ原告名義の執行文をとつたという事案である。大審院は相続人が承継執行文をとるべきであり、これを死者名義でとつたのであるから五二二条の執行文付与に対する異議申立をなすべきであるとし、もし債権者として執行文の付与を受けた者がその当時債権を他に移転しておつて債権者ではなかつたことを主張するには請求異議の訴によるべきものであると正当に判示している。

（三）　大決昭五・一・二一（民集九・一七）は、仮執行宣言附欠席判決（旧法時代）に執行文の付与を受け、これに基いて強制執行をしたので、差押を受けた相手方はこれに対し執行文付与に関する異議を申立てたという事案である。その異議申立の理由とするところは、故障申立があつた後、裁判外の和解が成立して訴を取下げたから、債務名義たる欠席判決はその効力を失つたというにあつた。第一審は請求に関する異議の訴によるべきで、執行文付与に関する異議をもつてすべきでないとして申立を却下したため、はたしてその何れの方法によるべきかということが、第二審及び大審院を通じて問題の中心となつたのである。大審院は債務名義が失効したときは請求異議の訴を提起できないのであり、これに執行文が付与されておれば、執行文に対する異議申立ができるという理論を明白かつ正当に判示しているのである。

【29】「執行文ヲ付与シタル欠席判決カ訴訟ノ取下ニ依リテ其ノ効力ヲ失ヒタル場合ニハ、異議ノ目的タル債務名義ナキニ至リタルモノナレハ、民訴法五四五条ニ依ル異議ノ訴ヲ提起シ得ヘキモノニアラス。而シテ執行文付与ノ当時ニアリテハ之ヲ付与スルニ付テノ要件ニ欠クル所ナカリシトスルモ、其後ニ於テ債務名義ナキニ至リタルトキハ執行文付与ニ関スル異議ノ申立ヲ為シ得ルモノト解スルヲ相当トス。」

なお下級審の判決であるが、これと同様の理論をとつたものとして大阪控決大一二・一〇・二六(新聞二三〇二号一三頁、評論一三巻民訴六四頁)がある。これは、旧法の為替訴訟につき言渡された仮執行宣言附留保判決は、その後の通常訴訟において訴の取下があれば債務名義たる効力を失うものとして、右の大審院と同様の見解をとつたものである。

(四)　しかるに、大決昭二・一一・七(新聞二七八〇号一六頁)が、債務名義たる判決が訴の取下によつて効力を失つたことを主張するには、五四五条の訴によるべきであつて、五四四条の異議申立によるべきではないとしているのは、判例の主流からは外れている。理論上も賛成できない。本訴は窮極において債務名義の執行力の排除をめざすものである関係上、執行力をもつた債務名義が存在するということは、必要な要件であるからである。

(五)　また債務名義がないのにかかわらず強制執行がなされたときは、五四四条の異議申立によるべきであつて、五四五条の請求異議の訴によるべきではない。公正証書に基いて執行をしたが、実は賃料債権については債務名義がなかつたという事案につき下級審判決はこれを明言している(東京区判昭和五年(八)一四二三二号年月日不明・新報二五九号二七頁)。

なお、債務名義たる判決及びその執行力ある正本が滅失したときは、この判決に対する五四五条の訴を提起する利益がないとの下級審判決(東京地判昭二九・六・九下級民集五・六・八二三)は正当であるが、事案としては極めて珍らしいというべきである。

(一) 兼子・判民昭和四年度六一事件(判旨賛)。

(二) 兼子・判民昭和五年度一事件(判旨賛)。但し山田博士はすでに一旦弁論が終結して終局判決があつた以上、たとえ故障の申立があつても、その後の手続は判決前のそれとは別個であるから、上級審におけると同じく、訴の取下は不適法であり、もし裁判外の和解等に基くものであるならば、債務者は五四五条の請求異議の訴によつて救済を求むべきであるとして、判旨の結論に反対されている(論叢二三巻六号九三二頁、民訴法判例研究I一一五頁)。

四 不執行の合意

債務名義の使用の方法に関する債権者債務者間の合意を執行契約という。(一) わが国では執行契約が判例として現れたものとしては、その種類に乏しく、ある債務名義に基いては執行をしないという合意に関するものがその大部分を占めている。このような執行契約を締結した後、債権者がその合意に違反して執行をした場合に、債務者はいかなる救済手段によつて合意を主張できるか、ということが最も問題となるところである。

（一）大判大一〇・六・一三（民録二七輯一一五〇頁）が最初のケースである。X会社がYに対して確定判決による金銭債権をもつていた。その後大正六年五月八日にX会社とYとの間に右の債務の弁済について、㈠即時金一〇五円を支払うこと、㈡翌六月一〇日迄に金四五円を支払うこと、㈢その余の残額についてはYより徳義的に任意支払うべく、X会社は決して強制的請求をしないこと、という契約が成立した。それにもかかわらずX会社は右の㈢の残額債権についても強制執行をしようとしたので、Yから請求異議の訴を提起した。第一審ではYが敗訴し、第二審では請求異議の訴を提起し得るものとしてX会社が敗訴した。第二審（大阪控訴院）は、当事者間で徳義上任意に支払うべく強制的請求をしないという契約は、債権そのものを放棄したのではなく、単に強制執行請求権のみを放棄したものに過ぎないものとなし、当事者間の契約によつて国家に対する執行請求権を放棄し得るものと解し、これに基いて請求異議の訴を提起できるものとし、請求異議の訴における原告Yに勝訴の判決を与えた。そこでX会社は上告したが、大審院はX会社を敗訴させた。大審院は執行をしないとの契約を実体法上の請求権の放棄と認定すべきものとしたのである。

【30】「徳義上任意ニ支払ヲ受クヘキ債権ナルモノ存在スルコトナケレハ原院カ右ノ如ク（三）ノ残額債権ハ之ヲ徳義上支払フヘキモノト為スノ契約成立シタリト認メタル以上ハ、此部分ニ付キ債権ノ放棄アリタルト為スヘキモノナルニ拘ハラス、（中略）右ノ事実ヲ以テ債権ノ放棄ニアラス強制執行請求権ノ放棄ナリト解シタルハ不当ナレトモ、前示ノ如ク右事実ヲ以テ残債権ノ放棄ナリト為スヘキ以上ハ、債権ノ放棄ヲ認メスシテ単ニ強制執行請求権ノミノ放棄ヲ認メ又強制執行請求権ノミノ放棄ハ当事者ノ主張セサル所ナルニ拘ラス之ヲ認メタリトシテ原判決ヲ批難スル論旨ハ、結局其理由ナキニ帰スルモノト為ササルヘカラス。」（大判大一〇・六・一三（二）民録二七・一一五〇）。

この判例でわかるように、わが大審院はこの時代はまだ執行契約の可能性について否定的であったといい得る。

(二)　大審院も大判大一五・二・二四（民集五・二三五）の時期になると、漸くにして、執行契約の可能性について疑をもたなくなったが、判決後なされた不執行の合意を主張するには、五四四条の異議申立によるべきもので、五四五条の請求異議の訴によるべきでないと判示し、爾後の判例の主流の起点となつている。私は請求異議の訴によるべきであるとする見解をとるがその理由は後述（六）に譲る。

【31】「上告人カ原審ニ於テ主張セシ訴ハ本件強制執行ノ基本タル判決ハ大正一二年四月二〇日言渡サレタルモノニシテ其ノ後即同年五月二〇日訴訟当事者間ニ於テ右判決ニ基ク強制執行ハ之ヲ為ササル旨ノ特約成立セリ。然ルニ拘ラス被上告人ハ右特約ヲ無視シ大正一三年六月一七日強制執行ヲ為シタルハ失当ナリト云フニ在ルコト原判決ノ事実摘示ニ徴シ明白ナリ。然ラハ債権者カ一旦判決ニ基ク執行ヲ為ササル旨ノ特約ヲ為シ置キ乍ラ之ニ違反シ執行ヲ為スカ如キハ固ヨリ不当ナリト雖モ債務者カ斯ル特約ニ基ク異議ヲ為スニハ請求ニ関スル異議ノ手続ニ依ルヘキモノニ非ス。蓋請求ニ関スル債務者ノ異議ナルモノハ判決其ノ他ノ債務名義ニ於テ確定セル実体上ノ権利ニ付テ異議ノ原因存スルトキニ為スヘキモノニシテ、本件特約ノ如キハ敢テ実体上ノ権利ノ如何ニハ毫モ触ルル所ナク唯単ニ判決ニ基ク執行ヲ為ササルヘシトノ契約ニ止マレハナリ。従テ斯ル特約ニ基ク異議ハ須ラク執行ノ方法ニ関スル異議ノ手続ニ依ルヘキモノト云ハサルヘカラス」（大判大一五・二・二四（三）民集五・二三五）。

(三)　大判昭二・三・一六（民集六・一八七）は、かかる合意に二種類を区別する点において右の大判大一五・二・二四とは異なる。すなわち、執行をしないとの合意の趣旨が、履行期を延長し又は債務者に延期の抗弁権を与え、或は無条件の請求権を条件附のものとする趣旨であれば、それは正に請求に関する異議に該当するが、同時に五四五条二項の適用を受けるに反し、「債権者ニ於テ勝訴判決ヲ得ルモ之ニ基ク執行ノミハ之ヲ為サス若ハ或条件ノ成就スルマテハ之ヲ為サスト云フノ趣旨ナラムカ斯クノ如キハ結局執行ノ申請ト云フ一ノ訴訟行為ハ之ヲ為サス若ハ或条件ノ成就スルマテハ之ヲ為サスト云フニ過キス」このような合意あることを口頭弁論において提出したとしてもいかなる影響も判決主文に及ぼすものではない。蓋し、この合意がなんら請求自体に触れるものではないからである。債務者としては唯執行方法に関する異議の申立によりその執行を排除し得るに止まると共に、合意は何時成立したかは問うところではない、なんとなれば五四五条二項のような制限は存在しないからであると、判示する。[四]

（四） 大判昭一〇・七・九（新聞三八六九号一二頁）は、右の二つの大審院判決（大判大一五・二・二四及び昭二・三・一六）を引用しながら、「斯クノ如キ支払命令ニ依リ確立シタル実体上ノ権利ニ関係ナク単ニ該支払命令ニ基ク強制執行ヲ為ササルヘキ旨ノ合意成立セルコトハ執行方法ニ関スル異議ノ事由タルニ止マリ之ヲ以テ請求ニ関スル異議ノ訴ノ原因ト為スヘキニ非ス。之レ従来当院ノ判例トスル所ナリ」と判示し、執行方法の異議による救済が判例の主流であることを明白にしている。

（五） 下級審又は外地の判例をみるに、朝鮮高等法院判決昭二・一・二五（評論一六巻民訴二一五頁）は、勝訴判決を得ても強制執行をしないという合意が口頭弁論終結前になされたことを主張するには五四四条の異議申立によるべきであつて、五四五条の訴によるべきではないと、判示しているのは前述の大審院の判例の主流と一致するものである。

しかるに、大阪控訴院判決大一五・七・二〇(評論一六巻民訴三三頁)は、不執行の合意が口頭弁論終結前になされたときは、債務者はこれを理由としてその判決に基く強制執行に対し請求に関する異議の訴を提起し得るものと判示し前述の判例の主流とは全く異なる判決をしている。

【32】「債務名義タル判決ノ基本タル口頭弁論ノ終結前ニ当事者間ニ和解契約成立シ該契約ニ於テハ後日合意上確定セシムヘキ判決ノ内容ト或範囲ニ於テ相異スル実体上ノ権利関係ヲ約定シ債務者ニ和解契約ノ不履行ナキ限リ債権者ハ右判決ヲ強制執行ノ為メ使用セサル特約ヲ為シタル場合ニハ斯カル特約ハ有効ニシテ後日債務者ニ和解契約ノ不履行ナキ限リ判決ニ於テ形式上確定セハ請求権ノ実行ヲ妨クルモノナルカ故ニ、債務者ハ之ヲ理由トシテ其判決ニ基ク強制執行ニ対シ請求ニ関スル異議ノ訴ヲ為シ得ヘク、此場合ニハ異議ノ原因ハ債権者カ特約ニ反シ判決ヲ使用スルニ因リテ生スルモノナレハ、右口頭弁論終結後ニ生シタルモノトシテ許スヘキモノトス。」(大阪控判大一五・七・二〇評論一六巻民訴三三頁)。

(六)　私見　債務名義を一時的又は永久に使用しないという執行契約のみでなく、執行の種類・段階又は執行目的物に関する執行制限契約は、その性質はすべて実体法上の債権契約とみるべきものである。もし執行法上直接効力をもつものとすれば、執行機関が執行実施にあたつて顧慮しなければならぬこととなり、執行機関はただに訴訟法規に基く制限のみならず執行当事者によつて作られた制限にも拘束されることとなり、その結果、訴訟法規によつて規整された執行手続とは別異の執行手続を規整し得ることとなり、到底容認できないからである。

債権者の合意違背の執行行為を取消すべきなんらの訴訟法上の救済手段はなく単に損害賠償の請求をもつて満足すべきであるとする見解は妥当ではない。なぜならば、執行法上の救済を全く認めずに新たなる訴訟による損害賠償のみを許すとすれば、執行制限契約の意義が少くなり、救済としては洵に不完全たるを免れないからである。すでに合意に違背して執行せる債権者に対して不作為の訴を認め、この不作為を求める請求についてさらに仮処分を認めるという救済方法を主張するものがあるけれども、妥当ではない。なぜならば、債権者が不作為義務違反の行為をしたときは、債権者に不作為義務の履行を求めることは不可能であり、すでになされた執行行為については現状回復を求めるのが筋道である筈であるし、不作為請求は元来強制執行のまだ完結しない部分、及び将来襲い来らんとする強制執行についてのみ妥当するものであるからである。のみならず債権者に将来の執行を禁止する旨を言渡した判決の正本を提出しても、民訴五五〇条のいずれにも該当しないことは、債務者の救済上致命的打撃である。かかる不作為の訴提起後も、債権者はなおも執行契約に違反した執行を続行することを妨げられないから、これを阻止する応急措置が認められなければならぬが、請求異議の訴の場合と異なり、受訴裁判所又は執行裁判所による仮の命令を発し得ず、唯単に仮処分による保全のみが問題となるにすぎない。しかも債務者にとつては、仮処分命令を裁判所より取得することは、請求異議の訴の場合に受訴裁判所又は執行裁判所より発せられる仮の処分に比し要件が容易でない。

以上のように執行契約違反の執行が行われた場合に執行法以外の救済によるときは、債務者の地位が甚だ不利となるので勢い執行法上の救済が考えられるに至るが、その際まず考えつくことは執行方法の異議と請求異議の訴である。

執行契約の性質は、前述のように、私法上の債権契約であるから、執行違反の執行と雖も、執行法上不適法ではなく適法たるを失わない関係上、執行行為の不適法を前提とする執行方法に関する異議を適用できない、というべきである。執行方法に関する異議は、執行の不適法が直接法律の規定に基く場合であるのに、執行契約の場合はそうではないから、民訴五四四条を適用する前提要件を欠くものといわねばならぬ。

最後に問題となるのは、請求異議の訴による救済であるが、執行契約の援用によつて債務者の主張せんとするのは債権者の執行上の権能であつて、実体上の請求権の存続に対して攻撃せんとするものではないから、これをもつて直ちに確定した「請求」自体に関するものとするのは理論的に欠陥があることは否まれず、従つてこの条文を正式に適用することは不可能である。しかし、民訴法の立法者はなんら執行契約違反の場合の救済について予想しなかつたのであるから、準用する必要と、準用するに適当な性質（準用適格）とを具備するならば、民訴五四五条の準用により立法の欠陥を満たすことは是認されなければならない。損害賠償の請求権や不作為の訴や仮処分による救済手段をもつてしては請求異議の訴の場合に比し債務者の地位が甚だしく害せられるに至るから、民訴五四五条の準用を認めるにつき充分な必要要件を充たすものといつてよい。

次に請求異議の訴は債務名義の執行力により適法に執行はなし得るが、実体法上不当な執行より債務者を保護するために認められた救済方法であるから、私法上の債権契約により債務名義を一時的又は永久的に使用せず、又はある特定の執行行為はこれをなさず、若くはある目的物に対する執行はこれをなさず等の債務を負つた場合に、これに違反した執行は、まさに実体上不当な執行に外ならぬから、実体上不当な執行たる点において両者は一致し、ここに民訴五四五条の準用上充分な適格を具備するのである。故に請求異議の訴の適用ではなく、準用するのが正当である。（五）

その際一応疑問となることは、執行契約がすでに最終の口頭弁論終結前に締結されている場合には、この契約締結と同時に合意違反の執行はしない旨の不作為請求権が発生し、従つて民訴五四五条が異議事由の発生時期を、「此法律ニ従ヒ遅クトモ異議ヲ主張スル コトヲ要スル口頭弁論ノ終結後」に限定しているのと牴触するに至るから、本件を準用する余地がないのではないか、ということである。しかしながら、その時期の規定は、あくまでも異議を提出し得た場合のみに限局せらるべきであり、執行契約の締結のみによつては、判決手続で異議を主張することは、債務者にとつて不能である。執行契約存在の主張は、判決言渡後始めて意義をもち得るものであるから、前審の裁判には属しないものである。従つて判決に執行契約に基く執行の制限を留保することは不必要かつ不能であり、執行契約があつても無条件の給付判決をして差支ない。

口頭弁論終結前に執行制限契約を援用しこれを判決主文中に掲記させる必要があるものとし、もし債務者に無制限に敗訴を言渡した場合には、判決確定後請求異議の訴を提起できないとの見解があるが、上述の理由により賛成できない。前掲大阪控判大一五・七・二〇（【32】評論一六・民訴三三）が、判決確定後、合意違反の執行があつた時をもつて異議事由の発生時期と認めていることは正当である。この法条の準用が認められる以上、民訴五四五条・五四八条により受訴裁判所、緊急な場合には執行裁判所の仮の処分により応急措置をとり得るから、債務者の救済上も敢て酷な結果を生じないこととなるわけである。

（一）　兼子・訴訟に関する合意について、民事法研究一巻二三九頁以下、斎藤「執行契約」民訴法講座四巻一〇四三頁以下。
（二）　穂積博士（判民昭和一〇年度九八事件）はかような契約を有効とし、第二審の見解を是認される。加藤博士は、執行請求権のみの放棄は訴訟法上無効であるとされるが、債権契約としては有効でこれに反する執行に基く損害賠償を請求し得るとされる（判批集二巻三五八頁）。
（三）　加藤・判民大正一五年度三二事件、判批集二巻三四二頁。
（四）　加藤・判民昭和二年度三三事件、山田・民訴法判例研究Ｉ三四頁（判旨反）。
（五）　斎藤「執行契約」民訴法講座四巻一〇五八頁以下。

五　承　継

債務者が条件の成就又は承継など執行適格に関する事項の証明があつたとして付与された執行文を争う方法として、執行文付与に対する異議の訴（五四六条）の制度が認められているから、承継を争う異議は、執行文付与に対する異議の訴によつて主張されるのが本筋である。しかし、債務者の承継に関する異議を右の別個の訴において主張せずに請求に関する異議の訴において異議の一事由として主張できるか、ということが判例上しばしば問題とされている。

（一）　大判明四一・六・一〇（民録一四輯六六五）は、承継に関する異議を特に別個の訴をもつて主張する要なく、請求に関して数個の異議を主張し同時に承継を争うことをもつて一個の異議とするときは、二個の訴の併合ではないと解し、訴の併合になるかどうかについて極めて寛大な取扱をしている。

【33】　「民訴法第五四六条カ債務者ニ於テ執行文付与ノ際証明シタリト認メラレタル承継ヲ争フトキ第五四五条ノ規定ヲ準用スルハ承継ニ関スル異議モ亦訴ヲ以テ之ヲ主張ス可ク、単ニ異議ノ申立ヲ為スヲ以テ足レリ

トセス、又訴ヲ以テ異議ヲ主張スルニ於テハ、請求ニ関スル異議ノ訴ノ外、承継ニ関スル異議ヲ特ニ別箇ノ訴ヲ以テ主張スルコトヲ要セス、寧ロ総テノ異議ヲ同時ニ主張スヘキ法意ナリトス。去レハ債務者カ承継ニ関スル異議ヲ主張シテ一箇独立ノ訴ヲ提起スルコトハ固ヨリ妨ナキモ請求ニ関シテ数箇ノ異議ヲ主張シ同時ニ承継ヲ争フコトヲ以テ一箇ノ異議ト為ストキハ、是レ本来請求ニ関スル一箇ノ訴ニシテ二箇ノ訴ヲ一箇ノ訴ニ併合スルモノニ非サルナリ。本件ニ於テ被上告人ハ上告人ノ公正証書ニ基ク強制執行ニ対シテ請求ニ関スル異議ノ訴ヲ提起シ其数箇ノ原因ヲ挙示シタル中、債権者長砂直蔵ト上告人間ノ譲渡行為カ虚構ニシテ真実ノ譲渡ニ非サルコトヲ主張セリ。而シテ第一審第四回ノ口頭弁論ニ於テ被上告人ノ代理人カ本訴ハ請求ニ関スル異議ト承継ニ関スル異議トヲ併合シタルモノナルコトヲ陳述シタルコトハ、上告論旨ノ如クナルモ、該異議ヲ同時ニ主張シテ請求ニ関スル一箇ノ訴ヲ提起シ得ルコトハ、前示ノ如クナルヲ以テ、本訴ニ於テ原院カ「民訴法第五四五条ノ訴ト第五四六条ノ訴トハ之ヲ併合シ得サルノ規定ナク且訴ノ性質ニ於テモ併合シ得ヘカサルモノニ非サルヲ以テ之カ併合ハ為シ得ルモノトス」ト判示シタルハ、失当ナルモ、承継ニ関スル異議ヲ本訴請求ニ関スル異議ノ一原因ト認メ直蔵ト上告人間ノ債権譲渡ノ仮装ニシテ譲渡人譲受人相通シテ為シタル虚偽ノ意思表示ナルコトヲ判定シ以テ上告人ノ強制執行ヲ許ササルハ如上ノ理由ニ依リ結局適法ナリ。」（大判明四一・六・一〇民録一四・六六五）。

（二）　大判昭一五・一〇・四（民集一九・一七六四）は、民訴五四六条の訴と五四五条の訴とはその目的を異にするものであるとの通説の立場に立ち、各別に訴を提起できるが、そのほか、五四五条の訴の一事由としても主張でき、又、五四五条の訴において敗訴しても、なお五四六条の訴を提起できると共に、五四五条の訴において敗訴した債務者は同訴訟の被告であつた債権者に対しさらに五四六条の訴を提起できるものと判示した。この点において、判旨は理論的に首尾一貫しないものがある。両箇の訴が目的とするところを異にしている以上、五四六条の異議の事由を五四五条の異議の訴において主張し得ると解することは、一貫しない理論であるというべきである。又、判旨のように五四五条の異議の訴において五四六条の異議を主張できるというのであれば、同時提出主義の適用を肯定した上で、実体関係と債務名義の表示とをあらゆる点で一致せしめる必要があるわけで、この点判旨は不徹底な法理に終始しているわけである。

【34】「民訴法第五四五条所定ノ異議ノ訴ハ確定シタル債務名義其ノモノノ効力ノ排除ヲ目的トスルニ対シ同法第五四六条所定ノ異議ノ訴ハ現ニ付与セラレタル執行力アル正本ノ効力ノ排除ヲ目的トスルモノナリ。之ヲ債務者カ債権者ノ承継ヲ争フ場合ニ付テ言ヘハ、後条所定ノ訴ハ当該承継人ニ対シテ執行文ヲ付与スヘカラサルコトヲ訴旨トシ、其ノ者ノ執行ノ排除ノミヲ目的トスルモノトス。然ラハ、前条ニ依ル異議ノ訴ト後条ニ依ル異議ノ訴トハ、其ノ目的ヲ異ニスル結果、債務者カ請求ニ関スル異議ノ事由ト承継ニ関スル異議ノ事由トヲ併有スル場合ニ於テハ、両法条ニヨリ各別ニ其ノ異議ノ訴ヲ提起スルコトヲ得ルモノト解スルヲ相当トス。尤モ請求ニ関スル異議モ、承継ニ関スル異議ノ訴モ或債務名義ニ基ク執行ヲ排除セントスル点ニ於テ同一ナルノミナラス、請求ニ関スル異議モ承継ニ関スル異議モ畢竟強制執行ノ前提条件カ実質的ニ欠缺セルコトヲ主張スルニ帰着スレハ、如上ノ場合ニ於テ債務者ハ必スシモ承継ニ関スル異議ヲ別個ノ訴ニ於テ主張スルコトヲ要セス。請求ニ関スル異議ノ訴ノ一事由トシテモ亦之ヲ主張スルコトヲ得ヘシト雖モ、斯ル方法ニ依ルヤ否ヤハ、前掲両法条ニ依ル異議ノ訴カ互ニ其ノ目的ヲ異ニスル点ニ鑑ミ、寧ロ債務者ノ任意ニ決シ得ルトコロナリト解スヘク、従テ右ノ方法ニ依ルコトノ可能ナルコトハ、前段説明ノ解釈ヲ非トスルニ足ラス。果シテ然ラハ、債務者カ請求ニ関スル異議ノ事由ト承継ニ関スル異議ノ事由トヲ併有スルトキハ、必ス同時ニ之ヲ主張スヘキモノトスル所論ハ失当ニシテ、唯債務者ハ右第五四六条所定ノ訴ノ原因トナルヘキ数箇ノ事由ヲ有シタル場合ニ於テノミ、其ノ訴ニ於テ同時ニ之ヲ主張スヘキモノト解スヘク、此ノ事ハ同条カ右第五四五条第三項ヲモ準用シタルニ徴シ、之ヲ諒スルニ難カラス。本件ニ就テ之ヲ観ルニ、被上告人カ本件執行文付与ノ際証明アリト認メラレタル承継ヲ争ヒ本訴ヲ提起シタル当時、現ニ同人ハ別ニ本件ノ債務名義ニ関シ請求ニ関スル異議ノ訴ヲ提起

シ居リタル事実ハ、原審ノ判示スルトコロナルモ、之カタメ本訴ヲ失当トナスニ足ラサルコト前叙ノ理由ニヨリ明白ナレハ、此ノ趣旨ヲ判示シタル原判決ハ正当ニシテ論旨ハ理由ナシ。」(大判昭一五・一〇・四(一)民集一九・一七六四)。

(二)　菊井教授(判民昭和一五年度一〇〇事件)は判旨の結論には賛成されるが、判旨後段の理由には賛成できないとされる。なお薄根・民商法雑誌一三巻四号六三八頁。

(三)　大判昭一六・五・六(新聞四七〇六号二五頁、評論三一巻民訴一一頁)の第二審では、債務者(遺産相続人として前主より債務を承継した者)の主張を容れ、債務名義記載の請求権は債務者を含み合計四名で分割承継したものであつて、本件の債務者のみで単独承継したものでなく、また債務者の承継した部分(四分の一)の債務も時効によつて消滅したものであると認定し、第一審が債務全額につき承継執行文を付与したのは違法であるとして公正証書の執行力ある正本に基く強制執行排除を認容した。これに対し上告人は承継の事実なしとする場合は与えられた執行文の取消宣言を判決主文に掲記すべきものであると上告したが、大審院は原審を支持し、かかる承継の事由を訴をもつて主張した場合に異議が理由があれば、裁判所は強制執行を許さない旨の宣言をすれば足りるのであつて、原判決が執行文付与の取消の宣言をしなかつたことは不当でないと判決し、五四五条所定の請求異議の事由のほか五四六条所定の承継に関する異議をも併せ主張をしても訴の客観的併合ではないことを暗黙のうちに承認したのである。

【35】　「被上告人ハ本訴ニ於テ民訴法第五四五条ノ請求ニ関スル異議ノ事由ノ外、尚同法第五四六条ノ承継ニ関スル異議ノ事由ヲモ併セ主張シ、判示ノ公正証書ノ執行力アル正本ニ基ク強制執行ノ排除ヲ求ムルモノナルコトハ其ノ訴旨ニ照シ明白ナル所、斯ル承継ニ関スル異議ノ事由ヲ訴ヲ以テ主張シタル場合ニ於テ異議理由アルトキハ、裁判所ハ強制執行ヲ許ササル旨ヲ宣言スレハ足ルモノト解スルヲ相当トス。之レ請求ニ関スル異

議ノ訴ニ付テノ民訴法第五四五条ノ規定ヲ同法第五四六条ノ承継ニ関スル異議ノ訴ニ準用シタル所ニ依リ其ノ法意ヲ窺フニ十分ナリトス。故ニ原判決カ所論ノ如ク強制執行ヲ排除スヘキモノト為スニ止メ、執行文付与ノ取消ノ宣言ヲ為ササリシトスルモ、之ヲ不当ナリト謂フヲ得ス。」

しかしながら右の大審院判例の態度には矛盾を免れない。すでに請求異議の訴(五四五条)は、執行文付与に対する異議の訴(五四六条)とは、その目的を異にしているという基調に立っている以上、自ら効果と判決主文を異にしなければならぬ筈である。従つて後者の異議の事由を併せて前者の異議の請求原因の中に追加主張するというがごときことは許され得ない筈である。また五四六条の異議の事由が五四五条の訴訟手続において主張され、それを認容された場合に、判決主文には債務名義自体の執行力排除の宣言のみで足り、執行文付与の取消(執行正本に基く執行不許)の宣言は必要でないとすることも、判決理由に相応する判決主文を欠くこととなり、これまた当初において両条の訴が全くその目的を異にするという判例の出発点とは矛盾するものというべきである。さらにまた判旨のように五四六条の異議の事由が五四五条の訴の一事由たり得るとするならば、それを一貫せしめて、同条三項の同時提出主義の適用を肯定しなければならない筈である。そこで、これらの矛盾ないし論旨の不徹底を解消する唯一の途は、判旨の基調ないし出発点そのものに再検討を加え、両条の訴をもつて目的を異にする全く無関係のものとする態度を捨てて、両者の共通性を見出すこと以外にはあり得ない。五四五条の訴は、債務名義に表示された実体上の給付義務の不存在確認であり、その当然の効果として債務名義の執行力が排除されるのであり、五四六条の訴は執行文を付与すべきでない状態の確認であり、その当然の効果（反対的効果）として執行文の付与された執行正本の効力が消滅するとみるときは、前者における「債務名義による執行不許」と、後者における「執行正本による執行不許」において、両訴ともに債権者に現在執行すべき権利がないことの確認を求めることとなり緊密な共通性を見出すことができるわけである。このように、両者に緊密な連繫を是認して始めて、五四六条の異議の事由をば五四五条の異議の一事由として併せて主張することを許容できるのである。(一) 但し、その場合は五四五条三項の同時提出主義の適用を肯定しなければならない。五四五条三項の同時提出主義を是認しない大審院判例の態度は洵に不徹底であるといわなければならない。(二)

（一）近藤氏が、判例の矛盾はすべて「五四五条の訴と五四六条の訴とが目的を異にする無縁の訴とし、両者間に何等の融通性を認めない通説の立場を維持しつつ五四六条の訴の事由を五四五条の訴の一事由となし得るとするところに胚胎する」（近藤・前掲一一六頁）と批判されるのは正当である。

（二）なお大判昭一六・五・六は、管轄の点についても、次のように判決している点において逸することができない。第五六二条四項からみて正当であり、作成した公証人の職務上の住所地は基準とはならない。

「民訴法第五四五条ノ請求ニ関スル異議ノ事由ノ外尚同法第五四六条ノ承継ニ関スル異議ノ事由ヲモ併セ主張シ公正証書ノ執行力アル正本ニ基ク強制執行ノ排除ヲ求ムル訴ハ債務者カ普通裁判籍ヲ有スル地ノ裁判所ニ之ヲ提起スヘキモノニシテ、該公正証書ヲ作成シタル公証人ノ職務上ノ住所ヲ有スル地を管轄スル区裁判所ニ提起スヘキモノニ非ス」（大判昭一六・五・六評論三一巻民訴二頁）。

東京地判昭和一四年（民集一九巻一七八一頁、特に一七八五頁）(一) は、形成訴訟説をとる通説の立場をあくまでも貫いて徹底した処理をしようとしていたことは注目すべきことである。すなわち、五四五条の訴と五四六条の訴とは全くその目的を異にし、前者は債務名義に記載された請求権の実体上の事由に基き債務名義自体の執行力の排除を目的とするものであるに反し、後者は債務名義の執行力には触れることなく、執行文付与の際に存在すべき条件の成就又は承継等の実体的事由を争い執行力ある正本の執行力排除を目的とするものであるという立場をあくまでも堅持し、従つて、五四六条所定の事由を単純に五四五条の訴の一事由として主張することは許さないものとしこれを適法に併せ主張するためには、訴の客観的併合の方式をとることを要するものとし、請求の趣旨としても、五四五条の債務名義の執行力排除の申立に併せて執行力ある正本の執行力排除の申立をしなければならない、という態度をとり、「第五四五条ノ訴カ係属スル場合ニ於テモ其ノ請求ノ趣旨ヲ変更スルコトナクシテ直ニ第五四六条所定ノ異議ヲ其ノ請求ノ原因トシテ主張スルヲ得サルハ明ニシテ一個ノ訴訟手続ニ於テ右両法条所定ノ異議ヲ主張セントスルニハ、債務名義自体ノ執行力排除ノ請求ト現ニ与ヘラレタル執行力アル正本ノ執行力排除ノ請求トヲ併合シテ申立ツルコトヲ要スルモノト謂ハサルヘカラス」と判示している。

また請求異議等事件の大判昭一七・一一・一七（民集二一・一一二一）の原審である東京地裁判決（第二審）も右と同じ立場に立つて処理している。すなわち、その第一審（東京区裁判所）における請求の趣旨が債務名義に基く強制執行不許の宣言だけであつたのに、第二審である同地裁においては、第一次的請求として債務名義に基く強制執行不許の宣言を求め、予備的請求として、付与された執行文の取消及び右執行文に基く強制執行不許を求めている（民集二一・一一三〇、一一三五）。なぜそのように変つたかという原因については、判例集自体からはわからないけれども、近藤判事によれば、当事者の自発的なものでなく、このような申立の追加をさせたのは、同地裁であるということである。同判事は、「判例集二一巻一一三四頁所載の東京地裁判決は、原審における請求の趣旨が債務名義自体による執行不許の宣言だけであったのを、控訴審たる同地裁において予備的に付与せられた執行文の取消及びその執行不許の宣言の申立を追加させている。この取扱も右の判決（近藤判事も構成員の一人であった判例集一九巻一七八一頁所載の昭和一四年の東京地裁判決を指す――斉藤）と同一の見地からなされたことであろうし、東京地裁における当時までの解釈と取扱が通説の立場を徹底させていたことを物語るものといえる」[二]と述べておられる。

（一）　近藤判事はその構成員の一人であったとせられ、今はその見解に疑問を持ちむしろ反対の見解を正しとするに傾いていると述べておられる（前掲一六八頁）。

（二）　近藤・前掲一六九頁。

私も両条の訴につき形成訴訟説をとらずに[一]確認訴訟説[二]の立場に立つほうが、両条の訴につき融通性のある取扱をするについて筋を通すことができ、理論的にスムーズにゆくと考えるものである。大判明四一・六・一〇（民録一四輯六六五頁）、大判昭一六・五・六（評論三一巻民訴一頁）は、両条の訴における共通性を見出すことには、さしたる努力をしていないが、前掲大判昭一五・一〇・四（民集一九・一七六四）は、両条の訴につき形成訴訟説に立ちながらも、なおかつ両条の訴につき共通性を見出すことに懸命の努力を傾け、両条の訴は「或債務名義ニ基ク執行ヲ排除セントスル点ニ於テハ同一ナルノミナラス請求ニ関スル異議モ承継ニ関スル異議モ畢竟強制執行ノ前提要件カ実質的ニ欠缺セルコトヲ主張スルニ帰着スレハ、如上ノ場合ニ於テ債務者ハ若シモ承継ニ関スル異議ヲ別個ノ訴ニ於テ主張スルコトヲ要セス、請求ニ関スル異議ノ一事由トシテモ亦之ヲ主張スルコトヲ得ヘシ[(三)]」と判示し、両者の間の架橋を試みているのである。

(一)　近藤・前掲一六五頁以下、一七五頁以下。
(二)　兼子・強制執行法九六頁、一二〇頁。
(三)　類似の関係にあるものとして、仮処分異議申立と仮処分取消申立をあげることができる。判例は「債務者ハ仮処分異議事件ノ口頭弁論ニ於テ仮処分命令アリタル後ニ生シタル仮処分ノ理由ノ消滅其ノ他事情ノ変更ヲ主張シテ之カ取消ヲ求ムルコトヲ得ヘキモノトス」としている（大判昭一五・一〇・二九民集一九・二〇一三）。菊井・判民昭和一五年度一一〇事件（判旨賛）、吉川・民商法一三巻五号七五五頁、山本実一「仮処分異議と仮処分取消との関係に就て」自由と正義三巻一一号一八頁、二〇頁。

承継が裁判所に明白でないのにかかわらず執行文が付与されたことを理由として五四五条の訴を起すことはできない。けだしそれは執行文付与についての形式上の瑕瑾を理由として異議を主張するものであるからである。この趣旨の下級審判例がある（東京高判昭二四・五・二四判例体系六九七頁）。

六　割賦弁済（過怠条項のある場合）

各期の割賦金（たとえば月賦金）の支払を怠つたときは、全額につき即時に請求できるという約款（いわゆる過怠約款[(一)]）の場合は、割賦弁済の利益を受ける債務者側に割賦金支払の有無につき立証責任があり[(二)]、債権者は執行文の付与を求めるに際し、その支払がないことを証明する必要はない。債権者は無条件で全額について執行文の付与を受けることができる。債務者が割賦弁済につき不履行がなかつたことを主張することは、実体的事由であつて、手続上の形式的要件に関する争ではないから、五四五条の請求異議の訴によりこれを主張させ、判決手続で審判するのが適当であると解すべきである。割賦金の弁済をしたことについては、一般の原則により債務者に立証責任があり、第五一八条二項の規定は債権者の立証責任の範囲までも定めたものでないから、このような過怠条項には五一八条二項の適用がないものと解するのが妥当である。従つて五四六条の訴は許されないと解すべきである。また債務者は割賦弁済の受取証書を持つている場合には、第五五〇条第四号により執行の停止又は制限を求めることができる。

このような債務者の義務不履行を失権事由とする場合に、これを争う方法として債務者にはいかなる救済手段が与えられるかについては、漸く最近になつて明確な裁判例をうむに至つた。

（一）　東京地判昭二九・三・一九（下級民集五・三・三七三）は、割賦弁済を怠つたときは、残額を一時に請求できる旨の債務名義に基く執行に対し、遅滞の有無を争う債務者の異議は、執行文付与及びその異議の手続によるべきで、請求異議の訴によるべきでないとする。

【36】　「割賦弁済を怠つたときに執行をなし得る債務名義があつて債権者が遅滞ありと主張し執行をなさんとするときの遅滞の有無は、執行文付与手続（民訴法第五一八条二項・五二〇条・五二一条）及び執行文付与に対する手続（同法第五二二条・五四六条）において審理せられる事項であり、執行文付与を離れてこれを請求異議の事由とすることは許されない。けだし債務者は執行文付与及びその異議の手続においてこの事由につき或場合は主張立証をして審判を受け得るからこれを請求異議の訴と解する必要がないのみならず（右五一八条二項の解釈として債権者は証明書によつて遅滞を証することを要すると解する。そしてこれは多く不可能であろうから債権者は概ね同法五二一条の訴によつて執行文を受くべきこととなる）、彼にこの事由により請求異

議を許し強制執行を許さない旨の判決をするときはその後債務者が遅滞をしこの遅滞に基づいて債権者が執行文を得て執行に着手しても債務者は右判決を執行機関に提出して執行を阻止し得る（同法第五五〇条一号）という不当の結果を生ずるからである。」

（一）　近藤・前掲一六七頁、一八四頁参照。

（二）　同旨、近藤・前掲一八五頁。反対、兼子・強制執行法一一〇頁。

東京高決昭二九・九・一四（東高民時報五巻九号一九七頁）も右と同趣旨の決定をしている。

【37】「月賦金の支払を三回以上怠つたときは、債務者は期限の利益を失い、債務全額一時に請求を受けても異議なく、この場合には債務者所有の家屋は債務の代物弁済として債権者の所有となり、債務者は所有権移転登記手続をなし、これを債権者に明渡す旨の条項の記載ある調停調書について、債務者が月賦金の支払を怠つたことを理由として、右債務名義に基く執行を排除又は防止しようとするには、執行文付与に対する異議又は異議の訴の手続によるべく請求に関する異議の訴を以てすべきものでない。

尤もかような場合は、債務者には月賦金の支払について不履行がないから、代物弁済が効力を生じ、債権者の明渡請求権が発生することがないこと、すなわち債務名義に記載された請求の実体に関することを理由とするものであるから、請求に関する異議の訴の理由とすることができるようにも見えるが、債務名義に記載された請求に実体上の変動があることを主張するものではないから、かように解すべきでない。

ところで、執行文付与に対する異議又は異議の訴は、執行文が付与せられたことを前提とするのであるが、右の場合に請求に関する異議の訴によることが許されないとすれば、債権者が右債務名義に基く強制執行に出ることが明白な事情が存在する場合にも執行文が付与せられるまでは、債務者は拱手傍観するほかないこととなつて、債務者の保護に欠けるところがあるという見解もあり得るが、債務名義の内容たる請求になんら実体上の変動がないのに、将来の執行に備えて、予め債務者に請求に関する異議の訴を許して、これを保護しなければならない必要はないものと考える。」

（二）　東京地決昭三二・四・二二（判例時報一一五号一頁）もごく最近のものであり、かつ上記のものとは反対の判例として注目すべきものがある。借地借家事件の和解調書によく見られる過怠条項に基く家屋明渡の場合に、債権者が条件を履行したことを証する証明書を提出する要なく、無条件に執行文の付与を受けることができるのであって、第五一八条二項は立証責任を定めた規定ではないとして、前記の東京地判昭二九・三・一九（下級民集五・三・三七三）及び東京高決昭二九・九・一四（東高民時報五巻九号一九七頁）とは反対の見解を採り、ここに明白な実務上の不統一が見られるに至った。

【38】「民訴法第五六〇条により裁判上の和解による強制執行に準用される同法第五二〇条及び第五一八条第二項の規定によると、裁判上の和解による強制執行がその趣旨に従い保証を立てることにかかる場合のほか他の条件にかかる場合においては債権者が証明書を以てその条件を履行したことを証するときに限り、執行力ある正本を付与することを得べく、しかもこの場合には裁判長の命令がなければならないものとされているのであるが、民訴法第五一八条第二項の規定は、それ自体として右の点に関し債権者の立証責任の範囲を定めたものではなく、債権者において如何なる条件について立証の義務を負担すべきかは一般の原則に準拠してこれを決すべきものと解するのが相当である。本件の場合についてこれを考えるに、抗告人の相手方に対する右家屋明渡請求権が未だ履行期に到っていないという事実についての立証責任は、債権者である抗告人の負担すべきものではなく、むしろ、債務者である相手方においてかかる事項につき立証しない限り、相手方は抗告人からの明渡請求についての執行を免れ得ないものというべきである。」

私は上述のごとき理由でこの判決のほうが正当であると考えるものである。

七　民訴法上のその他の事由

請求異議の訴は債務名義に掲げられた実体法上の請求を争うものである関係上、民事訴訟法上の事由を主張する異議は、請求異議かそれとも執行文付与に対する異議かが問題となる。これは請求異議の訴が許される適用範囲の問題であるとみてよい。この種の問題となつた判例をみておきたいと思う。

（一）大判大一〇・三・三〇民聯判（民録二七輯六六七頁）は、裁判長の許可なくして数通の執行文を付与したとき、これに対する不服は、五二二条の異議申立によるべきで請求異議の訴は提起できないと判決している。この場合は異議の事由が債務名義の請求に関しないのであるからもとより正当である。（二）

【39】「債務名義が確定判決ナル場合ニ於テ裁判所書記カ民訴法第五二三条ノ規定ニ違背シ裁判長ノ命令ナキニ拘ラス数通ノ執行力アル正本ヲ付与シタルトキハ債務者ハ執行ヲ許サヽル旨ノ裁判ヲ受ケンカ為メ執行文付与ニ対スル異議ノ申立ヲ為スコトヲ得ヘキモ、請求ニ関スル異議ノ訴ヲ提起スルコトヲ得ス。」

同様に執行文の付与のないことを、請求異議の訴によつて主張できないというべきであり、この趣旨の下級審判例がある（東京地判大四・一〇・一五新聞一〇五六・二九）。

（一）長尾章・請求異議の訴に関する問題について・法曹会雑誌一五巻七号二七頁以下。

（二）大判昭一四・八・一二（民集一八・九〇三）は、債務者と誤認されて不当に執行処分を受けたことを主張する第三者の申立て得べき不服の方法は、第五四四条の執行方法に関する異議であつて、請求異議の訴によることはできない旨を判示している。けだし、かかる異議の事由は、債務名義に指示された債務者と現に執行を受けた者とが同一人なりや否やの問題であるが、債務名義において受動的当事者とされていない者に対する執行の許し得ないことは、純然たる形式上の事由であり、毫も実体上の性質を有するものではないからである。(一) この事件では、自ら債務名義の債務者たることを前提として執行の基本たる請求自体に関する異議を主張したものでなく、又第三者として執行の目的物につき権利を主張したものでもないから、請求異議の訴又は第三者異議の訴の原因とはなし得ないわけである。債務者と誤認され不当に執行を受けた場合にこの点を異議の事由としただけで、直ちに執行方法に関する異議(五四四条)と第三者異議の訴の競合が常に存するものではなく、第三者として執行の目的物につき権利を主張する場合に限り第三者異議の訴によることができるのである。(二)

(一) 斎藤・判民昭和九年度三七事件。

(二) 斎藤・前掲参照。

(三) 大判昭一四・八・二二(民集一八・九八三)は、請求異議事件において、債務名義表示の本来の債務が弁済等により消滅しても、執行費用が償還されない以上、債務名義の執行力全部の排除を求めることはできないことを判決した。かりに執行費用についても独立の債務名義を必要(一)とするとすればさらにこれを取立てるための費用の問題を生じ終局に達することができないからである。執行費用は執行をする請求の債務名義に基いて取立て得ることについては先例がある。和解調書の送達費用につき大判昭八・六・一三(民集一二・一七〇一)(二)執行命令の執行費用につき大判昭四・一一・一三(評論一九巻民訴一三九頁)がこれである。

【40】「凡ソ債務者支払期日ヲ経過シ遅滞ノ責ニ任スヘキ場合ニ於テ債権者カ直チニ執行ノ準備ニ着手スルハ当然ニシテ此ノ執行ノ準備ニ要シタル費用(例ヘハ債務名義ノ送達ニ関スル費用、執行文ノ付与ニ関スル費

用ノ如キ）ハ執行費用ノ一部トシテ執行スヘキ当該債務名義ニ基キ其ノ債務名義ニ表示セラレタル請求ト共ニ取立ツルコトヲ得ヘキハ勿論ニシテ、従テ該債務名義ニ表示セラレタル本来ノ債務ニシテ弁済若クハ供託ニ因リ消滅シタリトスルモ、カカル費用ノ償還ナキ以上、該債務名義ノ執行力ヲ全体ニ互リテ排除スルコトハ之ヲ許スヘキモノニアラスト解スルヲ相当トス。」

（一）　斎藤・判民昭和一四年度六三事件、河本・民商法一一巻一号一五八頁、高橋静一・法学新報五〇巻二号二七一頁。

（二）　有泉・判民昭和八年度一一八事件。

（四）　仮差押をうけた債権に基き強制執行が行われたことを事由として第三債務者は請求異議の訴を提起できるか。これは大判昭一五・一二・二七（民集一九・二三六八）で問題となつたところである。すなわち、Yの強制競売の申立により、昭和一四年三月一七日X所有の不動産に対して強制競売開始決定がなされたが、実はその前に、この強制執行の基礎になつているYの債務名義に表示された元金千円の貸金債権については、訴外AがYに対して有する立替金債権の保全のため仮差押を申請し、昭和一四年二月三日仮差押決定が発せられていたのである。そこでYはAから仮差押を受けたため、Xに対して貸金債権の取立はできなくなつた筈であり、同債権について存するYの債務名義の執行力はその限度において消滅すべきものであると主張して、XはYに対して請求異議の訴を起したのが本件である。

【41】　「民訴法五四五条ニヨル請求異議ノ訴ナルモノハ、債務名義ニ於テ確定シタル実体上ノ請求権カ執行ニ適セサルニ至リタルコトヲ理由トシテ実体上ノ異議ヲ主張シ債務名義其ノモノノ効力ヲ排除スルコトヲ目的トスルモノナルカ故ニ、弁済相殺免除解除条件ノ成就消滅時効ノ完成等債務名義ニ因リテ確定シタル請求ヲ消滅セシムル事実ノミナラス、弁済期限ヲ猶予シ債権者カ当該請求権ヲ第三者ニ譲渡シタルニヨリテ債権者タル

資格ヲ喪失シ債権者カ破産ノ宣告ヲ受ケ又差押ヲ受ケタルカ如キ債務名義ニ因リテ確定シタル請求ヲ変更スル事実発生シタル場合ニ於テモ、之ヲ以テ請求ニ関スル異議ノ訴ノ原因ト為スコトヲ妨クルモノニ非ス。(一)」債権の差押又は仮差押により債権者の取立その他処分の権能が制限されたことは、債権者をしてその債務名義に基く強制執行を遂行する適格を失わしめるものであり、執行適格の喪失として請求異議の訴の事由たり得るものと解せられるわけである。従つて右の判旨は正当である。

（一）　菊井・判民昭和一五年度一三〇事件（判旨賛）、吉川・民商法一三巻五号九七六頁。

八　公正証書特有の異議原因

元来、請求異議の訴は債務名義のいかんを問わずあらゆる債務名義につき適用あるものであり、かつあらゆる種類の請求を争う場合に適用があるものであるけれども、(一)実際上、債務名義が公正証書である場合の請求異議事件が圧倒的に多い関係上、ここに公正証書に特有の異議原因について検討しておきたいと思う。

（一）　近藤・前掲九〇頁。

公正証書が強制執行における債務名義となるのは、金銭、代替物の給付義務に限られ、しかも給付すべき金額、数量が一定でなければならない。けだし、これを要求する理由は、執行証書は裁判所が全然関与しないで執行力が与えられるものであるから、執行の迅速確実を期するため執行機関が一目瞭然その権利を了知できるようにするためである。ここにいわゆる一定の金額、数量とは、大決昭五・七・一七（新聞三一五一号一二頁）(一)が正当に判示しているように、「其ノ証書ニ金額ヲ明記シアルカ或ハ証書自体ニヨリ其ノ数量ヲ算定シ得ル場合」をいうのである。公正証書に一定の金額が明記されなくとも、その記載により算出することができるとされた事例としては、「本件債務ニ付キ解約ノ場合ニ於ケル年一割五分ニ相当セル損害金ハ公正証書自体ニ依リ金額ノ一定シ得ヘキモノ」（東京地判明四二(レ)八五号、新聞六三七・一一）がある。この点に関して実際上問題となるものは次のような場合である。

（一）大決昭五・七・一七（新聞三一五一・一二）は、一定の玄米を引渡す旨の債権及びもしこれを引渡すことができないときは、その玄米を時価に換算した金額を支払うべき旨の債権に関する記載のある公正証書は、玄米引渡の部分は債務名義となり得るけれども、右の金銭債権に関する部分は、金額が証書に明記している場合又は証書の記載自体によってこれを知り得る場合に該当しないから、債務名義とはなり得ないことを正当に判示している。

（一）当座貸越契約　金融取引の一形態として世上しばしば行われる当座貸越契約とか根抵当権設定金銭消費貸借とよばれるものでは、証書には金額は明記されているに拘らず、それは現実に生じた消費貸借契約上の確定金額の表示ではなく、単に将来の一定期間内に貸与する限度額の表示にとどまる。従って、この種の証書は債務名義たり得るかが問題とされ、又、これに対して執行文の付与があり又はこれに基く強制執行が行われた場合に、五二二条、五四四条、又は五四五条による救済が許されるか否かが問題とされてきたのである。

⑴　明治四二年一〇月二二日民刑八七三号民刑局長回答（通達回答集一二八頁）、大正一二年六月一三日大阪区裁判所執行事務協議会決議・同年六月二六日大阪地方裁判所長認可（執行事務決議類纂一一七頁）は共に、この種の根抵

当契約の公正証書は債務名義となり得ないものとしているが、判例法上も、大決明治四二年五月一二日（民録一五・四八六）以来一貫して、債務名義たり得ないとの否定説を堅持し、これに対する執行文の付与又は強制執行に対しては五二二条又は五四四条の異議申立によるべきであつて、五四五条の請求異議の訴によることはできないとしている。

【42】「民訴法第五六二条第二項ノ執行文付与ニ関スル異議ハ強制執行ニ関スル形式上ノ異議ニ外ナラスシテ単ニ異議ノ申立ニ因リ管轄区裁判所ノ裁判ヲ受クヘク其裁判籍ハ同裁判所ノ専属ナリトス。之ニ反シテ同条第三項以下ノ請求ニ関スル異議ハ強制執行ニ関スル実体上ノ異議ニシテ必ス訴ヲ以テ之ヲ主張セサルヘカラス。而シテ実体上ノ異議ニ於テハ請求ニ関シ実体法上執行ヲ受ク可カラサル理由ヲ主張シ得ルニ止マリ形式上ノ異議ノ理由ヲ主張スルコトヲ許サス。即チ執行文ノ付与ニ関シ管轄区裁判所ニ異議ノ申立ヲ為サスシテ請求ニ関スル異議ノ訴中ニ併セテ之ヲ主張スルカ如キハ許スヘキモノニ非サルナリ。本件ハ強制執行ニ関スル異議ノ訴ニシテ原院ニ於テ被上告人ハ自カラ甲第一号証ノ貸越契約ヲ締結シタルコトナク、訴外福山覚兵衛個人ノ取引ナル旨ヲ主張シタル外、同証ハ其支払金額一定セス民訴法第五五九条第五号（注—大正一五年改正前条文・現行法同条三号）ノ要件ヲ欠缺セル公正証書ナル旨ヲモ主張セリ。此第二ノ理由ハ上告人ノ請求金額カ一定セサルコトヲ争フモノニ非スシテ公正証書カ一定ノ金額ノ支払ニ付テ作成セラレス即チ債務名義タル要件ヲ具備セスト云フニ在レハ、公証人ノ執行文付与ニ対シ異議ヲ申立テ管轄区裁判所ノ裁判ヲ受クヘキモノナリ。」（大判明四二・五・一二民録一五・四八六）。

(2)　この種の根抵当契約の公正証書が債務名義となり得ない実質上の理由については、前記の大判明四二・五・一二はほとんど説明するところはないが、昭和時代に入るや、東京地裁判決は詳細に説示するに至つている。たとえば

【43】「金融取引ノ一形態トシテ世上屢々行ハルル根抵当権設定当座貸越契約ノ如キ之ヲ公正証書ニ記載スルモ該公正証書ハ民事訴訟法上ノ債務名義タルヲ得サルモノトス。蓋シ斯ノ如キ契約ニ於テ定メラルルトコロノ金額ハ当事者間ニ将来取引セラルヘキ金融ノ最高限度ヲ示スニ過キスシテ債務者カ具体的ニ負担シタル債務ノ数字的金額ニアラサルヲ以テ斯ノ如キ公正証書ノ記載内容ハ未タ以テ一定金額ノ支払ニ関スルモノト謂フヲ得サレハナリ。固ヨリ債務者ノ支払フヘキモノト定メラレタル金額カ条件附ナルト期限附ナルトハ問フトコロニアラサレトモ、苟モ其ノ金額ハ公正証書作成当時数字的ニ確定シ又ハ確定シ得ヘキモノタルコトヲ要スルハ論ヲ俟タサルトコロナリトス。」（東京地判昭一一・七・一八評論二五巻民訴三六八頁(一)）。

(3)　通説もまた右の判例の見解を支持しているのである。しかし判例の見解に反する見解も存する。それは、当座貸越契約により一定期間内に当事者の取引について生ずる一定限度の債権というのでも、なおかつ一定しているとみることができるし、また現実に一定の債権が発生したということは「条件」と解することができるから、これを証明書によつて立証し裁判長の許可を得て執行文を付与できるものと解する見解である。このようにしてこの種の公正証書を要望する取引界の需要に応じようと試みる学説もあるけれども(二)、すでに近藤判事、吉川博士(三)によつて指摘されているように、その場合のいわゆる「証明」は「一定ノ金額」の証明であつて、一定の金額の請求自体に附着する条件ではないし、公正証書自体からは不明な債務額を公正証書以外の他の私文書で証明することを許して執行文を付与するということは、私文書に執行力を与えることになるから、賛成できない。

この種の公正証書を要望する取引界の需要は、公正証書に、新しい工夫をこらし、公正証書に特に「期間終了後債務者が融通を受けた金員を弁済しないときは、当然限度額を融通額と看做し直ちにこれを完済すべきこと。但し実際の融通金額が限度額より少ないときはその超過部分を債務者に返還すること」という新しい条項をつけ加えるにいたつた。

(4)　この条項の効力に関する最初の判決が東京地判昭一二・二・二七(新聞四一二三号一八頁)である。

【44】「凡ソ公証人ノ作成シタル公正証書カ民事訴訟法上ノ債務名義タルニハ公証人カ其ノ権限内ニ於テ成規ノ方式ニ従ヒ作成シ其ノ内容カ一定ノ金額ノ支払ヒ又ハ其ノ他ノ代替物若クハ有価証券ノ一定ノ数量ノ給付ヲ目的トスル請求ニ関スルモノタルコトヲ要シ、而カモ尚証書上債務者カ直チニ強制執行ヲ受クヘキコトヲ認諾シタル旨ヲ記載シタルモノタラサルヘカラサルモノニシテ其ノ条件ノ一ヲ欠缺スルモ最早其ノ公正証書ハ民事訴訟法上ノ意義ニ於ケル債務名義ト謂フヲ得サルモノトス。之レヲ本件ノ場合ニ看ルニ本件公正証書記載ノ契約(但シ(五)ノ部分ヲ除ク)ニシテ前記ノ如ク根抵当権設定ニヨル将来ノ金融契約ニシテ其ノ取引ノ限度額亦原告カ負担スヘキ一定不動ノ数額ヲ表示シタルモノニアラサルモノナル以上、該公正証書ハ此ノ部分ニ関スル限リ一定金額ノ支払ヲ目的トスル請求ニ関シ作成セラレタルモノト謂フヲ得サルヘク到底民事訴訟法上ノ意義ニ於ケル債務名義タルヲ得サルモノニシテ、之レニ基ク強制執行ヲ為シ得ヘキモノニアラス。次に本件公正証書ニハ右(五)ニ記載シタルカ如ク原告カ融通ヲ受ケタル金員ヲ其ノ弁済期ニ履行セサルトキハ、当然限度額全部ヲ融通額ト看做シ直チニ之ヲ完済スルコト但シ実際ノ融通金額カ限度額ヨリ少ナキトキハ其ノ超過部分ヲ原告ニ返還スルコト右債務ノ不履行ニ付イテモ所定ノ損害金ヲ支払フコトナル旨ノ記載存スト雖モ右記載部分モ民事訴訟法ノ意義ニ於ケル債務名義トナルヲ得サルモノトス。蓋シ公正証書又ハ和解調書ノ如ク当事者ノ合意ヲ基準トシ其ノ合意ヨリ生スル給付請求権ニ関シ執行力ヲ有スル債務名義ニ在リテハ証書上給付請求権ノ存在ヲ明認セシムル為メ其ノ合意カ前後一貫シテ確定的ニ当該請求権ヲ発生セシムルニ足ルモノタルコトヲ要スルハ言ヲ俟タサルトコロナルヘシ。然ルニ右ノ場合ニ於テ先ツ原告カ融通ヲ受ケタル金員ヲ其ノ弁済期ニ履行セサルトキハ当然限度額全部ヲ融通額ト看做シ直チニ之レヲ完済スルコトト為スニ拘ラス、同時に但書ヲ附シ実

際ノ融通金額カ限度額ヨリ少ナキトキハ、其ノ超過部分ヲ原告ニ返還スルコトト為スモノナルカ故ニ、極メテ形式的ナル法律技術ニ基ク個別的観察ハ別トシ、右二個ノ合意ヲ統一的ニ考察スルトキハ到底前後一貫シテ被告ヲシテ限度金額全部ニ付キ確定的ニ請求権ヲ取得セシムル合意ト謂フヲ得サルモノトス。何ントナレハ、原告カ受ケタル融通金員ノ不履行アリタル場合ニ於テモ原告カ被告ヲシテ現実ニ取得セシメントスル金額ハ畢竟スルニ融通金額及ヒ之レニ対スル利息損害金ニ過キスシテ（此ノ部分ニ付キ本件公正証書カ執行力ナキコトハ前説示スルトコロニヨリテ明カナリトス）、決シテ限度金額全部及ヒ之レニ対スル損害金ニ付キ確定的ニ被告ヲシテ請求権ヲ取得セシムル趣旨ニアラサルコト前記二個ノ合意ノ総合解釈上明ラカナルトコロナレハナリ。惟フニ右ノ如キ合意カ本件公正証書ニ記載セラルルニ至リタルハ、前段認定ノ如ク根抵当権設定契約ノ公正証書カ一定金額ノ支払ヒヲ目的トスル請求ニ関スル証書ニアラス原則トシテ執行力ナク民事訴訟法上ノ債務名義トナリ得サルトコロヨリ之レヲ救済センカ為メニ特ニ挿入セラルルニ至リタルモノニシテ著シク技術的要素ヲ含有スルモノナルコト成立ニ争ナキ甲第一号証ヲ通読シテ領得シ得ヘク、之レニ基ク執行ヲ許スニ於テハ、根抵当権設定契約ニ関スル公正証書其ノモノニ執行力（但シ実際融通シタル金額ニ制限シテ）ヲ認ムルヨリ遥ニ弊害多キ場合ヲ予想シ得ルカ故ニ実際上ノ立場ヨリスルモ、前叙ノ如キ合意ニ効力ヲ認ムヘキモノニアラス。上来説示ノ理由ニヨリ本件公正証書全体トシテ民事訴訟法上ノ債務名義タルヲ得サルコト明ラカナルヲ以テ、執行力ヲ有スルモノニアラサレハ、之レカ執行力ノ排除ヲ求ムル原告ノ本訴請求ハ失当ニシテ排斥セラルヘキモノトス（尤モ民事訴訟法上ノ債務名義ニアラサル公正証書ニ基キ強制執行ヲ為シタルトキハ、這ハ債務名義ナクシテ強制執行ヲ為シタル場合ニ該当スルヲ以テ、斯ル場合ハ民訴法第五四四条ノ異議申立ニヨリテ救済スルヲ得ヘシ）。依テ原告ノ本訴請求ヲ棄却スヘキモノトス。」（東京地判昭一二・二・二七新聞四一二三・一八）。

(5)　この判決は、新形式の条項を特に挿入した根抵当契約公正証書について始めて裁判所の見解を示したものとして注目すべきものである。判決はこの新しい形式の根抵当契約公正証書もまた債務名義たり得ないものとし、これに基いて強制執行をしたときは債務名義なくして強制執行をしたことになるから、これに対しては請求異議の訴を提起することはできないが、五四四条の執行方法の異議申立をすることができる旨を正当に判示している。従来の根抵当権設定契約の公正証書が、明治四二年五月一二日の大審院決定（民録一五・四八六）以来、一貫して実務上この種の公正証書は債務名義たり得ないとしているため、これを救済しようとして取引界のあみ出した技巧的な条項である。期間終了後債務者が融通を受けた金員を履行しないことを停止「条件」とする一定金額（限度額）の給付義務を約束したものであるという形式を外装しているため、この新形式ならば裁判所も債務名義たり得ることを否認しないものと期待していたに違いない。公証人として指導的立場にある法律家もこの新種の公正証書は債務名義たり得るものと主張してきたのであるが、(四)右の判決は断乎として否定説をとつたわけである。この条項の挿入によつて、いかに巧妙に形式は外装されていても、契約の実体は全然変らないのであつて、若しも「限度額全部を融通額」とみなしてこれに執行力を与えるならば、この擬制された融通額全部について強制執行が許されることとなり、あとでその差額を返還し調整するとはいえ、法が債務者保護のため事前に超過差押を禁止している趣旨からみて到底許さるべきでないといわなければならない。(五)

（一）　同旨のものとしては、東京地判昭一一・一・一五評論二五巻民訴五〇九頁。
（二）　前野順一・強制執行手続三九頁、五一頁。
（三）　近藤・前掲二八頁、吉川・執行証書・民訴法講座四巻一〇〇一頁。

（四）　宮地貞顕・根抵当権設定手形割引契約並に一定金額支払特約公正証書と債務名義・日本公証人協会雑誌一七号二六頁（昭一二）、上田啓次・無因的債務約束の公正証書と債務名義・日本公証人協会雑誌一二号三四頁（昭一〇）。この種の新しい条項は、宮地氏によれば、「特に独立したる一定金額の支払債務を発生せしめたる別個の無因的債務契約」であり、「債務者が本契約に因る債務を履行せざるときと云ふ停止条件が附せられて居る」のであり、「経済的必要から其金融取引の安全を確保する目的を以て合理的に契約」されたものであるから、民訴法五五九条三号に対する脱法行為ではなく、民訴法上債務名義として保護せらるべきものである（前掲三二頁、三三頁）。また、この新しい形式の条項は、上田氏によれば「私はこの問題に関し公証人就職以来種々考えて来たが茲数年以前より一定金額を支払ふべき無因債務を発生せしめ之に依りて債務名義を取得することの可能なるに想到し爾来この方法により執行名義を得つつあるのであるが」、「無因的な一定金額の支払債務を発生せしめる所謂無因的債務約束」は有効であり、「民訴法第五五九条第三号の所謂一定額を給付すべき債務と為すために無因債務の理由を以て手段とするも脱法行為と解すべきでない」と主張される（前掲三八頁、五〇頁）。

（五）　同旨、近藤・前掲二八頁、吉川・執行証書・民訴法講座四巻一〇〇一頁。

（二）　証書の形式的無効と証書記載の契約の実体的無効

(1)　大判昭五・一二・二四（民集九・一一九七）は、味噌類の取引ある当事者間において、売掛金債権は五百円を超えていたが、取引はなお引続き行われる関係にあったので、爾後何れかの時に取引を終了し決算をとげた場合に売掛金五百円に達したときは、「右公正証書ニ基ク消費貸借ハ完全ニ成立セシムル趣旨ノ下ニ」という条件で公正証書を作成したという事案に関するものである。大審院は取引終了時の売掛金債権に対する債務名義に充用せんとするものであつて、この債権は公正証書に表示されていないから、公正証書はこの債権の債務名義にはならないものとし、従つて、本件のように公正証書が他の請求のために充用されている場合には執行名義なくして執行をした違法があることに帰し、五四四条の執行方法の異議によつて救済を申立て得るわけであり、又執行名義たる公正証書に表示された請求そのものが不存在であることを理由とする場合は五四五条の請求異議の訴によつて救済を仰ぐべきであると正当に判示している。

【45】「公正証書ニハ当該請求カ具体的ニ表示セラルルコトヲ要シ又之ヲ以テ足レリトスルカ故ニ請求ノ発生原因トシテ記載セラレアル事実ナルモノカ多少実際ノソレト吻合セサルトコロアルモ、苟クモ右ノ記載ニ依リ問題タル請求カ具体的ニ（換言スレハ他ト区別シテ）認識シ得ラルルニ妨無キ以上当該公正証書ハ尚当該請求ニ対スル有効ナル執行名義タルヲ失ハス。蓋シ此種ノ公正証書ハ単ナル事実上ノ認識ヲ記述スルヲ以テ其ノ職能トセス或具体的ノ請求ヲ表示スルヲ以テ其ノ本質ト為スモノナレハナリ。」

「夫レ執行名義ナルー ノ文書ヲ以テ強制執行ノ形式的基本ト為ス所以ノモノハ他無シ、事ニ当ル執行機関ヲシテ専ラ其ノ記載ニ依リテ以テ其ノ如何ナル請求ニ付キテ執行カ為サルルモノナリヤヲ知了スルヲ得シメ以テ執行ノ迅速ト確実トヲ期スル法意ニ外ナラサルカ故ニ、玆ニ一ノ執行名義アリ此ノ執行名義ハ如何ナル請求ニ対スルソレナリヤトノコトハ専ラ当該執行名義ノ記載ニ依リテ定マルヘキ問題ニシテ当事者間ノ合意ヲ以テ自由ニ左右シ得ラルル事柄ニ非ス。然ラハ即チ本件ニ於テ当事者ノ合意上執行ノ実体的基本タラシメムトスル具体的請求ハ本件公正証書ニ表示セラレアラス其ノ表示セラルルモノハ即チ実在セサルーノ請求ニ過キス」

「彼ノ実在セル具体的請求ニ対スル執行ノ為本件公正証書カ充用セラレタリトセハ、幷ハ執行名義無クシテ執行ヲ試ミタルノ違法アルモノ、此違法ハ民訴法第五四四条ノ異議申立ニ依リテ是正スルヲ得ヘシ。若シ本件公正証書ソノモノニ表示セラレアル請求ナルモノハ不実在ノソレニ過キストノ故ヲ以テ其ノ執行力を除却セムトナラハ、ソハ須ラク同法第五四五条ノ異議ヲ以テセサルヘカラス。以上判示ノ諸点ニ於テ原判決ハ法律ノ誤解ニ陥ルニ非サレハ即チ其ノ理由ノ叙述ニ於テ尽ササルモノアルニ庶歳シ。」（大判昭五・一二・二四民集九・一一九七）。

本件の公正証書には金五百円という一定の金額の表示があるのであるから、もしも事実関係が「継続的売買の計算を決算し売掛金五百円に達することを停止条件とする民法第五八八条に所謂準消費貸借の予約」[一]とみることができるならば債務名義となり得ると解し得られよう。

（一）　加藤・判民昭和五年度一二〇事件四三七頁（判旨賛）。

(2)　不成立の実体権を表示した公正証書は消費貸借についてしばしば問題になるが、大審院大正一〇年三月三〇日の連合部判決までは、大審院自体見解が二つに分れていたため、実務上混乱を生じていたのである。すなわち、公正証書の記載と実際の事実関係とは厳格に一致すべきであるとし、その不一致の場合は、事実に吻合しないものとして無効であり執行力を生じないものとする立場に立つと共に、これを主張する方法としては、五二二条の異議申立によるべきものとする判例と、五四五条の請求異議の訴によるべきものとする判例に分れていたのである。第五二二条説をとるものは大判大六・六・二八（民録二三・一〇八九）、大判大八・四・一六（民録二五・六二二）であり（下級審は多くこれにならった。大阪区判大七・三・一四新聞一三九七・二五、東京地判大九・三・二三評論九・民訴一五八）、第五四五条説をとるものは大判大五・六・二〇（民録二二・一二〇九）、大判大七・五・九（新聞一四四四・二三）、大判大七・五・三〇（民録二四・一〇七四）、大判大九・一〇・二七（民録二六・一五八六）（下級審では、東京区判大五・三・一七新聞一〇九九号二五）である。前者の立場にある大判大六・六・二八（民録二三・一〇八九）は、金銭の交付がないのに交付があったとして作成された消費貸借公正証書の記載が、事実に吻合しないことを主張するには、五二二条の異議申立によるべきであって、五四五条の訴によるべきでないと判決している。これに反し、後者の立場にある大判大七・五・三〇（民録二四・一〇七四）は、不成立の消費貸借契約上の債務を記載した公正証書に対しては、五四五条の訴を提起することができる旨を判示している。このような実務上の不統一と混乱を解消する意図をもつて登場したのが、さきの大正一〇年三月三〇日の連合部判決である（民録二七・六六七）。

(3)　この判決の事案は、債務名義たる公正証書（動産賃貸借契約の公正証書）に記載された契約は仮装であつて無効であることを主張して請求異議の訴を提起した事件である。大審院は公正証書が五五九条の要件を欠き形式上無効であるときは、執行文付与の異議によるべきであるが、その成立の前提たる法律行為（契約）に瑕疵があり、又は偽造の委任状によつて作成された場合は実体上無効であるから請求異議の訴によるべきであると判示する。判決の前提とする理論の要点は、――五二二条の執行文付与に対する異議は、執行文付与の形式的前提要件の欠缺を理由とするもので、異議の理由が形式上のものであるから、異議の当否は記録の調査だけで容易に判断することができ従つて訴の方法によらずに異議を主張することを許し、必要的口頭弁論を経ずに決定で裁判する。請求異議の訴は、執行文付与の実体的前提要件の欠缺を理由として、その欠缺が債務名義そのものの効力に関するとその内容たる請求に関するとを問わないが、異議の理由が実体上のものであるため、その異議の当否は多くは記録のみによつて判断できないから、判決手続によらしめることとしたのである。但し第五四六条の場合は、同一の実体上の異議の理由が請求に関する異議の訴の理由となると同時に執行文付与に対する異議の申立の理由となるのが唯一の例外である。公正証書が五五九条三号の要件を欠き債務名義たるの効力がないのに拘らず、執行文を付与すれば、公正証書自体が形式上債務名義として効力がないことを理由として五二二条の異議を申立て得る。債権者が一時支払を猶予したに拘らず執行したときは、請求異議の訴による。以上を前提の理論として、事案の核心にふれる部分に進んでいる。それは次のごとくである。

【46】「債務名義カ公正証書ナル場合ニ於テ其証書自体ニハ債務名義タルニ必要ナル形式ニ欠クル所ナキモ其成立ノ前提要件ニ欠缺アリタルトキ殊ニ公正証書カ偽造ノ委任状ニ依リ作成セラレタルトキ若クハ公正証書ノ内容ニ欠缺アルトキ殊ニ公正証書ニ掲ケタル契約カ錯誤仮装其他ノ事由ニテ無効ナルトキハ債務者ハ公正証書カ実体上無効ナルコトヲ主張シ以テ請求ニ関スル異議ノ訴ヲ提起スルコトヲ得ヘキモ執行文付与ニ対スル異議ノ申立ヲ為スコトヲ得ス。而シテ此場合ニ在リテハ債務名義タル公正証書ノ実体上有効ナルコトヲ前提トスト云フヲ得サルコト言ヲ俟タス。是ニ依リテ之ヲ観レハ、執行文付与ニ対スル異議ニ在リテハ債務名義ノ無効ヲ理由トセサルコトアリ又請求ニ関スル異議ノ訴ニ在リテハ債務名義ノ有効ナルコトヲ前提トセサルコトアリト雖モ、執行文付与ニ対スル異議ハ執行文付与ニ付テノ形式上ノ瑕瑾ヲ理由トシ、又請求ニ関スル異議ノ訴ハ執行文付与ノ実体的前提要件ノ欠缺ヲ理由トスルヲ要スルコト洵ニ明瞭ナリト云フヘシ。是ヲ以テ原裁判所カ本件ノ債務名義タル公正証書ニ記載セラレタル契約ハ仮装ニシテ無効ナルカ故ニ、之ニ基キテ為シタル執行ノ許スヘカラサル旨ノ裁判ヲ求ムル為メ被上告人ノ提起シタル本件異議ノ訴ヲ正当ナリトシ上告人敗訴ノ判決ヲ為シタルハ違法ニ非ス。従テ所論ハ失当ニシテ論旨理由ナシ。而シテ如上ノ判示ハ所論ニ掲クル当院民事部ノ裁判ト相反スルヲ以テ裁判所構成法第四九条ノ規定ニ従ヒ当院民事総部聯合シテ審問シ斯ル裁判ヲ変更スヘキモノト判決シタリ。」

上告理由は「本訴請求原因が不明で一定しないに拘らず原審はなんらこれに釈明をなさしめず漫然執行不許の判決をしたのは違法である。仮に本訴をもつて本当事者間に成立せる仮装の賃貸借契約公正証書に基いてなされた強制執行に対する異議であるとすれば、結局債務名義の無効を理由とする形式上の異議を主張するものであるから、五六二条二項により執行文付与に対する異議の申立をなすべく請求の訴によるべきでない（御院大正五年（オ）第一一〇五号、大正八年（ク）第四四号判例参照）。従て本訴は不適法として却下せらるべきものなのに原判決が被上告人の請求を認容したのは違法である、というのである。

ここで上告理由が引用した大審院判決は、右の連合部判決によつて変更されたわけであるが、変更された判決の日附を示せばそれは、さきに第五二二条によるべきものとする大判大六・六・二八（民録二三・一〇八九）――「金銭の交付がないのに交付があつたものとして作成された消費貸借公正証書の記載が、事実に吻合しないことを主張するには、五二二条の異議申立によるべきであつて、五四五条の訴によるべきではない」――及び大判大八・四・一六（民録二五・六二一）である。

(4)　しかし右の連合部判決によつて、五二二条の異議申立によるべき場合と五四五条の請求異議の訴によるべき場合の区別の基準が完全に樹立されたものとしてこれを謳歌するわけにはいかない。なぜならば、請求異議の訴によるべきものとされる、いわゆる「執行文付与ノ実体的前提要件」の欠缺とは一体何を意味するか明白でないものがあるからである。公証人法が証書作成の手続、方式、証書の形式等に関して厳格な定めをしており、「本法及他ノ法律ノ定ムル要件ヲ具備スルニ非サレハ公正ノ効力ヲ有セス」（条二）としているため、これらの規定に違反して作成された公正証書の無効を主張する方法は、五二二条によるべきか、五四五条によるかについて疑義を生ずることを免れない。(一) 元来、執行証書の形式的無効の語は、それが執行力を有する債務名義としての効力をもたないことを意味するものとして使用するのが妥当である。それは、公正証書に表示された請求権の不成立や記載された法律行為の実体的無効とは明瞭に区別されなければならない。(二) 右の大審院連合部判決が執行証書の実体的無効といつているのは、正確な表現ではなく、公正証書に記載された法律行為（契約）の実体的無効という表現を用うべきであると共に偽造の委任状により公正証書が作成された場合、すなわち無権代理による証書の作成の場合をこれに包含せしめるのは妥当でない。(三)

(一)　近藤・前掲四〇頁。なお、大正一〇年の大審院連合部判決については、加藤・判批集一巻四八一頁、山田・判批民訴一巻三二頁、兼子・強制執行法八六頁、吉川・執行証書・民訴法講座四巻一〇〇七頁参照。

(二)　兼子・前掲八六頁。公正証書の記載が客観的事実状態と一致しなくとも証書は無効とはならないと解すべきである。証書そのものが特定の消費貸借に基く貸金債権を表示する限り有効というべきである。消費貸借に際し、金銭の授受がないのにあつたように記載した場合は実体法上の消費貸借の効力の問題として証書の効力とは別個に判定せらるべきものである。判例は、当初、大判明治三七・七・五（民録一〇・一〇二九）、同明治四三・一〇・一四（民録一六・六八四）、同明治四四・一二・二五（民録一七・八九九）において厳格説を採り、真実に合致しないものは絶対無効としたが、大正四年以後は、これを緩和し、一部の合致があればこれを有効として救済し（大判大正四・七・一五民録二一・一二一五、大正一四・五・一八民集四巻二四六頁、乾評釈・判民四〇事件）、その後さらに寛容説に移り、証書上特定の請求を表示していると認められる以上、多少事実と食いちがいがあつても有効たるを妨げないものとするに至つた（大判昭和五・一二・二四民集九巻一一九七頁、加藤評釈・判民一二〇事件）。せつかく作成されているのであるから証書の効力をなるべく有効として認めようとする判例の傾向は益々助長され、大決昭和八・三・六（民集一二・一二二五、我妻評釈・判民二七事件、昭和一一・六・一六民集一五・一一二五野田評釈・判民七七事件）は、証書作成当時金銭の授受がなくても後日の授受により証書の執行力は生ずるものとし、又準消費貸借を消費貸借と記載しても、事実に吻合しないものと速断すべきでなく、有効たるを失わないものとしている（大判昭和八・三・二四民集一二・四七四、我妻評釈・判民三七事件）。判例のこのような努力は多とすべきであるけれども、すでに兼子教授が指摘されているように、判例の態度は「証書と請求の実体的成立とを切離さないため不徹底に終つている。」（兼子・前掲八七頁）。なお吉川・事実に吻合せざる公正証書とその執行力（強制執行法の諸問題三一五頁）、近藤・前掲四三頁参照。吉川博士も、右のような判例の傾向には賛成されるが、その理論構成の当否には疑なきを得ないとされている。吉川・執行証書・民訴法講座四巻一〇一二頁。

（三）　兼子・前掲八六頁、吉川・執行証書・民訴法講座四巻一〇〇七頁。

（三）　公正証書作成嘱託の代理権　公正証書作成の嘱託に際し債務者の代理人と称して出頭した者が無権代理人であるときは執行認諾の意思表示が、債務名義形成の要件をなすところの訴訟上の意思表示である関係上、執行証書としての執行力がないものというべく、従つて執行手続上の異議は、五二二条の異議申立によるべきであり、五四五条の請求異議の訴によるべきではない。近藤判事は、公正証書作成嘱託の代理権の有無を審理するためには必ず書面審理のみでは足らず、口頭弁論を開いて関係者を喚問し、委任状授受のいきさつなどを調査する必要があること、及び、代理権の欠缺は再審原因に相当するものである等の考慮から、前記の大正一〇年三月三〇日の大審院連合部判決を支持され、「理論的には甚だ割り切れぬものを包含するが、執行認諾の委任なしとの主張は請求異議の原因として取扱うべきであろう（一）」と主張される。しかしながら、調査上必要ならば任意的口頭弁論を命じて審理することができるわけであるから、純理に従つて執行証書の形式的無効として、あくまで五二二条の異議申立によるべきであると解したい（二）。

しかし、判例としては、右の大審院民事連合部大正一〇年三月三〇日判決以来、これを踏襲し、大判昭一一・一〇・三（民集一五巻二〇三五頁）（三）は偽造委任状によつて作成された公正証書につき、同昭一一・五・二二（判決全集四輯一〇号一九頁）は白紙委任状を濫用して作成された公正証書につき、それぞれ請求異議の訴を提起することができるものとしている。下級審もまたそうである（大阪控判大一三・四・一九新聞二二六六・二〇、浦和地判大一五・六・六評論一五・民訴四〇三）。近藤判事はこのような判例の態度は、執行認諾のための委任の有無の審理は実体的権利関係の成否の審理と同じであるというような「審理の実態を顧慮してのことと思われる[四]」と指摘されている。

但し、訴訟本人を詐称した者の嘱託により作成された公正証書についての不服は、五二二条によるべきであつて、五四五条の訴は許されないとする朝高判昭四・三・二六（評論一八・民訴三一六）は、大正一〇年の大審院連合部判決以後の右の判例の傾向に反対の唯一の判例である。

（一）　近藤・前掲一〇四頁、一〇五頁。

（二）　吉川・執行証書・民訴法講座四巻一〇〇七頁。なお、この点については兼子教授も大民連判大正一〇・三・三〇に反対のようである。無権代理人の執行認諾は無効で執行証書も無効となるが、請求権の実体上の効力はそれとは切離して判断される問題である。

（三）　川島・判民昭和一一年度一三八事件。

（四）　近藤・前掲一〇四頁。

（四）　証書が成規の方式により作成されたものでないとの主張と請求異議の訴　　公証人法第四章（二六条―五七条）には証書作成の手続及び法定の形式を定めているが、これらの「成規の方式」によらないで作成された場合に債務者が、その証書の効力を争うには、執行文付与に対する異議申立によるべきか、請求異議の訴によるべきか、という問題がある。

(1)　下級審判例ではあるが、五二二条の異議申立によるべきであつて、五四五条の訴によるべきではないとする。

【47】「……そこで右公正証書の効力について判断するに、公証人法第二八条第三一条第三二条第三五条第三六条第三九条等には公証人が公正証書を作成する際、嘱託人又はその代理人の同一性又は権限を確かめ且証書の趣旨が嘱託人の意思と合致することを確保するために遵守すべき厳格且詳細な規定をしているのであって、このような手続に従つて作成されるが故に、公正証書は民訴法第五五九条第三号但書の範囲内において債務名義たる効力を認められているのである。ところが本件の場合のように実際の嘱託人は訴外織田展通であり原告は公証人と互に面識もなく且公証役場に出頭もしないに拘らず、原告自ら公証役場に出頭して嘱託をし而も公証人は原告に面識あるものと記載して公正証書を作成した上、公証人において前記訴外織田展通を原告の許に遣わし原告の記名捺印をさせて完成された公正証書の如きは、その形の上においては正に公正証書として成規の方式に欠けるところはないが、その実質において前記のような執行力を与うべからざるものであること明かである。併しながら右のような場合公証人が実際上成規の方式を履践しなかつたことを理由として債務名義の効力を争うのはいわゆる執行文付与に対する異議の方法によるべきであつて、請求に関する異議の訴によるべきではない。蓋し後者は債務名義に表示せられた請求権そのものが実体法上執行を許されないものであることを理由とする異議であるからである。」(大分地判昭二五・五・三〇 下級民集一・五・八三二)。

判旨が正当に指摘するように、債務名義に表示された請求権に全然関係がない事由であるから請求異議の訴は許されないわけである。

(2) 公証人が公正証書の作成に使用した印章は、「当時東京法務局へ届出でない印章(公証人法二一条)を勝手に使用したものであるから、右公正証書の原本はこれが作成についての法定の形式要件を欠き法律上当然無効であるので民訴法第五四五条の請求異議の訴によりその執行力の排除を訴求」した事案について、東京高判昭二八・五・二三(東高民時報四巻一号二四頁)が、「民訴法第五四五条の請求異議の訴とは、債務名義に表示された請求権が、実体上の事由により不発生なること、又は消滅、変更したことを主張してその執行力の排除を求めるものであり、形式上有効に成立した債務名義の存在を前提とし、実体上の事由により債務名義の請求権を争うものであると解する。従て、債務名義が成立要件を欠き形式上既に無効であると云うのであれば、右事由は他に法律上の救済手段があるのは別として少くとも民訴法第五四五条の請求異議の訴として主張し得ないものと認める」と判示したのも、前記の昭和二五年五月三〇日大分地判と同様の見地に立つものであつて、正当というべきである。

（五）　証書の内容をなす法律行為の瑕疵を主張する場合と請求異議の訴

(1)　証書の内容をなす法律行為が錯誤、反公序良俗、虚偽であるために無効であるとか、又は、詐欺若くは無能力の事由により取消さるべき場合であつても、請求異議の訴によつて債務名義の有する執行力を排除しない限り、証書の執行力は認めらるべきである。公証人法第二六条は「公証人ハ法令ニ違反シタル事項、無効ノ法律行為及無能力ニ因リテ取消スコトヲ得ヘキ法律行為ニ付証書ヲ作成スルコトヲ得ス」と定めているけれども、無効や取消についての実質的な審査権が与えられていない公証人としては、一応これらの事由に該当するものと自ら判断した場合は、証書の作成を拒むべきであることを訓示したにとどまるものであつて、証書の効力には影響がないものと解すべきである。この規定をもつて絶対的な効力規定と解し、これに違反する証書は当然無効とすることは、公証人に実質的な審査権のない現行の公証人制度とは調和し得ない誤つた解釈であるというべきである。(一)　昭和八年九月一八日大審院決定も本条は公証人に対し実際上役に立たない公正証書を作成すべきでないことを訓示したものにすぎないものと判示している。(二) この決定は、通謀虚偽によつて作成した公正証書もその無効を善意の第三者（請求の譲受人）に対抗できないときは、この者のために有効となり、執行力があること、及び公正証書の債務名義について実体法上無効原因が存する場合でも、これによつてその執行力が適法に排除されない限り、なお債務名義としての効力を有するもので、公証人法第二六条はこの解釈を妨げるものではない旨を判示している。この判例も、証書の記載行為の実体的効力をば証書の効力から切離さずに、両者を関連させている点において、理論的には、賛成できないものを含んでいるが、証書の執行力を認める判決の結果には賛成できる。

【48】「公証人ノ作成ニ係ル公正証書ノ債務名義ニ付実体法上無効ノ原因存スル場合ニ於テモ之ニ因リ其ノ執行力カ適法ニ排除セラレサル限尚債務名義タルノ効力を具有スルモノト解スヘクシテ公証人法第二六条ノ規定ハ此ノ解釈ヲ妨クルニ足ラサルモノトス。蓋同条ハ公証人ニ対シ実際ニ役立タサル公正証書ヲ作成スヘカラサルコトヲ訓示シタルモノニ過キサルヘキヲ以テナリ。然ラハ則チ原審ノ確定シタルカ如ク、本件公正証書ニ表示セラレタル消費貸借カ木村宇之助木村藤之助間ニ相通シテ為サレタル虚偽ノ意思表示ニシテ無効ナリトスルモ、其ノ無効ハ善意ノ第三者ニハ之ヲ主張シ得サル結果、若シ抗告人ニシテ其ノ主張スルカ如ク右消費貸借契約上ノ債権ヲ債権者ノ地位ニ在ル木村藤之助ノ家督相続人木村四郎ヨリ善意ニ譲受ケタルモノナランニハ、債務者ノ地位ニ在ル木村宇之助ヨリハ抗告人ニ対シテ契約ノ無効ヲ主張スルコトヲ得スシテ、従テ又本件公正証書ノ債務名義ニ存スル執行力ヲ排除シ得サルニ至ルニヨリ、抗告人カ右債務名義ニ基キ債務者木村宇之助ノ所有不動産ニ付為シタル強制管理ノ申立ニ付テハ、原審ハ宜ク抗告人主張ノ善意ノ有無如何ヲ審究シ以テ右申立ニ対スル木村宇之助ノ異議（註——五四五条ノ訴）ノ当否ヲ判定スヘキニ拘ラス、之ヲ審究スルコトナク、本件公正証書ハ当然ニ債務名義タルノ効力ヲ有セサルモノノ如ク解シ異議ヲ正当ナリト決定シタルハ違法ニシ

テ抗告ハ其ノ理由アルモノトス。」（大決昭八・九・一八民集一二・二四三七）。(二)

（一）兼子教授は、公証人法第二六条は公証人に対する職務規定と解せられ（強制執行法八四頁、八七頁）吉川教授も同様に、単なる職務規定（訓示規定）と解すべきものとせられる（執行証書、民訴法講座四巻一〇一三頁）。末川博士が、公証人に無効や取消を確める実質的な審査手段が与えられていない現行制度の下では、公証人法第二六条の遵守を要求することは不能を強いるものであると評せられているのは妥当な批評というべきである。末川・公証人制度改善管見・日本公証人協会雑誌一三号一七頁（昭一一）。

（二）有泉・判民昭和八年度一六七事件。

(2)　執行証書の執行力の有無が問題となつた類似のケースに、妻が夫の許可を得ないでした保証債務について作成した証書の事件がある。公証人法第三三条第一項は「第三者ノ許可又ハ同意ヲ要スヘキ法律行為ニ付公証人証書ヲ作成スル二ハ其ノ許可又ハ同意アリタルコトヲ証スヘキ証書ヲ提出セシメ其ノ許可又ハ同意ヲ証明セシムルコトヲ要ス」と定めているのは公証人に対する訓示規定と解すべきである。(一)妻（C）が他人の債務につき保証人となり、公正証書を作成したが、妻は右の保証について夫の許可を得ておらず、その公正証書にもCが有夫の婦なることを認め得べき記載がなかつた。債権者はこの公正証書に基きC所有不動産上に強制執行をしてきたので、Cの夫はCの保証を取消し、Cは競落許可決定に対して抗告したというのが事件のあらましである。大審院決定昭和八年一〇月二〇日（民集一二・二五六一）は、妻が夫の許可を証する書面を提出しないのに公正証書が作成された場合、その証書の外形から妻であることが明かでない限り証書としては有効である旨を判示している。公証人法第三三条は訓示規定であると解すべきこと、及び、証書に記載された請求の成立原因をなす法律行為と証書の効力とは切離して考察すべきこと、ならびに、右の法律行為が無効又は取消さるべき場合でも証書の執行力には影響がないと解すべきである(二)とする立場からは、右の大審院の結論には賛成できる。

【49】「一　夫レCニシテ当該保証債務ノ不存在ヲ主張セムトナラハ須ク請求ニ関スル異議ノ訴ヲ提起スヘク競落許可決定ニ対スル抗告ノ方法ニ依ル可カラサルハ論ナシ。」民訴法第六七二条第一号に「強制執行ヲ許スヘカラサルコト云々」とあるはかかるものを包含せざるものであり、「……法律ハ執行名義ノ存在若クハ執行力アル正本ノ存在ヲコソ執行ノ一要件トスレ、其ノ内容タル請求権ノ存在スルコトハ之ヲ以テ其ノ要件ト為サス唯別ニ請求ニ関スル異議ノ訴ナルモノヲ設ケ以テ其ノ不存在ヲ主張セムトスル債務者ノ為メニ一路ヲ拓ケルニ過キサルニ於テ、執行名義ノ内容タル請求権ノ不存在ヲ以テ同号(民訴六七二条第一号)ノ中ニ数ヘムトスルハ誤ナリ。唯玆ニ説明ヲ附加スヘキ点アリ、开ハ他ニ非ス。夫ノ競売法ニ依ル競売手続ニ在リテハ現行制度上執行名義若クハ執行力アル正本ニ匹敵スルモノハ則チ一トシテコレ無キカ故ニ請求ニ関スル異議ノ訴ナルモノ亦其ノ間ニ容レラルル余地無シト解スル結果当該物権不存在ノ主張ハ、勢之ヲ競売法ニ準用セラルル民訴法第六七二条第一号ニ入ルルノ外無シトスルコト従来ノ慣例ナルニ似タリ。然レトモ這ハ畢竟窮余ノ策ニ外ナラサルカ故ニ此ノ事ヨリ翻テ強制競売ノ場合ヲ律スルハ本末顚倒ナルノミナラス、競売法ノ場合ニ於テモ果シテ前記慣例以外手ヲ措クヘキモノ無キヤ否ヤカ抑々問題ナリ。即チ此場合ニハ当該担保物権不存在確認ノ訴ヲ以テ夫ノ請求ニ関スル異議ニ応用スルモノト為シ競売手続ノ停止決定等ニ至ルマテ総テ之ニ準スルコト現行法ノ下ニ於テモ必シモ為シ得サル解釈ト云フ可カラス。殊ニ担保物権ノ存否ト云フカ如キ事項ニ至リテハ必要的口頭弁論ノ上ニ築カルル判決ニ俟ツニ非サレハ其ノ周到ナル審理ハ得テ期シ難キコトニ想ヒ及フトキハ益々前記解釈ノ採ル可キヲ知ルニ足ラムナリ。开ハ兎モアレ本件保証債務不存在テフコトノ前記法条第一号ノ下ニ於テ主張スヘキ限リニアラサル次第ハ前叙ニ尽キタリ。」

二　「斯クテ第二ノ問題ヲ講究スルノ要アリ。开ハ他ニ非ス。Cハ有夫ノ婦ナルヲ以テ、其ノ保証債務ニ付キ本件公正証書ヲ作成スルニ当リテハ、公証人ハ夫ノ同意ヲ証スル証書ヲCヨリ提出セシムヘキニ拘ラス（公証人法三三条）、事ノ玆ニ出テサリシハ原審ノ確定スルトコロナリ。然ラハ即チ原判示ノ如ク右公正証書ハ之カ為メ当然無効ニ帰シ了リタリヤ否ヤ。曰爾ラス。抑前記証書ノ提出ハ固ヨリ公正証書作成ノ一要件タルニ相違無キモ、开ハ作成ノ際ニ於ケル内部ノ一程序ニ外ナラス。其ノ事本来有ル可クシテ無カリシハ一ノ欠点タルニ紛レ無キモ、苟クモ其ノ事ノ無カリシ以上ソレカ公正証書ニ表示セラレサルハ当然（公証人法三六条五号）ナルノミナラス、相手方カ有夫ノ婦タルコトヲ認メ得ヘキ何等ノ記載モ公正証書ニ存セサルニ於テ、結局本件公正証書ニ書面自体ノ上ニ於ケル瑕疵ナルモノハ即チ毫モ之ヲ発見スルニ由ナシト云ハサルヲ得ス。而モ公正証書ハ縦令其ノ内部ニ如何ナル欠点カ潜在スルニモセヨ、其ノ外形ニ於テ適式ニシテ且其ノ内部ニ於ケル欠点ヲ其ノ外形ニ就キテ観取スルニ足ルモノ無キ以上完全ナル執行名義ニ外ナラス。執行文ノ付与又従ヒテ之ヲ拒否スルニ由ナキカ故ニ、本件公正証書ノ執行力アル正本ハ執行手続ノ原動力トシテ些ノ間然スルトコロ無シ。之ニ基ク本件強制競売ノ許サレサル道理無キハ明ナリ。」（大決昭八・一〇・二〇民集一二・二五六一）。

右の大審院決定は、競落許可決定に対する抗告と請求異議の訴との関係に関する判例理論としては、主流ではなく、傍系に属するものであるが、理論的には正当なもので後述のごとき理由により、支持できるものである。この大審院決定を機縁として、次に、競落許可決定に対する抗告と請求異議の訴との関係に関する判例の態度を検討しておきたい。

本件では始め妻Cが実体上の債務不存在を主張したが、原審は執行証書の無効を理由として競落許可決定を取消したので、大審院では、債務名義の有効か無効かを中心として争われることとなつた。大審院は原決定を取消し競落許可決定を有効とし、その理由として、Cの債権不存在に基く執行排除は本件の手続ではなし得ないこと、及び、債務名義（執行証書）は有効であることをあげている。競落許可決定を有効とした判旨の結論及び本件の執行証書が有効であるとの理論には賛成である。若し本問のごとき行為能力欠缺を理由とする抗告が六七二条一号に該当するものとすれば、決定手続により請求権の存否が審理されることになり審理が疎雑になるおそれがあり、このような実際的な見地からみても賛成できないわけである。(三) 六七二条一号の強制執行を許すべからざることとは、執行機関の調査すべき執行法上の事項である執行の一般要件の欠缺を指称し、請求権の不存在のごときはこれに該当しない。(四) 大決昭一二・一〇・九(民集一六・一五〇五)(五)が執行債権の消滅をも競落許可決定についての異議の事由（執行を続行すべからざる場合）に該当するものと判示していることには賛成できない。

【50】「不動産ノ強制競売手続ニ於テ其ノ基本トナレル執行名義ノ内容タル債権ノ存在スルコトヲ認メ得サル限リ競落ハ之ヲ許スヘキモノニ非サルカ故ニ、債務者カ執行名義タル公正証書ノ作成ヲ否定シ、其ノ内容タル債権ノ不存在ヲ主張シテ抗告ヲ為シタル本件ノ如キ場合ニ於テハ裁判所ハ果シテ其ノ債権ノ不存在ナリヤ否ヤヲ審理シテ以テ抗告理由ノ存否ヲ決スヘキモノトス（大正五年（ク）二四九号同年六月一〇日本院決定及大正七年（ク）八九号同年五月九日本院決定）。」(大決昭一二・一〇・九民集一六・一五〇五)。

判例理論の主流は右の大決昭和一二年一〇月九日によつて代表されるものであり、執行債権の消滅又はその債権の弁済が猶予された場合は六七二条一号にいわゆる執行を続行すべからざる場合に該当し、競落許可決定に対し抗告できる(六八二条二号)ものとしている。すなわち、供託による債務の消滅につき大決大五・六・一〇(民録二二・一一五三)、弁済につき大決大七・五・九(民録二四・五九四)、この解釈を任意競売の手続に準用して、弁済につき同じ態度をとつた大決昭二・一一・一九(評論一七巻民訴六八頁)、大決昭四・一〇・一一(新聞三〇八〇号一四頁)、大決昭四・五・四(評論一八巻民訴三五頁)は何れも、このグループに属する。かかる場合は五四五条の請求異議の訴を提起すべきものであるとした判例もあるが、判例の傍系にすぎない。この傍系に属するものとしては、弁済につき大決大四・六・一七（民録二一・九六七）、弁済の猶予につき大決大三・八・三（民録二〇・六五一）、期限の猶予につき大決昭一〇・一・二五（新聞三八〇一号一八頁）がある。しかしながら、判例の主流をなす見解は執行の迅速をはかるため債務名義の制度を設け執行機関はこれに信頼して強制執行を行うこととし、これに表示された請求権の不存在、消滅は五四五条の請求異議の訴において主張することとしている強制執行の基本的構造を無視するものであり、請求異議の訴の存在理由を抹殺するに等しいものといわなければならない。判例としては少数派であり、傍系にすぎないけれども、私もまた通説と同じく大決昭八・一〇・二〇（民集一二・二五六一）の見解に賛成する所以である。同じく判例の傍系に属するもののうち、大決大四・六・一七（民録二一・九六七）は次くごとく判示している。

【51】「本抗告ノ理由トスル所ハ抗告人カ債権者今川勇作ニ対シ本件債務元利金ヲ弁済シタルモノナレハ本件強制執行ハ許スヘカラサルモノナリト謂フニ在ルモ、元来債務名義タル判決ニ因リテ確定シタル請求ニ付キ弁済アリタル場合ト雖モ民訴法五五〇条第四号ノ如キ例外ノ場合ノ外ハ同法第五四五条ノ規定ニ依リ請求ニ関スル異議ノ訴ヲ以テ不服ヲ申立ツヘキモノニシテ本件ノ如キ場合ハ抗告人主張ノ如ク民訴法第六七二条第一号ニ該当スルモノニアラス。」（大決大四・六・一七民録二一・九六七）。

（一）　川島・判民昭和八年度一七六事件六五二頁。

（二）　右において川島教授は判旨に疑問をもたれる。川島教授は、本件の「妻Cは保証契約そのものに夫の許可なく、従て公正証書作成に付てもその許可なき如くである。果してそうだとすればCの執行受諾は訴訟能力欠缺に基き無効であり、本件公正証書はこの点に於て債務名義たる効力を有しないもの」と主張される。しかし証書記載の請求権の発生原因たる保証契約が取消さるべきものであっても、それから切離して証書の執行力は認めらるべきものであるから、本件の債務名義は有効とする判旨には賛成できる。

（三）近藤・前掲一三一頁。

（四）兼子・強制執行法二四八頁。

（五）菊井教授（判民昭和一二年度一〇六事件）は判旨に反対される。この大決を批評された大阪谷氏（民商法七巻四号七一三頁）、高橋氏（法学新報四八巻五号七六九頁）もまた判旨に反対される。

（六）執行認諾行為の瑕疵を主張する場合と請求異議の訴

請求異議事件においては、公正証書に記載されるところの「直チニ強制執行ヲ受ク可キ旨」の文書、いわゆる執行認諾文書（または執行約款）の瑕疵を主張して債務名義の効力を争うことが少くない。そこでこの点についての判例を検討してみようと思う。執行認諾の意思表示は執行力を発生せしめる基本となるものであるから、私法行為ではなく、訴訟行為であることは、通説の認めるところで(一)ある。

執行認諾の性質について大審院として明確に判示した最初の判例は大判昭一五・七・二〇（新聞四六〇九号八頁）であり、訴訟行為であるとしている。

【52】「債務者及保証人カ債権者ト共ニ公正証書ノ作成ヲ公証人ニ嘱託スルニ当リ、該証書ニ録取セラルヘキ約款ノ定ムル金銭債務ノ不履行ニ基キ、直チニ強制執行ヲ受クヘキコトヲ認諾シ、公正証書ニ其旨録取セラレタルトキハ債権者ノ為メニ強制執行ニヨル権利保護請求権ヲ発生セシムヘキカ故ニ、斯ル執行約款ノ附加ヲ認諾スル行為ハ訴訟行為ニ外ナラス、従テ其行為ニ付テハ民法上ノ法律行為ノ代理ニ関スル民法第一〇八条ヲ適用スルヲ得サルモノニシテ、訴訟行為ニ於テハ、当事者一方カ相手方ノ委任ヲ受ケソノ代理人（任意ニ契約条項ヲ決定シ之ニ執行約款ヲ附加シ得ヘキ権限ヲ有スル代理人）ヲ相手方ノ名ニ於テ選任スルカ如キハ固ヨリ

之ヲ許サス、斯ル選任ニ因ル代理権ノ授与従テソノ代理行為ハ、当然無効ト解スルヲ相当トス。」（新聞四六〇九号八頁）。

さらに、最高裁昭二六・六・一（民集五・七・三六七）は、執行認諾は訴訟行為であるが、民法一〇八条の法意が適用されるものとしている点において、前記の大判昭一五・七・二〇とは趣旨を異にするものがある（後述）。

執行認諾の意思表示は公証人に対する債務者の訴訟行為であり通常の審判手続における固有の訴訟行為ではないから、執行認諾についての代理人は弁護士であることを要しない。この点についても次のごとき大審院判決がある。[二]

【53】「民訴法第七九条第一項ニ於テ弁護士ニ非サレハ訴訟代理人タルコトヲ得スト為シタルハ裁判上ノ行為ヲ為スコトヲ得ル代理人ニ関シ規定シタルモノニ外ナラス。而シテ公正証書ノ約款ニ於テ債務者カ其ノ債務不履行ノ場合ニ於テ直ニ強制執行ヲ受クルモ異議ナキ旨ヲ認諾スル行為ノ如キハ縦令所論ノ如ク訴訟行為ナリトスルモ、未タ之ヲ裁判上ノ行為ナリトハ為シ難キカ故ニ、弁護士ニ非サル者ト雖斯ル行為ノ代理ヲ為シ得ヘキコト勿論ナリ。所論ハ右ト相容レサル上告人独自ノ見解ニ立脚シテ原判決ヲ非難スルモノナレハ其ノ理由ナシ。」（大判昭一七・六・二六 新聞四七九三・一九）。

（一）兼子・強制執行法八五頁、吉川・執行証書・民訴法講座四巻一〇〇四頁、近藤・前掲一〇七頁。但し小谷常英氏（執行認諾の法律上の性質・日本公証人協会雑誌二九号一四頁、昭一六）は、訴訟行為ではないとされる。

（二）兼子・強制執行法八八頁。

(1)　民法一〇八条の適用の有無　前記のように、大判昭一五・七・二〇（新聞四六〇九号八頁）[一]は、単に無造作に「執行認諾行為は訴訟行為であるから、民法一〇八条を適用するを得ない」とするだけであり、執行認諾についても、本人の不利益を招くおそれのない行為である場合は、はたして一〇八条と同様の法意が妥当するものでないか、ということは問題とされなかつたのである。[二] 執行認諾自体の法的性質が訴訟行為であることを前提とした上で、訴訟行為であつても、本人の不利益を招くおそれのない行為である場合は、私法行為に適用される民法一〇八条（本人の利益保護）の法意がやはり妥当すること[三]を判示したのは、請求異議事件に関する最高裁昭二六・六・一第二小法廷判決（民集五・七・三六七）が最初である。

【54】「金銭の貸借につき債権者が公正証書の作成を欲するのは、単に貸借の事実を確実にしておくためばかりでなく、債務不履行の場合、直ちに強制執行をなし得るがためであるのが通例であり、従つて債務者が公正証書の作成を承諾して債権者にその作成に必要な白紙委任状を交付した場合、他に特別の事情のない限り、債務者において債務不履行の場合に、直ちに強制執行を受けても異議がない旨の、いわゆる執行約款を公正証書に附することを承諾したものとみられるのが通常の事例であるところから、原判決は如上通例の事例に照し、かつ、その挙示のごとき証拠を綜合すれば、本件公正証書の作成については、上告人は、いわゆる執行約款を附することをも承諾していたものと認定するを相当とした趣旨であつて、右原判決の認定に所論のような採証上の違法あることはみとめられない。又所論双方代理の主張について原判決の説示するところは、いわゆる執行約款を附することを認諾する行為は訴訟行為であつて、当然にはこれに対して、民法一〇八条の適用あるものではないが、同条の法意はこの場合にも適用がないものとはいえない。しかし、本件においては、執行約款を含めて契約条項は既に当事者間において取り極められてあり、公正証書作成の代理人は、単に右条項を公正証書に作成するためのみの代理人であつて、新に契約条項を決定するものではないのであるから、かかる代理

関係については、被上告人が上告人の委任に基き、上告人のために代理人を選任し右代理人との間に本件のごとき執行約款附公正証書を作成しても右は何ら民法一〇八条の法意に反するものではないとする趣旨であることは原判文上明らかであるから、此点に関する論旨も亦理由はない。」

右の判決は、公正証書にすることの白紙委任状を得て相手方の代理人を選任し、公正証書に執行認諾文字言を記載した本件の場合は、すでに成立済みの契約内容の単なる実行にすぎないと考えられるから、双方代理禁止の趣旨に反するものでないことを判示しているわけであつて、正当である。

（一）　大判昭一五・七・二〇については、上田啓次・判批・債権者の選任に係る債務者代理人の為したる執行認諾の効力・日本公証人協会雑誌二八号六一頁（昭一五）、小谷常英・執行認諾の法律上の性質・日本公証人協会雑誌二九号一四頁。

（二）　近藤・前掲一〇九頁、吉川・執行証書・民訴法講座四巻一〇〇四頁。

（三）　本多芳郎・民商法二八巻二号九八頁（判旨賛）、長谷部調査官・判例タイムズ一四号六四頁、三ヶ月・民事訴訟法・民事判例展望（昭和二二年―二八年度）三八七頁。

(2)　民法一一〇条の適用の有無

判例は当初は公正証書の作成につき民法一一〇条の適用を認めていた。公正証書の執行力ある正本に基いて動産を差押えられた債務者が債権者を被告どり、債務不成立確認及び請求に関する異議の訴を起し、公正証書の作成にあたつた債務者代理人には代理権がなかつた旨を主張した事件につき、大判大一四・一二・二一（民集四・(一)七四三）は、民法一一〇条の適用を認め、白紙委任状の所持人がこれに権限外の事項を記載し、これを信じた第三者は民法一一〇条にいわゆる正当の理由を有するものであると判示した。大判昭六・一一・四（大審院裁判例五巻民二三六頁）、大判昭八・一一・二七（大審院判決全集合本三号三三頁）も右と同趣旨である。その後請求異議事件に関する大判昭一一・一〇・三（民集一五・二〇三五）(二)は、従来の態度を改め、執行認諾行為が訴訟行為であるとする見地に立つて、民法一一〇条の適用を否定して以来、実務上の取扱はすべて、この理論で統一されている。この意味において、右の大判昭一一・一〇・三は民事連合部判決ではないけれども、判例法上重要な意義を有するものといわなければならない。

【55】「然レトモ公証人ノ作リタル公正証書カ偽造ノ委任状ニ基キ作成セラレタル場合ニハ之ニ対シ請求異議ノ訴ヲ提起シ以テ該債務名義ニ基ク執行力ノ排除ヲ求メ得ヘキコトハ夙ニ当院判例の存スルトコロニシテ（大正九年（オ）第八四九号、同一〇年三月三〇日民事連合部判決）如上ノ解釈ハ該公正証書作成ニ際シ当事者タル相手方ニ於テ右偽造ノ委任状ニ依ル代理人ニ其ノ代理権限アリト信スヘキ正当ノ事由ヲ有セシ場合タルト否トニ彼此其ノ帰結ヲ異ニスヘキ理由ナキモノトス。蓋シ右公正証書記載ノ直チニ強制執行ヲ受クヘキ旨ノ合意ニ関スル部分タルヤ、強制執行ニ依ル権利保護ノ要件ヲ形成スルヲ以テ訴訟上ノ法律行為タル性質ヲ帯有セルコト明白ナルカ故ニ、此ノ種行為ニハ其性質上私法ノ原則トシテ表見代理ニ付認メラレタル民法第一一〇条ノ規定ノ如キハ之カ適用ナキモノト解スルヲ相当トスヘク、従テ或ハ本件公正証書ニ表示セラレタル契約ノ私法上の効果トシテハ右法条ノ適用ヲ受クル結果上告人ニ於テ消費貸借上ノ債務ヲ負担スルモノト解シ得ヘケンモ、之カ為メ直チニ本公正証書自体ノ債務名義タル効力ヲ肯認スヘキ理由ト為シ得ヘカラサルヤ多言ヲ俟タス。然ルニ原審ハ事茲ニ出テス本件公正証書カ訴外篠木太治ノ偽造ノ委任状に基キ作成セラレタル事実を認定シタルニ拘ラス、上段説示ノ如ク同人ノ権限外ノ行為ニ対シ民法第一一〇条ヲ適用シタル結果、右公正証書ハ上告人ニ対シテモ有効ナル債務名義トシテ強制執行ノ基本タリ得ヘキ旨断シ以テ上告人ノ本訴請求ヲ排斥シタルハ失当ニシテ原判決ニハ畢竟法則ヲ不当ニ適用シタル違法アルニ帰シ、到底破毀ヲ免レサルモノトス。」（大判昭一一・一〇・三民集一五・二〇三五）。

以上のように、債務名義の成立自体は無効となるけれども、その内容をなす私法上の法律行為は民法一一〇条の表見代理が適用される結果有効となる場合があり得ることを注意しなければならない。従つて債権者としては当該公正証書に基いては強制執行をすることはできないが、後日、私法上の法律行為の有効なことを主張して給付判決を受けることができ、それに基いて強制執行又は仮差押をすることは可能なわけである。(三) このように、執行認諾の意思表示は、請求の実体的効力とは別個に観察せらるべきものである。執行認諾行為は無効でも、私法上の請求（契約）は有効な場合を生ずるわけであり、この場合に請求異議によるべきものとすれば、実体上請求権は有効に存在するから異議は理由のないことに帰してしまう関係上、これに基いて行われた強制執行を争うには、執行文付与に対する異議によるべきものと解するのが妥当である。(四) 判例は証書の作成が偽造の委任状に基いて作成された場合（大判民連判大一〇・三・三〇民録二七・六六七）及び、妻が夫の許可を得ないでした場合（大判昭八・一〇・二〇民集一二・二五六一）に請求異議によるべきものであるとしているが、執行文付与に対する異議を認める必要がある。その後、大判昭一九・九・二九（民集二三・五六三）及び大判昭一二・五・二二（判決全集四輯一〇号一九頁）は、特に明示して前記大判昭一一・一〇・三（民集一五・二〇三）を踏襲し、民法一一〇条の適用がない旨を判示している。

【56】　「消費貸借ニ関スル公正証書ヲ作成スルニ当リ債務者カ債務ノ履行ヲ怠リタルトキハ直ニ強制執行ヲ受クルモ異議ナキ旨ノ合意ヲ為スハ訴訟上ノ法律行為ナリト云フヲ得ヘク、其ノ行為ハ所論ノ如ク私法上ノ法律行為ニ全ク包含セラレテ之ト一体ヲ為スモノト云ハサルヘカラサルモノニ非ス。而シテ斯ル場合ニ右訴訟上ノ法律行為ニ付民法第一一〇条ノ適用ナキコト夙ニ当院ノ判例トスルトコロニシテ今之ヲ改ムルノ要ヲ認メス（昭和一一年（オ）第三五四号同年一〇月三日言渡判決参照）。尚公正証書ノ内容ヲ成ス法律行為ノ相手方ノ為

同条ノ適用アル場合ト雖、公証人カ悪意ナルトキハ勿論代理人ニ権限アリト信スヘキ正当ノ理由ヲ有スル場合ニ於テモ、公証人ハ無権代理人ノ嘱託ニ因リテ公正証書ヲ作成スヘキモノニ非サルコト言フヲ俟タサル所ナルカ故ニ此ノ点ヨリ観ルモ、無権代理人ノ嘱託ニ因リテ作成セラレタル公正証書ニ付テハ同条ノ適用ナク、其公正証書ハ仮令債務名義タルニ必要ナル形式ニ於テ欠クル所ナキモ債務名義タルノ効力ナキモノト解スルヲ相当トス。」（大判昭一九・九・二九民集二三・五六三）(五)。

最近の下級審判決もまた「公正証書に記載する執行受諾文言陳述の代理は訴訟行為の代理として表見代理を認め難いことは大審院以来の判例の存するところである」と判示している（名古屋地裁豊橋支部判決昭三二・二・一判例時報一〇六号一四頁）(六)。

（一）　平井三次・判民大正一四年度一一八事件（判旨賛）。

（二）　川島・判民昭和一一年度一三八事件（判旨疑問）、本多・民商法五巻五号一一五三頁（判旨賛）。

（三）　近藤・前掲一〇九頁、吉川・執行証書・民訴法講座四巻一〇〇五頁。

（四）　兼子・強制執行法八八頁。

（五）　山本桂一・判民昭和一九年度四二事件（判旨賛）。

（六）　名古屋地裁豊橋支部判決は、白紙委任状を悪用される状態に言及し「最近執行異議訴訟事件において問題となる公正証書の内容を見ると本件公正証書のごとくほとんどその全文が印刷字句でしかも債務者代理人と称するものが債権者の職員その他の使用人でありその住所氏名も全部印刷済のいわゆる債権者専属の常設代理人である。このように公証人がその代理人と面接がありその立場も明らかに知つている場合には少くとも委任状に執行受諾文書の記載があるだけでなく本人の自署があることを確認する程度の取扱いはできぬものであろうか」（判例時報一〇六号一四頁）と説示しているけれども、実質的審査権のない現行の公証人の制度としては、実際上行われ得ないことと考えられる。

(3)　民法二〇条の適用の有無　準禁治産者が能力者であることを信じさせるために詐術を用いた場合に、執行認諾の意思表示に民法二〇条が適用されるのか、又無能力者のした執行認諾の無効を主張し執行力を争うには、請求異議によるべきか執行文付与に対する異議によるべきかということが、請求異議事件において問題となつた珍らしいケースが一件ある。東京地判昭一四・一二・二(評論二九巻民訴五三頁)がこれであり、執行認諾が訴訟行為であるから、民法二〇条は適用されないこと、及び、無能力者のした執行認諾の無効を主張し執行力を争う方法は執行文付与に対する異議によるべきではなく、請求異議の訴によるべきであることを判示した。

しかしながら、執行認諾は訴訟行為ではあるが、公証人が中に介在するとはいえ債権者と債務者が当事者として対立する関係は認められるのであるから、相手方保護の必要があり、無能力者が詐術を用いた場合には、(一)民法二〇条が当然適用はないけれども、その法意は妥当するものというべきであり、従つて有効とみるべきである。私は右の点で判旨には反対である。次に執行認諾の無効を主張して執行力を争う場合は実体上の請求権にふれないものであるから、執行文付与に対する異議によるべきであつて、請求異議の訴によるべきではない。(二)

(一)　吉川・判批・準禁治産者の執行認諾と民法二〇条・日本公証人協会雑誌二六号六八頁、七一頁。
(二)　吉川・前掲七一頁。

九　請求権の存在・帰属を争う異議又は態様の変更を争う異議

請求異議の訴において請求の存在・帰属を争う異議の場合は弁済・免除・更改・相殺・譲渡のように

債務の消滅又は権利の移転の原因たる事実が主張され、又請求権の態様の変更を争う異議の場合には、履行条件の変更、期限の猶予、債権の質入や差押のような事実が主張される。

（一）　判例においても、これらの実体法上の事由を主張して債務名義の執行力を争うには、五四五条の訴によるべきであるとされている。

大判明三四・五・一（民録七・五・四）は「債務名義の執行力が時効により消滅したことを主張するには、五四五条の訴によるべきであつて、五二二条の異議申立によるべきでない」とし、大決大四・六・一七（民録二一輯九六七頁）、大決昭八・一〇・二〇（民集一二・二五六一）は「執行債権が弁済によつて消滅したこと、又は執行債権の不存在を主張するには、請求異議の訴によるべきであつて、競落許可決定に対する抗告によることはできない」とし、大判民連大一〇・三・三〇（民録二七・六六七）は、「債権者が債務名義表示の債権につき支払を猶予したときこれを主張するには請求異議の訴によるべきであつて、第五二二条の異議申立によるべきではない」と判示している。但し、弁済の提供だけでは請求権の存在又は態様に変更をきたすものではない。大判明三八・一二・二五（民録一一・一八四二）は、「執行債権に対する弁済の提供だけでは請求異議の訴を提起することはできない」と判示している。

（二）　限定承認を理由とする請求異議

(1)　債権者が相手方より限定承認した旨の通知を受け、従つて限定承認の事実を知つていたに拘らず、口頭弁論において相手方が無制限に弁済の責任を負担する旨の主張を維持し、裁判所をして債務者に対し無留保の給付判決をなさしめた場合は（二）、かような債務名義により無制限に相続人の固有財産に対し強制執行を敢てすることは、不法行為に属するものとし、その救済方法として債務者には請求異議の訴が認められるというのが判例の態度である。大判昭一五・二・三(民集一九・(三)一一〇)がすなわちこれであり、次のごとく判示している。

【57】「然レトモ前記確定判決ニ接着セル口頭弁論終結前ニ於テ其ノ被告タリシ上告人ハ相続ノ限定承認ヲ為シ之ヲ被上告人ニ通知シタルニ因リ被上告人ニ於テモ該事実ヲ了知シ居リタルコトハ原審ノ確定シタル所ナレハ、被上告人ハ上告人カ其ノ為シタル限定承認ニ因リ相続ニヨリ取得シタル財産ノ限度ニ於テノミ、被相続人ノ有シタル本件債務ニ付弁済ノ責任アルモノナルコトヲ了知シナカラ、恰モ上告人ハ無制限ニ之カ弁済ノ責任ヲ負担ストノ主張ヲ維持シ、裁判所ヲシテ遂ニ本件ノ確定判決ノ如キ無留保ノ給付判決ヲ為サシメタルニ外ナラス。而シテ斯ノ如キ債務名義ニ因リ無制限ニ上告人ニ対シ強制執行ヲ敢テスルコトハ不法行為ニ属スルコト論ヲ俟タサルトコロナリ。民訴法五四五条カ異議ノ訴ヲ認メタルハ不当ナル強制執行ノ行ハレサランコトヲ期スルモノニ外ナラサルヲ以テ、判決ニヨリ確定シタル請求カ判決ニ接着セル口頭弁論終結後ニ変更消滅シタル場合ノミナラス判決ヲ執行スルコト自体カ不法ナル場合ニアリテモ亦異議ノ訴ヲ許容スルモノト解スルヲ正当ナリトス。蓋シ此ノ場合ニ於ケル不法ハ当事者カ判決ニヨリ強制執行ニ着手スルニ因リ外部ニ顕ハレ始メテ異議ノ原因トナルモノト解シ得ヘキヲ以テナリ。左レハ原審ハ請求ニ関スル異議ノ訴ノ本質ヲ詳ニセス、単ニ判決ノ外形ノミニ捉ハレ裁判ヲ為シタル違法アルモノニ該当シ原判決ハ全部破毀ヲ免レス。」(大判昭一五・二・三民集一九・一一〇)。

しかしながら、相続人が、確定判決の事実審の口頭弁論終結前に限定承認をしている限り、その主張は、その時までに提出することを必要とするのであり、その時までに主張しなかつた場合には、既判力の時的限界(五四五条二項)の制限に反することになるから、右の判例理論には賛成できない。終結前の限定承認は判決によつて是認されて主文にその旨の留保がない以上、後日これを主張することはできない。

事実審の口頭弁論終結後に行われた限定承認に限り確定判決に対する請求異議の訴により主張し得る。[(三)]

(一)　訴訟詐欺又は判決の不当取得の問題として論じられる問題である。菊井編・民事訴訟法上（法律学演習講座）二五七頁、小野木・確定判決の不当取得（論叢四五巻六号、訴訟法の諸問題所収）、長尾・訴訟詐欺と不法行為・志林四一巻一二号。

(二)　菊井教授は判旨には疑があるとされる。菊井・判民昭和一五年度六事件。なお本件については河本・民商法一二巻一号九七頁、薬師寺・志林四二巻七号八〇三頁参照。兼子教授は判決手続で必ずしも抗弁として判決中に留保を求めなくても、事後において主張することを妨げないものとされ、判旨を是認される（兼子・強制執行法五二頁）。

(三)　近藤・前掲六七頁。限定承認の場合には給付判決中に留保を宣言すべきである。大判昭七・六・二（民集一一巻一〇九九頁）、穂積・判民昭和七年度八七事件。

(2)　相続債権者が被相続人に対する執行力ある判決正本に承継執行文の付与を受けて、限定承認をした相続人の固有財産に対し執行をした場合は、五四九条の第三者異議の訴が許されるのか又は五四五条の請求異議の訴によつて救済を求むべきか、という問題がある。大判昭一五・九・二八（評論三〇巻民法二四頁）は、五四九条の訴を許すとした原審の見解を誤つているとして、五四五条によるべきものとしている。但し具体的執行行為を対象とする請求異議の訴を是認する立場に立ち、第三者異議の訴という名目で提起された当該の訴において主張する事実自体は、「被上告人ノ示シタル法律上ノ見解如何ニ拘ラス」五四五条の訴に該当するものと解して処理すべきであると判示している点に留意しなければならない。このようにして結局、大審院も原判決の結論はこれを認容しているのである。しかしながら、そもそも請求異議の訴が具体的執行行為を対象とすることを是認するのがおかしい。請求異議の訴は債務名義の執行力の全面的排除を本来の目的としているからである。(一)判例のように、具体的執行行為を対象とする請求異議の訴を是認し、個別的な執行処分の排除を求めることを是認する立場においては、第三者異議の訴によるべきか請求異議の訴によるべきかということは、観念上の争いにすぎず、実際上はなんら区別の実益がない(二)ということを、右の大判昭一五・九・二八が示しているものといってよい。

【58】「被相続人ニ対スル債務名義ニ基キ限定承認ヲ為シタル相続人ヲ承継人トシテ行ハレタル差押ハ相続財産ニ対スル部分ニ限リ許スヘキモノナルモ、相続人ノ固有財産ニ対スル部分ハ許スヘキモノニアラサルヲ以テ、固有財産ニ付差押ヲ受ケタル相続人ハ民訴法第五四五条ニ依リ之カ排除ヲ訴求シ得ヘキコト多言ヲ俟タサル所ナリトス。而シテ原判決並原審口頭弁論調書ノ記載ニ依レハ、被上告人ハ昭和八年一二月一一日家督相続ノ限定承認ヲ為シタルモノニシテ、本件物件ハ被上告人ノ固有財産ナル所、上告人ハ被上告人先代ニ対スル所論ノ執行力アル判決正本ニ承継執行文ノ付与ヲ受ケ之ニ基キ昭和一一年九月二四日右物件ニ対シ強制執行ヲ為シタルヲ以テ之カ排除ヲ求ムル為本訴ニ及フト云フニ在ル事明白ナルカ故ニ、被上告人ノ示シタル法律上ノ見解如何ニ拘ラス、本訴ノ適法ナルヤ勿論ニシテ、原審カ所論（註――原審は第三者異議の訴によるべきものとした）ノ如ク判示シテ本訴ハ不適法ナリトノ上告人ノ抗弁ヲ排斥シタルハ其ノ措辞並法律上ノ見解共ニ当ヲ得サルモ、右上告人ノ抗弁ヲ採用セサリシハ結局正当ニシテ、之カ為原判決ヲ破毀スルノ要ナシ。」（大判昭一五・九・二八評論三〇巻民法二四頁）。

下級審判決もまた、限定承認をした相続人は、相続債権者が固有財産に対し執行をした場合、五四九条の訴を提起することはできないが、五四五条の訴を提起することができるものと判示している（神戸地姫路支判昭一〇・四・一六新聞三八三七号五頁）。

(一)　三ヶ月教授も請求異議の訴を、債務名義の執行力の全面的排除という本来の目的のほかに、個別的な執行処分の排除という縮少された機能のためにも用いうるとする判例理論を誤っているとされている(執行に対する救済・民訴法講座四巻一一一九頁)。

(二)　近藤・前掲一三五頁。

(三)　仮差押中の債権に基く強制執行であることを理由とする請求異議

債権の差押又は仮差押により、債権者の取立その他の処分権は相対的ながら制限を受けるのであるから、債権者はその債務名義に基く強制執行を遂行する執行適格を失うものと解するのが妥当である。債務者はその事由の存する限り、請求異議の訴を提起して、債権者が当該の債務名義に基く強制執行をなし得ない旨を求めることができるわけである。大判昭一五・一二・二七(民集一九・二三六八)は、このことを正当に判示し、学説もこれを支持している。(一)

【59】「民訴法第五四五条ニヨル請求ニ関スル債務者ノ異議ノ訴ナルモノハ、債務名義ニ於テ確定シタル実体上ノ請求権カ執行ニ適セサルニ至リタルコトヲ理由トシテ実体上ノ異議ヲ主張シ債務名義其ノモノノ効力ヲ排除スルコトヲ目的トスルモノナルカ故ニ、弁済、相殺、免除、解除条件ノ成就、消滅時効ノ完成等債務名義ニ因リテ確定シタル請求ヲ消滅セシムル事実ノミナラス、弁済期限ヲ猶予シ債権者カ当該請求権ヲ第三者ニ譲渡シタルニ因リテ債権者タル資格ヲ喪失シ債権者カ破産ノ宣告ヲ受ケ又差押ヲ受ケタルカ如キ債務名義ニ因リテ確定シタル請求ヲ変更スル事実生シタル場合ニ於テモ之ヲ以テ請求ニ関スル異議ノ訴ノ原因ト為スコトヲ妨クルモノニ非ス。然レハ被上告人ノ有スル本訴債務名義ノ基本タル請求ハ訴外原田茂二郎ノ為ニ仮差押ヲ受ケ第三債務者タル上告人ハ債務者タル被上告人ニ対シ之カ支払ヲ為スコトヲ禁セラレ、被上告人モ亦之カ弁済ヲ強要シ得サルモノナルカ故ニ、仮差押後ハ本件債務名義ニ因ル強制執行ハ之ヲ開始シ又ハ続行スルコトヲ許サ

サルニ至リタルコト債権ノ差押アル場合ト何等異ナルトコロナシ。然ルニ原審カ債権ノ仮差押アル場合ハ、債務者ハ民訴法第五四四条所定ノ強制執行ノ方法ニ関スル異議ヲ主張スルハ格別、請求ニ関スル異議ノ訴ハ之ヲ許スヘカラサルモノナリト為シ、上告人ノ本訴請求ヲ排斥シタルハ法律ノ解釈ヲ誤リタル違法アルニ帰シ破毀ヲ免レス。」（大判昭一五・一二・二七民集一九・二三六八）。

（一）　菊井・判民昭和一五年一三〇事件、兼子・強制執行法九八頁。

一〇　和解調書等に対する請求異議

和解調書、請求の認諾調書、調停調書は確定判決と同一の効力を有するから、これらに対する請求異議の訴についても、五四五条二項の制限があるものと解すべく、従つて調書成立前に存した事由を主張できないものというべきである。判例は和解調書、調停調書につき反対の見解を採つている。

（一）　和解調書

例えば、大判昭三・三・七（民集七・九八（一））、同昭一〇・九・三（民集一四・一八八六（二））、同昭一四・八・一二（民集一八・九〇三（三））などは、一貫して、裁判上の和解は私法上の和解契約を包含しこれに無効原因があれば和解調書も当然無効であり、既判力は生じないものであるから、和解調書に対する請求異議の訴には、五四五条二項は適用がないものとしている。しかし、二〇三条の明文ある以上、裁判上の和解にも、既判力を生ずるものであり、従つて判例理論とは異なり、これに対する請求異議の訴には当然五四五条二項の制限があるものと解すべきである。若し判旨のごとく和解調書の無効を認めるというのであれば、その執行力も存在しないこととなり、これに基く執行は債務名義なしに行われたことに帰着するから、むしろ、執行文付与の異議（五二二条）によるべきであるとするほうが、筋が通っているわけである。(四) 判例理論の代表として大判昭一四・八・一二（民集一八・九〇三）のみを掲げておく。

【60】「裁判上ノ和解ハ確定判決ト同一ノ効力ヲ有スルコトハ民訴法第二〇三条ノ規定スル所ナルモ、確定判決ト異リ一面私法上ノ契約タル性質ヲ有シ、私法上ノ無効原因存スルトキハ初ヨリ当然無効ニシテ、其ノ内容タル法律関係ニ付既判力ヲ生スルコトナク之ヲ理由トシテ請求ニ関スル異議ノ訴ヲ提起シ得ルモノト云ハサルヘカラス。故ニ裁判上ノ和解ニ対スル請求異議ノ訴ニ於テハ判決ニ対スル請求ニ関スル異議ト異リ、異議ノ原因カ遅クトモ異議ヲ主張スルコトヲ要スル口頭弁論ノ終結後ニ生シタルコトヲ必要トスルカ如キ制限ニ従フノ要ナシ。」（大判昭一四・九・一二民集一八・九〇三）。

現在の最高裁では、大審院時代と異なり、裁判上の和解につき既判力を認める見解の方が多数意見であるということが、強制調停（調停に代る裁判）は違憲かということに関して判示した最高裁判所昭三一・一〇・三一（民集一〇巻一〇号一三五五頁判例時報九二号三頁）(五) 大法廷決定のなかで、島、岩松両裁判官の少数意見から推論されることとは大いに注目すべきことである。(六) もっとも右の両裁判官の少数意見は調停に代る裁判が確定したときは、単に訴訟終了の効果と執行力を認めただけで、既判力を認めたわけではない、と主張しているけれども、「確定判決ト同一ノ効力ヲ有ス」と定めている民訴二〇三条の明文を無視するものであって賛成できない。

(二)　調停調書

東京高決昭二三・一〇・二七（昭和二三年(ラ)二六号、判例体系二五の七五九頁）は債務名義が調停調書である場合について、和解調書における判例理論と全く同様の判示をしているが、和解調書の場合と同一の理由により賛成できない。

【61】「債務名義が調停調書又は和解調書である場合はその記載の私法上の合意に不成立又は無効原因が存するに於ては、初めからその合意は不成立又は無効であつて、その合意を記載した調停調書又は和解調書はその範囲に於て債務名義としての実質的な存在すら失い既判力の問題を生じないのであるから、債務名義が判決の場合に存する異議の原因が口頭弁論終結後に生じたるものであることを要すると云う制限には従わないのである。」

（一）加藤・判民昭和三年度一〇事件（判旨反）。
（二）兼子・判民昭和一〇年度一二二事件（判旨反）。
（三）兼子・判民昭和一四年度六一事件（判旨反）。
（四）兼子・判民昭和一四年度六一事件。
（五）斎藤・判例評論八号一〇頁、中田・民商法三五巻四号六〇五頁、座談会・民商法同号五二八頁。
（六）斎藤・判批・いわゆる強制調停（調停に代る裁判）は違憲か、判例評論八号一二頁。岩松氏は、裁判上の和解には既判力なしとする説の代表者であられる（民事裁判における判断の限界、法曹三巻一一号二二八頁註二三）。和解調書における瑕疵の主張方法に関する判例については、近藤・前掲四七頁参照。

一　異議原因の発生時期

異議の理由が既判力の標準時後に生じたものであるかに関して争があるのは、債務名義に表示されている請求権の不発生又は消滅の効果が直接一定の事実に基くものでなく、債務者が進んで意思表示をすることによつてこれらの効果を生ぜしめる形成権を有する場合に、標準時前にこれらの権利が存在しかつ行使できたのに拘らず、前の訴訟でこれを主張せずに、その口頭弁論終結後にこれを行使してその効果を主張することは許されるか、という問題であり、取消権、解除権、相殺権及び時効の緩用等の場合に特に問題とされている。

（一）取　消

(1) 大審院（大判明四二・五・二八民録一五・五二八）は古くから、口頭弁論終結前に取消し得べかりし場合であっても、その後取消したときは異議の原因は取消の意思表示のあったときに生じたものと解している。

【62】「取消シ得ヘキ法律行為ハ之ヲ取消ス意思ノ表示アルマテハ依然トシテ其効ヲ有シ取消ノ意思表示アリテ始メテ民法第一二一条ニ依リ当初ヨリ無効ナリシモノト看做サルルモノナリヤ言ヲ俟タス。故ニ強制執行ノ債務名義タル判決ノ憑拠ト為リタル法律行為カ取消シ得ヘキモノニシテ債務者カ其判決ノ口頭弁論終結前之ヲ取消スコトヲ得ヘカリシ場合ニ於テモ取消ノ意思表示ナキ間ハ依然トシテ法律行為ノ効力ヲ有スルヲ以テ、口頭弁論ノ終結後始メテ取消ノ意思表示ヲ為シ其取消ノ為メ法律行為ノ無効ニ帰シタルコトヲ原因トシテ異議ヲ主張スルカ如キハ民訴法第五四五条第二項ニ所謂口頭弁論終結後ニ異議ノ原因ヲ生シタルモノト謂ハサルヲ得ス。」（大判明四二・五・二八民録一五・五二八）

右の態度はその後も（大判大一四・三・二〇民集四・一四一、同昭八・九・二九民集一二・二四〇八）踏襲されている。

【63】「強制執行ノ債務名義タル判決ノ憑拠トナリタル法律行為カ取消シ得ヘキモノニシテ、債務者カ其ノ判決ノ口論弁論終結前之ヲ取消スコトヲ得ヘカリシ場合ト雖モ、口頭弁論終結後始メテ取消ノ意思表示ヲ為シ、之カ為メニ法律行為ノ無効ニ帰シタルコトヲ原因トシテ異議ヲ主張スルカ如キハ民訴法第五四五条二項ノ所謂口頭弁論終結後ニ生シタル原因ニ基キ異議ヲ主張スルモノニ外ナラサルコトハ夙ニ当院ノ判例トスル所ニシテ、今之ヲ変更スルノ必要ヲ見ス。」（大判大一四・三・二〇民集四・一四一）。

債務名義が支払命令である場合には、異議の発生時期が、「仮執行の宣言を付したる支払命令の送達後」に生じたることを必要とするが、この場合にも確定判決と同一の理論を判示したものが大判昭八・九・二九（民集一二・二四〇八）[二]である。この判決は前記の大判大一四・三・二〇を引用して、「当院ノ判例トシテ是認スルトコロニシテ之ヲ変更スルノ要ナシ」と判示して揺がない自信を示している。

しかしながら、大審院の理論は全く民法上の理論構成にのみ終始するものであり[三]、訴訟法上防禦方法として行使する必要のあること及び行使の時期に限界のあることを忘れたものというべきである。債務名義の確定後、執行債務者の恣意的な防禦方法をもつて、確定債務名義を有する債権者の執行を阻止せしむべきものではないという法規の実質的考慮がなされねばならない。

(2)　なお大判昭三・六・二三（民集七・四八三）[四]は、直接には船舶の免責委付には条件を附し得ないとするものであるが、傍論として、従来の見解とは反対の見解を述べていることは注意すべきことである。

【64】「相殺及ヒ取消ノ如キモノハ『若シ相手方ニ対シテ義務アリトセハ』トノ条件ノ下ニ裁判上有効ニ其ノ意思表示ヲ為シ得ルコトヲ認メラルルモ、畢竟是レ等ノ場合ニ於テハ、一旦確定判決ニ因リテ其義務アルコトヲ肯定セラレンカ、其確定力ニ妨ケラレ、最早ヤ其当事者ノ一方ハ是レ等ノ意思表示ヲ為シ得サルニ至ルヘキカ故ニ前記ノ意思表示ヲ認ムル必要アルカ為ナリ。」

（一）　菊井・判民大正一四年度二三事件（判旨反）。

（二）　斎藤・判民昭和八年度一六五事件（判旨反）。

（三）　近藤・前掲五六頁。なお判例理論を支持するものとしては、前田直之助・岩波法律学辞典三巻一四八九頁、末弘・岩波法律学辞典三巻一六四〇頁、前野・強制執行手続一四二頁。兼子教授は、判例理論に対して、無効と取消との場合を指摘しながら実体法上の見地からみても妥当でない旨を強調され、「元来法がその種の形成権を認めるのは、一定の事実に基いて劃一的に無効・消滅の効果を認めずに、その効果を特定人の意思に係らしめて、より弱い効力を生じさせようとする趣旨なのに対し、前者が既判力により遮断されるのに、後者がそうでないとするのは釣合がとれない」（強制執行法九九頁）と述べておられる。

（四）　小町谷・判民昭和三年度四八事件二四四頁、斎藤・判民昭和八年度一六五事件六一二頁。

（二）　相　殺

判例は取消の場合が終始一貫しているのと異なり、相殺の場合には判例理論の変更が見られる。

(1)　判例の当初の見解は、相殺適状の時と解し口頭弁論終結前に相殺適状があつた場合には、その後相殺の主張をしても、異議の原因は相殺適状の生じたときに生じたものと判示していた。

【65】　「原判決ハ上告人カ訴外者ヨリ譲渡ヲ受ケタル債権ノ弁済期限ハ明治三一年四月二〇日ニシテ之カ譲渡ヲ受ケタルハ同三七年一一月二五日ナル事実ヲ認メ而シテ本件強制執行ノ債務名義タル判決ハ同三八年四月六日ノ言渡ニ係レリ。右ノ事実ニ依レハ本件ノ債務名義タル判決ノ口頭弁論前ニ於テ上告人ハ弁済期到来ノ債権ノ譲渡ヲ受ケタルモノニシテ、何時ニテモ相殺ヲ為シ得ヘカリシ場合ナルヲ以テ、異議ノ原因ハ当時ニ於テ既ニ生シタルモノト云ハサルヲ得ス。其原因ニ基キテ相殺ノ意思表示ヲ為スハ即チ実際ニ於テ異議ヲ主張スルカ為メニスルモノニシテ其時ニ於テ異議ノ原因生シタリト為スヘキニアラス。本件ノ債務名義タル判決ノ言渡後ニ至リ相殺ノ意思表示ヲ為シ以テ執行ヲ免カレントスルカ如キハ、民訴法第五四五条第二項ノ場合ニ該当セサルモノトス。」（大判明三九・一一・二六民録一二・一五八二）。

さらに大判明四〇・七・一九（民録一三・八二七）は、右の論旨をさらに発展させ、異議の原因が何時生じたとみるべきかということは、訴訟法の見地から定められるべきことであるという正しい見地に立つて次のごとく判示する。

【66】　「相殺ノ意思表示ハ訴訟行為ナラスト雖モ、訴訟ノ当事者ノ一方カ相手方ノ請求スル債務ト同種ノ目的ヲ有スル債権ヲ相手方ニ対シテ有スル場合ニ於テ其性質相殺スルニ適シ且既ニ弁済期ニ在ルトキハ直ニ相手

方ニ対シテ相殺ノ意思表示ヲ為シ頼リテ以テ防禦方法ニ資スルコトヲ得ヘキヲ以テ、本訴ノ如キ強制執行ノ債務名義タル判決ノ口頭弁論終結前、債務者カ債権者ニ対シテ相殺スルニ適シタル債権ヲ有シ而シテ其債権ノ弁済期ニ在リタル場合ニ於テハ仮令未タ相殺ノ意思表示ヲ為ササリシニセヨ民訴法第五四五条第二項ニ所謂異議ノ原因ハ業ニ既ニ生シ居タルモノト謂ハサルヲ得ス。抑同条ニ於テ遅クトモ異議ヲ主張スルコトヲ要スル口頭弁論ノ終結後ニ其原因ヲ生シ且故障ヲ以テ之ヲ主張スルコトヲ得サルトキに限リ異議ヲ許シタル所以ノモノハ他ナシ。相当ノ時機ニ於テ防禦方法トシテ主張スルコトヲ得ヘカリシ事由ヲ以テ既ニ判決ニ因リ確定シタル請求ヲ左右スルコトヲ得セシムルカ如キコトアラハ、確定判決ノ効力ヲ毀損スルコト鮮カラサレハナリ。然レハ則チ防禦方法ニ資スルコトヲ得ヘキ事由ハ其種類ノ如何ヲ問ハス之ヲ主張スルコトヲ得ヘカリシ口頭弁論ニ於テ主張スルコトヲ為サスシテ後日ニ留保シ以テ異議トシテ主張スルコトヲ許ササルモノト論断セサルヲ得ス。此ノ如クナレハ本訴ノ如キ場合ニ於テ当事者ノ一方ハ相殺スルニ適シタル債権ヲ有スルニ拘ラス、相手方ニ対シテ有効ニ相殺ノ意思表示ヲ為スコト能ハサル結果ヲ生シ民法ノ規定ヨリ之ヲ観レハ奇異ノ顕象ノ如クナリト雖モ、畢竟債務者カ民事訴訟法ニ於テ許与セラレタル防禦方法ヲ利用セサリシ懈怠ニ基因スルニ外ナラス。形式法ノ違背ニ因リテ実体法ノ権利ヲ喪失スルハ其類例稀ナラサルヲ以テ毫モ怪ムニ足ラサルヘシ。」（大判明四〇・七・一九民録一三・八二七）。

(2)　ところが大審院判例は、大判明四二・四・一七（民録一五・八六〇）において急転回して、相殺の意思表示の時とする説をとり、相殺によつて債務者は同時に自己の債権を消滅に帰せしめるの不利を甘受するもので確定判決を無視するものというべきものではないとするに至つた。しかも大審院民事連合部明治四三年一一月二六日判決（民録一六・七六四）において、判例の変更が明かにされた。

【67】「相殺ハ当事者双方ノ債務カ互ニ相殺ヲ為スニ適シタル時ニ於テ当然其効力ヲ生スルモノニ非スシテ其一方カ相手方ニ対シ相殺ノ意思表示ヲ為スニ依リテ始メテ其効力ヲ生スルモノナルコトハ、民法第五〇六条

ノ規定ニ依リテ明確ナリ。去レハ本訴ノ如ク仲裁判断ニ付シタル執行判決ニ基キ強制執行ヲ為ス場合ニ於テモ其債務名義タル判決ノ口頭弁論終結前債務者カ相手方ニ対シ単ニ相殺ヲ為スニ適シタル債権ヲ有スルニ止マリ、未タ相殺ノ意思表示ヲ為ササル間ハ債務消滅ノ事由発生セサルモノナルヲ以テ、口頭弁論ノ終結後ニ至リ始メテ相殺ノ意思表示ヲ為シ債務ノ消滅シタルコトヲ原因トシテ異議ヲ主張スルトキハ、民訴法第五四五条第二項ニ所謂口頭弁論終結後ニ異議ノ原因ヲ生シタルモノト謂フ可キナリ。然レハ原院カ被上告人ノ金四六八円六二銭ノ債権ハ如上執行判決ノ口頭弁論終結前明治三六年一一月一七日ニ成立シタルニ拘ハラス其終結後同四二年五月二九日ニ於テ相殺ノ意思表示ヲ為シタルヲ以テ異議ヲ正当ト為シタルハ適法ニシテ本論旨ハ理由ナシ。」（大判民連明四三・一一・二六民録一六・七六四）。

たしかに、相殺の場合は、訴訟物たる請求権自体に関する瑕疵（取消権）とは異なるものであり、自己の債権を消滅に帰せしめる不利益を甘受する効果を伴うものであつて、これを行使するか否かは債務者の自由であり、当然なすべき防禦方法とはいえない点において、特殊性が認められなければならない。(一)従つて、相殺の場合は相殺適状にあるというだけでなく、反対債権の存在を確知していたに拘らずそれを対抗しなかつた場合に限り、標準時後の主張が妨げられるのであり、(二)単に相殺適状にあつたというだけでは、標準時後の主張は妨げられないと解すべきである。

(一)　加藤・強制執行法要論一九頁、菊井・民事訴訟法(二)一〇三頁、近藤・前掲六三頁、高根・予備的相殺の抗弁・法曹会雑誌一五巻五号一頁。但し雉本・論文集二八二頁、松岡・強制執行要論六四四頁は反対説を採る。

(二)　兼子・強制執行法九九頁。

(三)　時効の援用

前訴の口頭弁論終結前にすでに時効が完成しておつてこれを援用できたのに援用することなく、判決確定後にこれを援用できるか、ということが判例でしばしば問題になつた。この問題についても判例の見解に変更が見られる。

(1)　大判昭六・一二・一九（民集一〇・（一）一二三七）においては、債務者から提起した債権不存在の確認訴訟において、債権が消滅したことを主張し得べかりしに拘らず、時効を援用しないで敗訴し判決が確定した後は、今更時効を援用して該判決の既判力をくつがえすことはできないのではないか、ということが争われた。この判決はこれを許容した。

【68】「上告人等カ曩ニ被上告人ニ対シ提起シタル本件債権不存在ノ確認訴訟ニ於テ本件債権カ時効ニ因リ消滅シタリトノコトヲ主張シ得ヘカリシニ拘ハラス之ヲ主張セス、換言スレハ時効ヲ援用スルコトナクシテ敗訴シ、其ノ儘該訴訟ノ判決ヲ確定スルニ至ラシメタル事実アリトスルモ、元来債務者ニシテ債務ノ根本的ニ存在セサルコトヲ確信セルカ如キ場合ニハ債務存在シタレトモ時効ニ因リテ消滅シタリト云フカ如キコトハ想ヒ及ハサル所ナルヲ以テ時効ヲ援用シ以テ債務ノ不存在ヲ主張スルコトヲ為サスシテ判決ヲ受クルコト必スシモナシト云フ可カラス。従テ上告人等カ前ノ訴ニ於テ時効ノ援用ヲ為ササリシトテ之ヲ以テ被上告人ヨリ提起セラレタル本訴ニ於テ時効ヲ援用シ抗弁トスルコトハ之ヲ許サスト為スハ当ラス。」（大判昭六・一二・一九（一）民集一〇・一二三七）。

しかしながら、右の判例理論は既判力のもつ法安定性の要請及び時効制度の目的をくつがえすもので賛成できない。大審院は、右のような確定判決に基いて強制執行を受けた後においても債務者は時効を援用して債権者に対して不当利得の返還請求をなし得ると判示しているのも（大判昭七・四・八法学一巻一号一〇六頁）、同じ立場にあるものといえるけれども、前記判例と共に誤つているというべきである。

(2)　右の判例理論は大判昭九・一〇・三（評論二三巻民訴四三七頁）によつて変更され、正しい軌道にのるに至つた。

【69】「今若シ時効カ其ノ（註――判決により確定した請求の）消滅原因ナルトキハ右口頭弁論終結後ニ当該時効ノ完成シタルコトヲ要件トスヘク、従テ其ノ終結前ニ時効ハ完成シ終結後ニ之ヲ援用シタルコトヲ理由トスルカ如キハ素ヨリ右口頭弁論終結後ニ異議ノ原因ヲ生シタル場合ニ該当セサルモノトス。」

右の判例は大審院判例集に登載されたものでなかつたが、大判昭一四・三・二九（民集一八（一）・三七〇）において登載判例として、明白に、口頭弁論終結前に完成した時効の援用は敗訴の確定判決によつて遮断されることを判示するに至つた。その事案は、前訴の給付判決確定前に消滅時効が完成したのにこれを援用しないで敗訴しその判決が確定した後、その判決に表示されている債権を担保する抵当権の抹消登記手続を請求し、その請求原因の一つとして、債権が時効により消滅したことを主張したものである。

【70】「本件ノ如ク第一、第二債権ニ基ク給付ノ訴カ第一、二審ニ於テ本案ノ口頭弁論ヲ経由シ判決セラレ給付判決ノ確定シタルトキハ第二審ノ判決ニ接著スル口頭弁論終結当時ニ於テ給付請求権即債権ノ存在スルコトヲ確定シ其ノ判定ニ既判力ヲ生スルモノナレハ、将来同一事件ノ訴ニ於ケルト将タ別異ノ訴ニ於ケルトヲ問ハス右判定セラレタル給付請求権存否ノ問題ニ付テハ、裁判所ハ前記判定ニ羈束セラレ、之レニ反スル判定ヲ為シ得サルモノナレハ、当事者ニ於テ右判定ニ反スル主張ヲ為シ得サルハ当然ノ筋合ナリト云ハサル可カラス。而シテ債権ハ消滅時効ノ完成ト共ニ当然ニ消滅シ当事者カ時効ヲ援用スルヲ待テ始メテ消滅スルモノニアラス。時効ノ援用ハ債権カ既ニ時効ノ完成ト共ニ消滅シタル事実ヲ主張スル訴訟上ノ防禦方法ニ過キサルコトハ当院判例ノ示ス所ノ如クナルヲ以テ（昭和九(オ)一〇〇九号、昭和九・一〇・三判決）前記第二審ノ判決ニ接著セル口頭弁論終結以前ニ既ニ完成シタリトスル時効ノ援用ハ本件ノ訴ニ於テ最早有効ニ為シ得サルモノナリ。蓋シ若シ斯ノ如キ時効ノ援用ヲ許ストキハ、結局前記第二審ノ判決ニ接著スル口頭弁論終結当時ニ本件債権カ

存在セサルコトノ主張ヲ許容スルニ該当シ判決ノ既判力ヲ無視スルノ結果ヲ招致スルヲ以テナリ。左レハ原審カ前記ノ如ク判定シタルハ時効援用ニ関スル法規ヲ誤解シタル失当アルカ又ハ既判力ノ本質ヲ誤解シタル違法アルモノニ該当ス。」（大判昭一四・三・二九民集一八・三七〇）。

判旨は既判力及び時効制度の目的に適合するものであるから、正当であり、判例集に登載されなかつた大判昭九・一〇・三（評論二三巻民訴四三七頁）を引いて、当院の判例の示すところであるとしたことを注意すべきである。大審院がこの判例理論を正当とする以上、取消の抗弁と、時効の抗弁とは理論上区別できないものであるから、取消の抗弁についての従来の判例理由を変更しなければならない筈であり、差別を設ける判例の態度は誤つているというべきである。

（一）　我妻・判民昭和六年度一三二事件（判旨反）、近藤・前掲五九頁も判旨に反対される。

（二）　兼子・判民昭和一四年度二五事件（判旨賛）、中村宗雄・民商法一〇巻三号四七〇頁、近藤・前掲五九頁。

（三）　兼子・判民昭和一四年度二五事件八六頁。近藤・前掲六〇頁。保証人の起した請求異議の訴においては、消滅時効の主張のうち「時効完成の主張が非常に多く」しかもそれが主たる債務の時効を援用するのか、保証債務そのものの時効を援用するのか不明確なものが少かつたため「債権者の防禦も困難となり、審理の焦点も定め難かつたのが戦前の実情であつた」ことが近藤判事によつて指摘されている（近藤・前掲六一頁）。

一二　数個の異議の同時主張

（一）　判例における混同　五四五条三項は、債務者が数個の異議を有するときは同時にこれを主張することを要するものと定めているが、判例の大多数は、請求をして理由あらしめる各個の事由をもつて異議なりと解しており、（一）異議権と異議の事由とを混同していることは、学者から鋭く攻撃されているところである。同条項は数種の異議権（異議の請求）に関するものであつて、同一請求についてその攻撃方法の同時提出を強制するものではない。この点において、なんら民訴一三七条の例外規定とみるべきものではない。例えば、請求の存在・帰属を争う異議の請求においては、弁済、時効、免除、取消、錯誤、譲渡、転付等の事由は、いずれも請求を理由づける事実としての攻撃方法であつて、一般の攻撃防禦方法として一三九条・二五五条等の支配を受け、当該訴訟の具体的進行の模様によつてその許否が定められるだけであつて、同条項とは関係がないものと解すべきである。（二）従つて、これらの事由の提出は、訴状、一審、二審などの手続上の段階によつて制限を受けることはない（三）筈であるが、判例はこれらの事由と異議の請求そのものと混同し両者を区別していないため、同条項に関する判例の立場を検討することは特に留意する必要がある。すなわち判例が異議の同時提出について判示したことは、実は学説でいうところの異議の原因に当るものについて立言していることを注意しなければならない。

（二）　同時提出の意義

(1)　学説上は同一訴状記載説、同一審級説、同一訴訟説に分れているが、判例は旧法時においては同一審級説を採つていた。大判明四〇・五・六（民録一三・四七二）、同大一二・四・一二（民集二・二二六）がこれである。後者は前者を引用して夙に当院の判例とするところなりと判示しているから、ここには後者を掲げておく。

【71】　「民訴法第五四五条第三項ノ規定ハ数個ノ異議カ同時ニ存スルトキハ各異議ヲ別訴訟ニ於テスルコト

ヲ許ササルハ勿論同一ノ訴訟ニ在テモ下級審ニ於テ主張シ得タル異議ヲ其ノ審級に提出セスシテ上級審ニ提出スルコトヲモ許ササル趣旨ナリト解スヘキコト夙ニ当院ノ判例トスルトコロナリ（明治三九年（オ）第五八六号明治四〇年五月六日第二民事部判決参照）」（大判大一二・四・一二民集二・二二六）。(四)

これにより、第一審において主張し得る限り第二審においては絶対に許されないものとされたわけである。(五) 大判大一三・五・二〇（民集三・二一九）は、訴状に弁済のみを掲げ、第二回口頭弁論期日に至って時効を主張したのは、五四五条三項所定の同時提出に違背するとの上告理由に答えている。

【72】「同条第三項ニ数個ノ異議ヲ同時ニ主張スルコトヲ要ストアルハ、必スシモ此等ヲ同一ノ訴状ニ掲ケテ主張スルコトヲ要シ然ラサレハ爾後之ヲ主張スルノ権利ヲ喪失スト為シタル趣旨ニアラサルヲ以テ、債務者タル原告ハ訴状ニ記載セサリシ異議ノ原因ヲ、訴ノ変更ニ関スル規定ニ牴触セサル限リ後ノ弁論ニ於テ提出スルコトヲウヘキモノトス。」（大判一三・五・二〇民集三・二一九）(五)

判例理論は異議の請求をして理由あらしめる各個の事由をもって異議権そのものと解している点において誤っている。従って、問題は攻撃防禦の方法は何時まで提出が認められるかということに転換して考察されなければならないわけである。判例の立場は、五四五条三項の同時提出については、(a) 異議が数個あるときは、各別の訴訟をもって追行することを許さないこと、(b) 第一審においては訴状に掲げることができたに拘らず掲げないときは、相手方の異議申立がない場合に限って主張が許されること、(六) 及び (c) 異議提出方法については訴の原因変更の規定を適用し得ることを認めていたのである。

（一） 大判大一三・五・二〇（民集三巻二一九頁）の判批・菊井・判民大正一三年度四五事件一九二頁。

前述の五の二の「判例における両者の混同」、兼子・強制執行法九七頁、近藤・前掲七一頁。
（二）　兼子・前掲九七頁。
（三）　近藤・前掲七三頁。
（四）　藤田東三・判民大正一二年度四三事件（判旨賛）、山田正三・法学論叢一一巻一号一一一頁（判旨反）。
（五）　大判明三九・一〇・一五（民録一二輯一二六二頁）も同趣旨である。
（六）　旧法時の判例の詳細については、菊井・判民大正一三年度四五事件一九五頁。

(2)　現行法の下では判例は従来の態度を改めた。別訴による主張を許さない点は同じであるが、旧法で同一審級説を採り、第一審で主張し得た限り第二審では認めないとしていたのは、旧法四三一条があつたからであり、現行法では、訴の変更は請求の基礎に変更がない限り控訴審に至るまで許される（二三二条）ことになつたから、第二審においても別個の請求を追加し得ることを認めるに至つた。すなわち同一訴訟説になつたわけである。大判昭六・一一・一四（民集一〇・一〇五二）（一）、同昭九・一〇・二五（民集一三・一九九九）（二）がすなわちこれである。大判昭六・一一・一四の事案は、始めに弁済により債務が消滅したと主張し、後に時効によつて消滅したと主張することは、請求の基礎に変更を来す請求原因の変更であるから、相手方の同意がない限り主張し得ないこと、及び第二審に至つて時効を援用したことは、五四五条三項が同時主張を命じていることに反し違法であるとの上告理由に答え、何れもこれを認めず上告を棄却したものである。

【73】　「請求ニ関スル異議ノ訴ニ於テ債務者カ数個ノ異議ヲ有スルトキハ同時ニ之ヲ主張スルコトヲ要シ別訴訟ニ於テ主張スルコトヲ許ササルハ、民訴法第五四五条第三項ノ明文ニ依ルモノニシテ又下級審ニ於テ主張

シ得タル異議ヲ其ノ審級ニ提出セスシテ上級審ニ提出スルコトヲ許ササルハ旧民訴法第四一三条ニ於テ控訴審ニ於ケル訴ノ変更ハ相手方ノ承諾アルトキト雖之ヲ許ササル旨規定シタル結果ニ外ナラス。此ノ趣旨ハ夙ニ当院ノ判例トスルトコロナリ（大正一二年(オ)第一七三号同年四月一二日判決参照）。

然レトモ民訴法改正法律実施後ニ於テハ、同法第二三二条ニ依レハ請求原因ノ変更ハ請求ノ基礎ニ変更ナク且著シク訴訟ヲ遅滞セシメサル限リ当然許サルルモノニシテ之ヲ同法第三八二条第一項ノ控訴審ニ於ケル反訴ト雖相手方ノ同意アル限リ之ヲ提起スルヲ得ルコトニ照ストキハ、前記第二三二条ニ該当スル場合ハ、控訴審ニ於テモ当然訴ノ変更ヲ為スヲ得ヘク、又同条ニ該当セサル場合ト雖相手方ニ於テ之ニ同意シ又ハ責問権ヲ喪失シタルトキハ、控訴審ニ於テ同ク亦訴ノ変更ヲ為スヲ得ヘシト解スルヲ相当トス。従テ請求ニ関スル異議ノ訴ニ於ケル原告カ下級審ニ於テ主張シ得タル異議ヲ其ノ審級ニ提出セス上級審ニ至リ之ヲ提出シタル場合ニ相手方ノ同意又ハ責問権ノ喪失アリタルトキハ、其ノ提出ハ法ノ禁止スルトコロニアラスト解セサルヘカラス。

本件被上告人ハ第一審ニ於テハ弁済ニ因ル債務ノ消滅ヲ理由トシテ強制執行ノ排除ヲ求メタルニ拘ラス、昭和五年一二月一四日ノ第二審ニ於ケル口頭弁論期日ニ到リ第一審最終ノ口頭弁論期日タル昭和四年一月一六日前既ニ本件債務ハ時効ニ因リ消滅シタルモノナル旨主張シ異議ノ理由ヲ追加シタルモ、上告人ハ之ニ対シ何等陳述ヲ為シタル事跡ナキコト記録上明瞭ナルヲ以テ、原審カ被上告人ノ時効ノ援用ヲ採テ其ノ主張ヲ認容シタルハ敢テ違法ナリト云フヘカラス。」（大判昭六・一一・一四民集一〇・一〇五二）。

大判昭九・一〇・二五（民集一三・一九九九）もまた、二三二条の要件を具備する限り、第二審においても異議を追加変更することができるものと判示した。

【74】「民訴法第五四五条第三項ハ債務者カ数個ノ異議ヲ有スルトキハ同時ニ之ヲ主張スルコトヲ要スル旨ヲ規定スルモ、之レ単ニ執行ヲ徒ニ遅延セシムルコトナカランカ為メ同条ノ訴ニ於テ提出シ得ヘカリシ異議ハ総テ之ヲ一ノ訴ニ集中スヘク、特ニ其ノ訴ニ於テ主張シ得サリシ止ムヲ得サル事由アルモノノ外、再ヒ之ヲ以

テ同条ニ依ル他ノ訴ノ理由ト為シ得サルコトヲ定メタルモノニシテ、一旦訴状ニ於テ述ヘタル異議ハ其ノ後一切之ヲ追加変更スルコトヲ禁スト云フノ主旨ニアラサルモノト解スヘキモノトス。蓋此ノ場合ヲ他ノ一般ノ訴ニ比スルモ原因ノ変更ヲ特ニ困難ナラシムヘキ何等ノ理由ヲ見サルヲ以テナリ。故ニ此ノ種類ノ異議ノ訴ニ於テモ一般ニ原因ノ変更ヲ許スヘキ理由アルトキハ之ヲ容認スルヲ至当トスヘク、而モ同法第三七八条ハ第二三二条ヲ準用セルヲ以テ此ノ訴ノ原告ハ控訴審ニ於テモ同条ノ要件ヲ具備スル限リ訴ノ原因ヲ変更シ得ルモノト解スヘキヲ相当トス。」（大判昭九・一〇・二五民集一三・一九九九）。

以上のような大審院判例によると、第二審における新主張が許されるか否かは、二三二条によつて判定されるというのであるから、五四五条三項は別訴禁止以外には、なんら特別の意義が認められないということに帰着するわけである。判例は弁済、時効など本来正確にいえば異議の原因たる事実をば異議権そのものと解して立論しているのであるから、通説がこれらの事由は、同一請求についての攻撃防禦の方法として一三九条、二五五条等の制限内において第二審でも主張し得るものとしていることと対比するとき、実際の結果からいえば、判例と通説との間には、ほとんど差異は認められないわけである。(三)

（一）　菊井・判民昭和六年度一一〇事件。

（二）　菊井・判民昭和九年度一四二事件（判旨賛）、田中和夫・民商法一巻五号四〇九頁。なお長尾章・請求異議の訴に関する若干の問題について、法曹会雑誌一五巻六号二一四頁参照。

（三）　近藤・前掲七六頁。

（二）　公正証書への準用

数個の異議の同時主張を定めている五四五条三項は公正証書にも準用されることは、五六二条三項が「請求ニ関スル異議ノ主張ニ付テハ第五四五条第二項ニ規定シタル制限ニ従ハス」と定めている反面解釈から明白である。判例も旧法時以来（大判明四〇・七・九民録一三・七九七）このことを正当に判示している。大判昭四・四・二七（新報一八五号一四頁）、東京地判昭一七・一・三〇（評論三一巻民訴四八頁）もまたこれを踏襲している。

【75】「公証人ノ作リタル公正証書ニ因ル強制執行ニ於ケル請求異議ニ付テモ民訴法第五六〇条第五四五条第三項ニ依リ債務者ニシテ数個ノ異議ヲ有スルトキハ同時ニ之ヲ主張スルコトヲ要シ各異議ヲ別訴訟ニ於テ各別ニ之ヲ主張スルヲ得サルモノナレハ、原判示ノ如ク上告人カ大正一五年一一月六日東京地方裁判所所属公証人松井四郎作成第二九三六七号執行力アル公正証書ニ因ル強制執行ニ対シ同年一二月二日請求ニ関スル異議ノ訴ヲ山形地方裁判所酒田支部ニ提起シ而カモ上告人ニ於テ其ノ当時同時ニ主張シ得ヘキ数個ノ異議ヲ有シタル以上、上告人ハ該異議ヲ総テ該訴ニ於テ主張スヘキモノニシテ、其ノ一ヲ該訴ニ於テ主張シ他ヲ本訴ニ依リテ主張スルコトハ之ヲ許ササルモノトス。」（大判昭四・四・二七新報一八五・一四）。

（四）　五四五条二項及び三項の趣旨

判例のうちには五四五条二項及び三項の趣旨について判示しているものがある。

(1)　五四五条二項の趣旨

大審院判例の主流は、同条項において制限を設けたのは確定判決の既判力に対する抵触を防ぐにあるものと解している。例えば、大判大七・一二・五（新聞一五〇四・一八）は、「民訴法第五四五条ニ基ク異議ノ訴ハ判決ニ因リ確定シタル請求ニ関スルモノナルヲ以テ既判力ト関係上同条第二項所定ノ如ク前訴訟ノ口頭弁論終結後ニ異議ノ原因ヲ生シ且故障ヲ以テ之ヲ主張スルコトヲ得サルモノニ限ル必要アリト雖モ同法第五六二条第三項ニ基ク異議ノ訴ハ既判力ト何等ノ関係ナキヲ以テ――」と判示しており、大判昭三・三・七（新聞二八二四・五）も同趣旨である。

発生時期を問わないとすれば確定判決の既判力を害するから、右の判例理論は正当であり、学説上も通説といってよい。(一) しかし、大判昭二・三・一六（新聞二七〇〇・六）は、これと異なり、同条項は、判決が既判力を有することに基く結果ではない旨を判示している点において異色あるものであるが、確定判決後の債務者の救済手段である点を看過しており、理論的には賛成できない。

【76】「請求ニ関スル異議トハ請求即訴訟物タル権利関係ニ関スル異議ヲ云フ。故ニ此ノ異議ハ之ヲ口頭弁論ニ於テ提出シタルトキハ本案判決ノ主文ニ影響ヲ及ホス性質ノモノナラサルヘカラス。斯ル性質ノモノニ非サレハ以テ請求ニ関スル異議ト為スニ足ラス。此ノ事ハ民訴法第五四五条第二項前段ノ規定ニ徴スルモ亦之ヲ知ルニ余アリ。其ノ故如何ト云フニ、凡ソ判決ハ当事者間ニ於ケル徹底的解決ヲ目的トスルモノナルヲ以テ、苟モ主張スヘキノ事由アレハ之ヲ主張シ以テ其ノ正否ノ裁断ヲ判決ニ仰クヘキハ当事者トシテ当ニ採ルヘキノ途ニ外ナラス。而モ事茲ニ出テス一旦自己ニ不利ナル判決ヲ受ケタル後ニ至リ判決前（正ク云ハハ其ノ基本タル口頭弁論終結前）已ニ存セシ事由ヲ主張シ以テ事実ニ於テ判決ヲ変更シ執行ヲ阻止スルハ判決ニ対スル当事者ノ態度トシテモ亦判決ソノモノノ意義ヨリ之ヲ許スヘキニ非ス。民訴法第五四五条第二項前段（註――大正一五年改正前条文・現行法同条二項）ハ此ノ趣旨ヨリ出テタル規定ニシテ、夫ノ判決ノ実体的確定力ナルモノノ結果ニハ非ス。何者請求ニ関スル異議ノ訴ハ仮執行宣言アル未確定判決ニ対シテモ之ヲ提起スルヲ得ヘク（法文ニ確定トアルハ猶肯定ト云フカ如シ）、而モ此ノ場合ト雖右ノ規定ハ其ノ適用ヲ見ルナリ。否実ヲ云ヘハ判決ニシテ一旦確定シタル以上、当事者ハ其ノ以前ニ存セシ事由ヲ主張シテ其ノ不当ヲ鳴ラスヲ得スト云フコトモ亦前叙ノ趣旨ヨリ派生シタル一ノ結果ニ外ナラス。必スシモ権利状態ノ安定ヲ保持セムトスル実際的利害ノ打算ニノミ基クニハ非サルナリ。夫レ爾リ姑ク其ノ所謂異議ナルモノヲ口頭弁論ニ於テ提出シタリトスルモ、本案判決ノ主文ニハ何等ノ影響ヲモ及ホササル性質ノモノナラムカ、幵ハ請求ニ関スル異議ト為スニ足ラサル

モノナリ。」（大判昭二・三・一六新聞二七〇〇・六）。

なお同条項の口頭弁論とは、第二審の口頭弁論を指すのであるが（和歌山地判昭一一・一二・一三一八新聞四一三七・）、控訴の取下があつたときは、控訴は初より無かつたものと看做されるから（三六三条二三七条）、第一審の口頭弁論を指すことになる（朝高判昭五・八・二評論一九巻民訴四二四頁）。

（一） 加藤・要論一一八頁、兼子・前掲九八頁。但し長尾章氏は、五四五条二項をもつて、専ら確定判決の既判力に対する牴触を避けんとするものであるとする見解に疑問をもたれる（請求異議の訴に関する若干の問題に就て・法曹会雑誌一五巻六号二六頁）。

（二） 最近の下級審判決（大津地判昭三〇・九・一九下級民集六巻九号二〇三九頁）は五四五条二項の解釈として、造作買取請求及び相殺の如き形成権の行使である場合は、現実にその権利が行使された時によるべきではなく、右の形成権の発生時期、すなわち形成権の行使が可能であつたかどうかによつて定めるべきものであるとしている。

(2) 五四五条三項の趣旨

五四五条三項の趣旨について明白に判示しているものがある。大審院判例には簡単に言及しているものしかないが（大判昭九・一〇・二五民集一三・一九九九）、下級審判例のうちには、東京控判昭一三・一二・二八（新聞四三七二号一四）及び東京地判昭一七・一・三〇（評論三一・民訴四八頁）がすなわちこれであり、特に前者は、別訴を禁止して、数個の異議の請求の併合を強制したものとみている点において、又後者が執行遅延の防止を目的とし別訴を禁止したものとしている点は、正当である。右の二つの判例ともに大審院判例と異なり、異議の請求そのものと、異議を理由づける事実としての攻撃方法とを区別する立場に立つもののように考えられる。この点において大審院判例よりは理論的にいって進歩的であるといってよかろう。

【77】「民訴法第五四五条第三項ニ依レハ債務者カ数個ノ異議ヲ有スルトキハ同時ニ之ヲ主張スルコトヲ要スルモノナルトコロ、右規定ノ趣旨ハ同一債務名義ニ対スル数個ノ異議ハ必ス同一訴訟ニ於テ之ヲ主張スルヲ要シ、別訴訟ニ於テ之ヲ主張スルコトハ之ヲ許ササル趣旨ニシテ而モ必スシモ訴提起当時ニ存シタル数個ノ異議ニシテ債務者ノ知リタルモノハ之ヲ同一訴状ニ記載シ且文字通リ厳格ナル意義ニ於テ同時ニ之ヲ主張スルコトヲ要スルモノニハ非スシテ一ノ異議ニ基キ提起シタル訴訟ニ於テ其ノ係属中時ヲ異ニシテ更ニ他ノ異議ヲ主張スルコトハ固ヨリ該法条ニ牴触スルトコロニアラス。然ルニ元来請求異議ノ訴ニ於テハ一個ノ異議事由ニ付一個ノ異議ノ請求（訴）存スルモノニシテ、同一訴訟ニ於テ数個ノ異議ヲ主張スルトキハ右数個ノ異議ニ付存スル各別個ノ異議ノ請求（訴）カ一ノ訴ニ併合セラレタルモノト解スヘキモノナルヲ以テ、債務者カ一ノ異議ヲ主張シテ請求異議ノ訴ヲ提起シ其ノ係属中時ヲ異ニシテ更ニ他ノ異議ヲ主張スルハ即チ従来ノ請求ニ追加シテ新ナル請求ヲ提起シタルモノニシテ所謂訴ノ変更ニ外ナラスシテ、単ナル民訴法第一三九条ニ所謂攻撃方法ヲ提出シタルモノニハ非スト解セサルヘカラス。然ラハ右訴ノ変更ハ同法第二三二条ノ規定ニ従ヒ之ニ依リ請求ノ基礎ニ変更ナク且著シク訴訟ヲ遅滞セシメサル限リ控訴審ニ於ケル口頭弁論終結ニ至ル迄当然許容セラルヘキトコロト謂ハサルヘカラス。」（東京控判昭一三・一二・二八新聞四三七二・一四）。

【78】「該法条ノ趣旨トスルトコロハ、債務名義ニ基ク強制執行カ債務者ノ異議ニ依テ徒ニ遷延セシメラルルコトヲ防止センカ為、債務者カ請求ニ関シ有スル異議ハ総テ之ヲ一ノ訴ニ集中セシメ此訴ニ依テ債務者ノ異議ヲ一挙ニ解決シ以テ強制執行ノ迅速化ヲ図ラントスルニ在ル事明ナリ。従テ債務者ハ其ノ有スル数個ノ異議ヲ各別ノ訴ニ於テ個々別々ニ主張スル事ヲ許サレス。若シ債務者カ一ノ訴ニ於テ一ノ異議ヲ提出シ其ノ訴ニ敗訴シ判決確定スルニ至リタルトセハ、債務者ハ最早右ノ訴ニ於テ主張スル事ヲ得ヘカリシ其ノ他ノ異議ニ基キ新ナル訴ヲ提起スルコトヲ得サルニ至ルモノトス。然レトモ一方請求ニ関スル異議ノ訴ノ原因タル事由ハ債務

者ハ民訴法第一三九条ノ制限内ニ於テ事実審ノ口頭弁論期日ノ終了ニ至ル迄異議ノ理由ヲ変更シ又ハ之ヲ追加シ得ヘキハ勿論ナリ。然ラハ現ニ請求ニ関スル異議ノ訴カ控訴審ニ係属セル以上、仮令別個ノ理由ニ基ク異議ヲ主張スル場合ト雖モ、債務者ハ同一債務名義ニ対シ別ニ請求ニ関スル異議ノ訴ヲ提起スルコトヲ得サルモノト謂ハサルヘカラス。」(東京地判昭一七・一・三〇評論三一民訴四九)。

(一)　本条項は確定判決に基く執行の遅延するのを防止するためのものであつて、数個の請求の別訴を禁止し一の訴に併合することを命じたものである。兼子・前掲九七頁、吉川・強制執行法二〇七頁参照。

六　当事者適格

請求異議の訴における当事者適格の問題として判例に現れたものは被告適格についてである。判決を経た債権につき承継があり、その承継人において執行をしようとするおそれがあるときは、まだ執行文の付与を受けない間でも、これに対し本訴を提起できることを正当に判示している。

【79】「……右異議ノ訴ハ債務名義ニ債務者トシテ表示セラレタルモノ又ハ執行文ニ債務者ノ承継人トシテ表示セラレタル者ニ対シ提起スヘキコトヲ原則トスルコトハ其ノ訴ノ性質上言ヲ俟タサルトコロナルモ、此ノ異議ノ訴ハ執行文ノ付与ヲ争フコトヲ以テ目的トスルモノニ非ス、又債務名義其ノモノノ廃棄ヲ求ムルモノニ非サルヲ以テ判決ヲ経タル債権ニ付承継アリ其ノ承継人ニ於テ之カ執行ヲ為サントスル虞アル以上、未タ執行文ノ付与ヲ受ケサル以前ニ於テモ債務者ニ於テ其ノ承継人ヲ被告トシテ請求ニ関スル異議ノ訴ヲ提起スルコトヲ得ヘキモノト為ササルヘカラス。蓋シ判決ヲ経タル債権ニ付承継アリタル場合ニ於テハ其ノ判決ノ効力ハ当然承継人ニ及ヒ其ノ承継人ハ民訴法第五一九条ノ規定ニ則リ執行文ノ付与ヲ受ケ何時ニテモ強制執行ヲ為シ得ヘキ地位ニアリ而モ之ヲ為ス虞アル場合ニ於テハ債務者ハ之カ執行防止ノ必要上即時ニ当該債務名義ノ執行力ノ排除ヲ求ムルニ付法律上ノ利益ヲ有スヘキカ為ナリ。」(大判昭七・一一・三〇民集一一・二二一六)。

下級審判決も同趣旨を正当に判示している（東京地判大一五・一一・二新聞二七五一・一）。

（一）　菊井・判民昭和七年度一七七事件、兼子・強制執行法一〇二頁。

七　訴訟手続

一　異議の一部が理由あるときの裁判

請求異議の訴において請求権が全部消滅しているものと認められる場合は、異議は理由あるものとされ、債務名義の執行力の全部を排除する裁判をすべきことは当然である。若し訴の一部が理由あるときは、いかなる裁判をなすべきであるか。

判例は古くより、この場合は、債務名義の執行力の一部を排除する裁判をなすべき旨を正当に判示している。すなわち、大判大九・一〇・二九（民録二六・一六二三）は大判大四・七・一五を引いて当院の判例であるとし、係争債権中消滅した部分については異議は正当であり、「その一部が幾何たりとも残存するにおいては、強制執行はその基本となつた債権額全部について許すべきものとする考え」は誤りである旨を判示している。

【80】「上告人カ本訴請求ノ原因トシテ主張シタル要旨ハ本件強制執行ハ被上告人カ上告人ニ対スル金銭債権ニ付キ松山区裁判所ノ発シタル執行命令正本ニ基キ上告人ノ有体動産ヲ差押ヘタルモノナルモ、右債権ハ上告人カ既ニ其一部分ヲ弁済シ残ル部分ハ免除ヲ受ケタルニ因リ其全部消滅ニ帰シタルヲ以テ、其強制執行ハ許サルヘキモノニ非スト云フニ在ルコト原判文及ヒ之ニ引用セル第一審判文中ノ事実摘示ニ徴シ明白ナリ。故ニ本件係争ノ債権中其一部分カ免除セラレタル事蹟ナキカ為メニ尚ホ残存スルモノト認ムヘキコト原判示ノ如シ

トスルモ、其他ノ部分カ既ニ弁済ニ因リ消滅シタルコト果シテ上告人主張ノ如シトセンカ、其弁済ニ因リ消滅シタル部分ニ付テハ、本件強制執行ノ許スヘキ理由存セサルヲ以テ、本訴請求ハ係争債権中残存スル部分ニ付テハ不当ナルコト勿論ナルモ其消滅シタル部分ニ付テハ正当ナリト謂ハサル可カラス。是レ本院判例（大正三年（オ）第三四八号同四年七月一五日判決）ノ旨趣ニ於テ是認スル所ナリ。然ルニ原裁判所カ本件係争債権全部ノ消滅シタル事実ヲ認メタルニ非スシテ其一部カ幾何タリトモ残存スルニ於テハ、強制執行ハ其基本ト為リタル債権額全部ニ付テ許スヘキモノノ如ク思惟シ本訴請求ヲ排斥シタルハ違法タルヲ免レス。」（大判大九・一〇・二九民録二六・一六一三）。

下級審の判例もこれに従っている（東京控判大一三・一二・二六新聞二三六四・一五）。さらに、大判昭四・一一・一三（評論一九巻民訴一三七頁）は、同じ立場に立つものであるが、その場合の判決主文の書き方及び執行機関のとるべき処置にまで及んで説示している点において著しい特色を示している。

【81】「凡ソ請求ニ関スル異議ナルモノハ、執行名義ノ内容ヲ成ス請求自体ニ関シテ生シタル事由ヲ主張シ以テ当該執行名義ソノモノノ執行力ヲ除却スルニ在リテ、現実ニ為サレタル執行ヲ排除スルカ如キハ、其ノ目的トスルトコロニ非ス。否之ヲ目的トセサルニ非ス。唯此ノ目的ハ云々ノ執行名義ニ基ク強制執行ハ之ヲ許サストアル判決ヲ債務者ヨリ執行機関ニ提出スルコトニ因リテ容易ニ之ヲ達スルヲ得ヘキノミ（民訴法第五五〇条第一号五五一条）。第一審以来裁判所カ意ヲ此ノ点ニ致シタルノ形跡ハ又之ヲ認ムルニ由無シ。夫レ当事者ノ用語ハ拘ルヲ必トセス。裁判所タルモノ之ヲ善導シテ其ノ正キニ帰セシムヘキハ其ノ所謂釈明義務ノ範囲ニ非スシテ何ソヤ。左レハ差戻ヲ受ケタル原審トシテ本訴ノ一部ヲ理由アリトスルトキハ、宜ク云々ノ執行名義中金何円ノ部分ニ対スル執行ハ之ヲ許サスト云フ趣旨ノ判決ヲ為スヘク、而シテ之ニ依リテ以テ執行機関カ現ニ為サレタル執行ノ一部ヲ取消スニ当リテハ、須ラク差押調書記載ニ係ル最後順位ノ物ヨリ遂次差押ヲ解放シ、其ノ執行不許ノ範囲ニ達スルニ至リテ後止ムヘキハ、民訴法第五六四条第二項ノ法意ト兼ネテ又競売ハ差押調書記載ノ番号ニ随ヒ個々ノ差押物ニ付キテ之ヲ為シ売得金カ債権及執行費用ヲ償フニ至リテ即チ止ムト云ヘル

法意（同法第五七八条）ニ徴シ蓋之ヲ領スルニ余アラムナリ。」（大判昭四・一一・一三評論一九民訴一三七）。

強制執行の完了により債権者が権利の全部の満足を得たときは、債務名義の執行力は全部的に消滅するに至るから、請求異議の訴は起す余地がなくなる。（二）大審院判例もこれを承認している（大判明四三・一一・二九民録一六・二七、大八・一一・二九評論八民訴六一四）。

強制競売の代金支払期日に代金の支払がないため再競売が命ぜられ、同日手続は停止決定により停止されたが、債務者は請求異議の訴を提起し、債務者（原告）が請求金額並に手続費用の支払を完了したのは競落許可決定確定後、代金支払期日前である場合に請求異議の認容判決ができるか。これを肯定したのが、千葉地判昭三〇・一二・二一（下級民集六・一二・二六五六）である。その理由は、若し競落人が再競売期日の三日前までに代金を支払えば爾後配当手続をして競売を完結すべきだから異議認容の裁判をしても直ちに目的は達せられないが、なお右裁判をする利益が全くないとはいえないというのであり、是認してよいと思う。

（一）　吉川・強制執行法二〇六頁、近藤・前掲一六頁。

二　仮の処分の裁判に対する不服申立

異議を認容する判決をするときは、判決主文において、五四七条二項に準じて仮の処分を命ずるか、又は既に発した仮の処分をそのまま認可し又はこれを変更する裁判を掲げなければならない（五四八条一項）。この仮の処分に関する裁判は、直ちに効力を生ずるのでなければ存在意義がないので、職権で仮執行の宣言を附すべきものとされている（五四八条二項）。五四八条三項が「右裁判ニ対シテハ不服ヲ申立ツルコトヲ得ス」と規定しているので、判決中右の点の裁判に対しては不服を申立てることができないわけであるが、大判昭一〇・一〇・一(民集一四・一七三三)は、同条項にいわゆる「右裁判」の意義について判示したものである。

その事案は債権者たるX(被告・被控訴人・上告人)が、和解調書に基き債務者たるY(原告・控訴人・被上告人)の財産を差押えたのに対し、Yより請求異議の訴を提起したものである。第一審裁判所はYの請求異議を不当として棄却し、同裁判所がさきに発した強制執行停止決定を取消したのでYより控訴した結果、原審は逆にYの請求を認容し、執行不許の判決をなすと同時に、第一審裁判所の為した強制執行停止決定を認可した。これに対しXより上告し、その上告理由の一つとして、既に第一審において取消され、無に帰した強制執行停止決定を原審が認可したのは違法であると主張した。大審院はこれを棄却した。

【82】「受訴裁判所カ異議ノ訴ニ付裁判スル判決ニ於テ、民訴法第五四七条ニ掲ケタル命ヲ発シ又ハ既ニ発シタル命ヲ取消シ之ヲ変更シ若ハ之ヲ認可シタル場合ニ、其ノ裁判ニ対シテ不服ヲ申立ツルコトヲ得サルコトハ同法第五四八条第三項ノ規定スル所ナリ。玆ニ右裁判トアルハ前各項ノ孰ヲ指スヤト云フニ、凡ソ右ト云フ文字ハ同法第六編以下諸処ニ散見スルトコロナルカ、項ノ序次又ハ規定ノ内容ヨリ右トハ上文各項ノ何ヲ指スヤカ自ラ明白ナル場合(例ヘハ同法第五三九条第二項、第五四五条第二項、第五二〇条第二項、第六二〇条第三項、第六二三条第四項、第六二五条第三項、第七一五条第三項、第七三一条第四項、第七四九条第三項等)ヲ除キ、上文各項ノ総テヲ指スノ用例ナルコトハ、之ヲ第五〇〇条第三項、第五四九条第三項、第五九三条第三項、第六三九条第五項、第六八〇条第三項、第七五四条第三項、第七六一条第三項等ニ徴シ甚タ明白ナルカ故ニ、前記第五四八条第三項ノ場合モ亦其ノ第一、二項ノ裁判ヲ意味スルヤ疑ヲ容ルヘカラス。然ラハ則チ所

論強制執行停止決定認可ノ裁判ハ、前記法条第一項ニ依リ原審ノ為シタルトコロニ係ルヲ以テ之ニ対シテ不服ヲ申立ツルコトヲ得ス。」（大判昭一〇・一〇・一民集一四・一七三三）。

判旨が五四八条三項の右裁判とは、その第一、二項の裁判を意味するとする趣旨が、異議の判決において五四七条に掲げるところの命を発し、又は既に発した命を取消し若くは変更認可等を為し、これに仮執行を付した裁判を指称するものとし、結局、異議の判決中の本案の部分と対立させるものであるから、正当であるというべきである。(二)

（一）　斎藤・判民昭和一〇年度一一二事件。

三　終局判決中の仮処分の裁判と五五〇条との関係

五四八条の終局判決中の裁判、すなわち仮執行宣言附の仮の処分の裁判は、五五〇条一号の裁判であるか、それとも同条二号の裁判とみるべきかについては判例と学説とが一致していない。判例は前説を採っている。大決昭六・一二・一一（新聞三三五八・一〇）、及びそれが登載判例でないのに拘らずこれを引用して同趣旨を踏襲した大判昭一二・四・二〇（民集一六・八五三）(一)がすなわちこれであって執行停止命令の認可の裁判に仮執行宣言が附せられたときは、五五〇条一号の停止を命じた執行力ある裁判に該当するものと判示している。

【83】「民訴法第五四八条ニ依リ既ニ為シタル強制執行停止決定ヲ認可シ之ニ仮執行ノ宣言ヲ附シタル裁判ハ同法五五〇条一号所掲ノ強制執行停止ヲ命シタル執行力アル裁判ノ一タルコト当院ノ判例トスル所ナルヲ以テ（昭和六年（ク）一二三六号同年一二月一一日決定）原審カ右ト同趣旨ニ出テ（中略）タルハ正当」。（大判昭一二・四・二〇民集一六・八五三）。

しかし判旨には賛成できない。判旨は、理論的根拠を示していないが、原審の判決理由によれば、民訴五四八条の裁判は終局判決であるから終局的に強制執行の停止を宣言することになると言うのであるけれども、これはあくまでも判決確定までの仮の処分を命ずるものであつて、執行不許の終局判決自体に仮執行宣言が附せられた場合とは、性質を異にするものと解すべきであり、従つて、執行の一時の停止命令として同条二号の裁判に該当するものというべきである。（二）この立場に立つ限り、同時に執行処分を取消すには特にその旨の裁判が同時に為されなければならない。

（一）菊井・判民昭和一二年度六〇事件（判旨疑）。但し判旨を支持する学者もある。加藤・要論一四〇頁、松岡・要論七五九頁。

（二）通説は五五〇条二号の裁判と解している。兼子・前掲一〇五頁、一三二頁、吉川・前掲二〇九頁。なお村松・執行異議事件の停止決定・民商法一三巻四号五号参照。

四　五四七条の仮の処分を命ずる決定・命令に対する不服申立

五四七条の停止命令に対しては、五五八条の即時抗告ができるというのが、従来の判例（大判昭一一・二・六民集一五・一四七）である。

かつては多くの学説もこれを支持してきた。（一）しかし五四七条には五〇〇条三項のごとき規定が存在しないという形式的理由を唯一の根拠とすることは不合理である。五四七条の場合も、五〇〇条の場合も、何れもその停止命令が一時的裁判であり本案の裁判に至るまでの暫定的裁判にすぎないものであるから五〇〇条三項を類推して、不服申立を許さないと解するのが妥当である。（二）大判昭一一・二・

六（民集一五・一四七）は、(1)五四七条の停止命令に対しては即時抗告ができること、(2)この抗告には四一八条の執行停止の効力がないこと、(3)強制管理停止命令に対する即時抗告には執行停止の効力がないことを判示したものである。

（一）学説判例の詳細については、菊井・判民昭和一一年度九事件参照。
（二）菊井・前掲、兼子・前掲一〇四頁。

八　請求異議の訴と時効

一　被告の債権主張と時効の中断

大判昭一七・一・二八（民集二一・三七）は、請求異議の訴において被告たる債権者が弁済の事実を否定し、執行債権の存在を主張することは時効中断たる裁判上の請求に該当するものと判示する。結論は正当であるけれども、請求異議の訴の訴訟をもつて訴訟法上の異議権であるとしているために理論構成と説明がスムーズにいかないことが明白に暴露できる点で注目すべきものである。若し債務名義をもつて実体上の権利が確認されて執行可能な程度に上昇された存在型態とみ、本訴の訴訟物をもつて債務名義に表示された給付請求権不存在確認であるとみるならば、大審院の昭和一四年三月二日民事連合部判決の理論の当然の適用として、本件判旨が導き出される筈である。すでに右の連合部判決は債権不存在確認訴訟で被告が勝訴した場合に時効中断を認める旨を判示しているからである。

【84】「請求ニ関スル異議ノ訴ハ債務者ノ異議権ヲ主張スル訴ナレハ、之ニ対スル判決ハ異議権ノ存否ヲ確定スルニ過キスシテ実体上ノ請求権ノ有無ヲ確定スルノ効力ナキコトハ所論ノ如キモ、右訴訟ニ於テ異議ノ原

因トシテ主張シタル所カ、債務名義ニ基ク債権ハ弁済ニヨリ消滅シタリト云フニ在リテ債権者ニ於テ弁済ノ事実ヲ否定シ債権ノ存在ヲ主張シテ原告ノ請求棄却ノ判決ヲ求メ債権者勝訴ノ判決確定シタルトキハ、仮令其ノ判決ノ効力カ右債権自体ノ存在ヲ確定スルモノニ非サルモ、債権ノ消滅ヲ理由トシテ債務名義ノ執行力ヲ排除シ得サルコト確定スルニ至ルカ故ニ、実質上債権存在確定ト同様ノ結果ヲ見ルニ至ルヘキヲ以テ、右異議ノ訴訟ニ於テ債権ノ存在ヲ主張スルコトヲ目シテ裁判所ノ権利行使ノ一態様ト為スハ、債権不存在確認訴訟ニ於ケル場合ト同様何等妨ケナキ所ニシテ、時効制度ノ立法ノ趣旨ニ徴スルモ亦右ノ如キ場合ハ、民法カ時効中断ノ事由トシテ規定シタル裁判上ノ請求ニ準スヘキモノト為スヲ相当トス。然ラハ原審カ上告人ノ確定判決ニ基ク債権ハ弁済ニ依リ消滅シタリト為シ提起シタル請求ニ関スル異議ノ訴ニ於テ被上告人ハ右弁済ノ事実ヲ否認シ債権ノ存在ヲ主張シテ請求棄却ノ判決ヲ求メタル結果勝訴ノ判決ヲ得タル事実ヲ確定シ、之ヲ以テ民法ニ所謂時効中断ノ事由タル裁判上ノ請求ニ該当スト論断シ、本件債権ノ消滅時効ノ中断ヲ認メタルハ正当ナリト謂フ可ク、右ト見解ヲ異ニスル所論ハ採用スルヲ得ス。」（大判昭一七・一・二八民集二一・三七）。

（一）　我妻・判民昭和一四年度一六事件。

（二）　川島・判民昭和一七年度四事件一四頁は正当にこれを指摘している。なおこの判決の批評は、村松・民商法一六巻一号二一頁、小田・新報五二巻七号一三七頁、河本・日本法学八巻七号四九頁。

二　請求異議の訴を提起しないことによる効果

債務名義に表示された請求権が時効によつて消滅したに拘らず、これに基いて強制執行が行われた場合において、債務者が請求異議の訴を提起して争うことをしない限り、債務者は債務を承認したことになるか。福岡高判昭二八・六・一（下級民集四・六・八〇五）は、右の場合、時効の利益を放棄したと同様の結果になるにしても、債務の承認という積極的な効果を導くことはできない旨を正当に判示している。

九　適用範囲

一　鉄道抵当権の実行と請求異議

大決昭一一・六・一二(民集一五・一〇三九)は、鉄道抵当権の実行に対して請求異議の訴を提起することができ、かつ停止命令を求め得ることを正当に判示している。(一)

【85】「現行制度上抵当権ノ実行ハ競売法ノ規定ニ依リテ之ヲ為ス。而シテ同法第三章以下ニハ民事訴訟法中強制競売ニ関スル多数ノ規定ヲ準用セリト雖独リ強制執行ノ一大基本タル所謂債務名義ハ競売法ニ何等ノ規定ナキヲ以テ、此ノ点ニ於テ抵当権ノ実行ヲ目シテ直チニ民事訴訟法所定ノ強制執行ト為スヲ得サルモノアリ。然ルニ鉄道抵当法第四〇条以下ニ於テハ抵当権ノ実行ヲ称シテ強制執行ト云ヘルノミナラス、債務名義サヘ之ヲ具ヘアルカ故ニ（同法第四一条）現行制度上鉄道抵当権ノミハ醇乎トシテ醇ナル民事訴訟法上ノ強制執行ニ属シ鉄道抵当法第三章ノ特別規定ニ牴触セサル限リ民事訴訟法第六編ノ規定ハ全部其ノ適用アリ同法第五四五条第五四七条ノ如キモ亦其ノ中ニ含マルルコト固ヨリ論ナシ。本件鉄道財団ニ対スル強制競売及強制管理ニ付債務者日山電気株式会社ノ提起シタル請求ニ関スル異議ノ訴ニ於テ主張セラルル異議ノ事情ハ法律上理由アリ且事実上ノ点ニモ疎明アリト認メテ当該強制執行ノ停止ヲ命シタルモノ之ヲ原決定ト為ス。此ノ決定ハ当事者双方ノ第一審及抗告審ニ於ケル総テノ主張及疎明方法ヲ斟酌シ以テ債務者主張ニ係ル当該事実ハ其ノ疎明十分ナリト判示シタル趣旨ニ外ナラス。所論ハ採用スルニ由ナシ。」(大決昭一一・六・一二 民集一五・一〇三九)。

(一)　菊井・判民昭和一一年度七〇事件（判民賛）。河本・民商法四巻六号一二三八頁。

二　仮処分命令と請求異議

大決大一三・四・二二(民集三・一四八)は、仮処分命令に対して請求異議の訴を提起し得ない旨を正当に判

示している。(一)

【86】「民訴法第七五六条ニ依リ仮処分命令其ノ他ノ手続ニ付準用セラルル同法第七四八条ニハ仮差押ノ執行ニ付テハ強制執行ニ関スル規定ヲ準用シアリト雖同法第五四五条ノ規定ハ仮処分命令ノ場合ニ準用セラレサルモノトス。何トナレハ仮処分命令ハ本案請求権ヲ確定シタルモノニ非サルノミナラス、本案請求権カ爾後ノ事情ニ因リ消滅シタル場合ニ付仮処分命令ニ準用セラレアル同法第七四七条ノ規定ノ設アルニ依リテ之ヲ観レハ、債務者ハ仮処分命令ニ対シテハ仮差押命令ニ対スルト同シク、請求ニ関スル異議ノ訴ヲ提起スル事ヲ得サルコトト為シタル法意ヲ窺知スルニ足レハナリ。而シテ同法第五四七条ノ規定ハ請求ニ関スル異議ノ訴ノ提起ヲ前提トスルモノナレハ、仮処分命令ニ対シ異議ノ申立アル場合ニ之ヲ準用スルコトヲ得サルノミナラス、仮処分手続ニ準用セラルル同法第七四四条第三項ニハ異議ノ申立ハ仮差押ノ執行ヲ停止セスト規定シアルニ依リテ之ヲ観レハ、抗告人カ本案請求ノ不当ナルコトヲ主張シテ仮処分命令ニ対シ異議ヲ申立テ以テ其ノ命令ノ執行停止命令ヲ求ムル本件申請ハ許スヘカラサルモノト謂ハサルヲ得ス」(大決大一三・四・二二民集三・一四八)(一)。

仮処分命令はたとえ判決でなされたときと雖も、本案請求権の存在を確定するものではないこと、及び爾後の事情の変更に対しては別個の攻撃の方法が認められることからみて、請求異議の訴を許すべきでないことは当然というべきである。

(一)　加藤・判民大正一三年度二九事件(判旨賛)、近藤・前掲三七頁。

右と同趣旨の下級審判例は多数見られる(東京控決大一〇・一・二九評論一〇・民訴五二、東京地決大一三・四・二四新聞二二五九・一八、東京地判昭三・九・二九新報一六四・二六)。五四五条は仮差押決定についても準用される旨を判示した下級審判決が一件あるが(仙台地判大一〇・九・二九評論一〇・民訴四三〇)、仮差押命令においては本案請求権が確定されるものではないことを看過している点において、解釈を誤つたものというべきである。

三　任意競売と請求異議

判例は任意競売において担保権がないという理由で不服を申立てる方法としては、当初は五四四条による異議を認めていたが（大決大二・六・一三民録一九・四三六）、次には、五四九条の第三者異議の訴を認め（大判大一一・四・二〇民集一・二一七）、これら大判昭六・一一・一八（民集一〇・一〇七二）に至って、五四四条のほか、五四五条の準用による訴を認め、これらの二本建を承認するようになった。

【87】「競売法ニ依ル競売ニ関シテハ同法ニ特別ノ規定ナキ限リ其ノ性質ノ許ス範囲ニ於テ民訴法強制執行ニ関スル規定ヲ準用スヘキモノナルヲ以テ、債務者ハ民訴法第五四五条ノ規定ニ則リ抵当権者カ競売ヲ実行スル権利ヲ有セサルコトヲ主張シテ競売法ニ依ル競売ノ排除ヲ訴求スルコトヲ妨ケサルモノトス。但シ抵当権不存在ヲ理由トシ民訴法第五四四条ノ準用ニ依ル異議ノ申立ヲ為シ得ルコトハ従来認メラルル処ナルヲ以テ、同法第五四五条ヲ準用シ本件ノ如ク異議ノ訴ヲ提起スルコトハ、或ハ重複スルヤノ観ナキニ非スト雖然ラス。何者彼ハ現在開始セラレタル当該手続ノ許スヘカラサルコトヲ主張シ其ノ手続ヲ取消スコトヲ目的トスルニ反シ此ハ抵当権ノ実行其ノモノノ許スヘカラサルコトヲ理由トシ、一般的ニ其ノ実行ヲ阻止スルコトヲ目的トシ両者ノ主旨トスルトコロ自ラ一ナラサルモノアレハナリ。」（大判昭六・一一・一八民集一〇・一〇七二）（一）。

債務名義の存在を前提としない任意競売においては、債務名義の執行力の排除は問題とならない筈であるから、請求異議の訴を認めることは認められないし、又、その必要もない（二）。むしろ実体権に関する訴を提起するか、又は目的物が責任を負担しないという立場から所有権を主張し五四九条の準用による第三者異議の訴を提起し、五四七条の停止をとることができるという見解のほうが妥当である（三）。雉本博士は五四五条（四）の準用説の立場を採られる。

最近の下級審判決は非準用説を採っている。長崎地判昭二九・二・一七（下級民集五・二・一八一）がすなわちこれである。任意競売には債務名義はないのであるから、請求異議の訴を認めることは、その性質に反するし、これを認めなくとも一般的に任意競売の実行を阻止することができるのであつて、実際上はほとんど不都合もないから、任意競売には請求異議の訴を準用できないものと判示しているのは正当というべきである。

（一）菊井・判民昭和六年度一一二事件（判旨反）、山田・民訴法判例研究一巻三〇一頁。
（二）菊井・前掲。なお中村・判例民事訴訟法研究一巻八一頁参照。
（三）岩松・競売法・現代法学全集三二巻四八六頁。
（四）雉本・判批録一巻一八八頁、三五八頁。なおこの点については近藤・前掲三五頁参照。

四　不動産引渡命令と請求異議

六八七条三項の不動産引渡命令に対する不服申立としていかなるものが認められるか、大決昭七・一〇・四（民集一一・一八九七）(一)は、引渡命令は、強制執行の方法に外ならないから、該命令に対して不服を申立てるには、まず五四四条の異議によるべきで、その却下の裁判に対してはじめて即時抗告を許す旨を判示した。引渡命令は執行手続における裁判ではないことを明かにしたもの(二)といつてよい。すでに大審院として先例もあつた（大決大一〇・九・一九民録二七・一五三七）(三)。しかるに近年に至り、下級審の判例ではあるが、任意競売について、請求異議の訴が認められるものとし、五四五条の訴は、競売法三二条二項、民訴法六八七条三項の不動産引渡命令に対し準用される旨を判示していることは（東京地判昭二八・六・二二下級民集四・六・九一三）、上記の大審院判例と異なるものとして注目に値する。

(一) 菊井・判民昭和七年度一四八事件。

(二) 近藤・前掲一四〇頁。

(三) 事件は任意競売に関するものであるが、引渡命令は六八七条三項によるものでなく、申立に基き競売終了の方法として債務者の占有を解きこれを競落人に引渡すべきことを執行吏に命じたものである、としていることを注意すべきである。近藤・前掲一四四頁参照。

五 私訴と請求異議

旧刑訴の下における私訴判決の執行は民訴法の規定に従うべきことは、旧刑訴法三二三条の定めていたところであるから、これについては五四五条の請求異議の訴が適用されることを判示した下級審の判例がある(東京地判大一〇・四・五評論一〇民訴一二四)。私訴は現行刑訴法で廃止されたが、右の判決は正当である。

六 訴訟費用確定決定と請求異議

大審院は大決大六・五・四(民録二三・七二六)及びこれを引用して同趣旨を踏襲した大決昭一〇・三・二六(民集一四・(一)一二一)において、訴訟費用確定の手続は訴訟費用償還義務の存否を判断するものでなく、唯訴訟費用額そのものを確定する裁判であるとみている。従って同決定に対しては、その決定前の事由(弁済免除等)を主張して五四五条による請求異議の訴を提起することができるものと正当に判示している。この場合は訴訟費用額確定決定は訴訟費用の負担を命ずる裁判と共に二者相合して債務名義となるものである。大決昭一三・一一・一七(民集一七・二二二七)も同じ立場に立ち、訴訟費用額確定決定前の訴訟費用請求権の譲渡は請求異議の訴の理由となるものと判示している。訴訟費用額確定手続はあくまでも判決手続の補充手続であるから、費用賠償請求権の存否や帰属の問題はこの手続では審査できないのである。従ってこれらの事由は請求異議の訴の理由とされ得るわけであり、本件判旨は従来の判例理由を堅持しつつ、これを譲渡について明かにした点に意味が認められる。

【88】「訴訟費用額確定決定ハ本案判決ニ於テ訴訟費用ノ負担ヲ命セラレタル当事者ノ負担スヘキ費用額ヲ其ノ相手方タル当事者（又ハ其ノ承継人トシテ本案ノ判決ニ執行文ノ付与ヲ得タル者）ノ申立ニ因リ確定スル手続ニ過キスシテ申立人タル当事者カ決定当時現ニ訴訟費用賠償請求権ヲ有スルコトヲ確定スルモノニ非ス。従テ此ノ申立アルモ相手方ハ申立人ノ譲渡弁済其ノ他ノ事由ニ依リ現ニ訴訟費用賠償請求権ヲ有セサルコトヲ主張スルコトヲ得ス。斯ル事由ハ訴訟費用確定前ニ生シタルト否トヲ問ハス此ノ決定ニ因リ確定シタル請求ニ関スル異議ノ訴ヲ以テ主張スヘキモノトス」（大決昭・一三・一一・一七民集一七・二二二七）(二)。

（一）菊井・判民昭和一〇年度六七事件（判旨賛）、中野・民商法三巻一号九九頁、近藤・前掲三四頁、五五頁。但し本件判旨としては、消極的確認の訴を提起し得るとする点に意味があるものである（菊井・前掲参照）。

（二）菊井・判民昭和一三年度一三六事件（判旨賛）、中野・民商法九巻五号一〇三二頁（判旨賛）。

第三者異議の訴

小野木　常

はしがき

第三者異議の訴が実務の上で数多くの問題を提供していることは事新しく指摘するまでもあるまいが、理論の面から見ても、訴訟法実体法の交錯点として、きわめて重要な意味をもつ。この重要な論題について、中野貞一郎助教授の助力を得て、漸くその責を果たすことができたのは、何よりの喜びである。総合判例研究というに値いするかどうか、これは、読者の判断を待つ他はないが、近藤完爾判事のすぐれた研究をも併せて読んでいただきたいと思う。

一　序説

強制執行の対象は、執行債務者に属する財産であるが、現実の問題として、その責任範囲に属しない財産が強制執行の対象とされる場合がある。かかる強制執行は、もちろん、許されないし、強制執行法もまた、強制執行の開始に際して、その対象たる財産が執行債務者の責任範囲に属するか否かの審査を要求している。しかし、強制執行を簡易迅速に実施する必要上、かかる審査は、単に、有体動産については、執行債務者の所持(民訴五六六I)、債権その他の財産権については、これらの権利が執行債務者に属する旨の執行債権者の主張(民訴五九六I)、不動産および船舶については、登記その他の証明書(民訴六四三I1・2・七〇六・七二〇I1)があれば足りるものとせられ、一応、この審査を経た以上、強制執行の実施を妨げない。強制執行の不許を主張する第三者は、みずから、積極的に、執行手続とは別個に、異議の訴を提起し、その勝訴判決を受け、かつ、これを執行機関に提出することによつて始めて、その強制執行を排除することができるにすぎない。これがために認められるものを個別執行については、第三者異議の訴(民訴五四九)とし、破産執行における取戻権(破八七)に対応する。ここにいう第三者は、執行当事者またはその承継人以外の者をいい、その意味で、第三者異議の訴を、あるいは、執行参加の訴とも呼ぶ。ちなみに、執行債務者の責任範囲に属し従つて強制執行の対象たる財産ではあるが、その財産につき第三者が物上の担保権を有する場合には、第三者は、これに対する差押を妨げ得ない反面、その強制執行につき、その優先順位ある担保権に基き、これに参加して、優先弁済を主張することができ、これがために認められるものを、個別執行については、優先弁済の訴(民訴五六五)といい、破産執行における別除権(被九二)と対応するが、優先弁済の訴は、執行債権者を、その満足につき、強制執行から排除する点において、第三者異議の訴とその性質を同じくし、従つて、これを減縮せられた第三者異議の訴とも呼ぶ。

第三者異議の訴は、強制執行の対象たる財産が執行債務者の責任範囲に属しないことを主張するのであるから、金銭執行について、多く、その適用を見、実際は、不当にこれを免れるために、しばしば、濫用せられるが、必ずしも、金銭執行に限らず、特定執行についてもまた、適用せられる。判決を債務名義とする場合(民訴五四九)たると、判決以外の債務名義による場合(民訴五六〇)たるとを問わない。仮差押の執行または仮処分の執行については、もちろん(大判大五・九・一五民録二二・一七八六、大決大一〇・二・三民録二七・二九三参照)、競売法による競売手続についても、第三者異議の訴が認められることは、つぎの判例の示すとおりである。

【1】「競売法ニ依ル競売ニ関シテハ同法ニ特別ノ規定ナキ限リ其ノ性質ノ許ス範囲ニ於テ民事訴訟法強制執行ニ関スル規定ヲ準用スヘキモノトス而シテ第三者カ競売法ニ依ル競売ノ目的物ニ付所有権ヲ有スルトキハ之ヲ主張シテ競売ノ廃除ヲ求ムル訴ヲ提起シ得ヘキコトハ競売法第一九条ニ第三者カ競売ノ目的物ニ付訴ヲ提起スル場合ヲ規定シ而モ訴提起ニ就テハ同法中何等制限ノ看ルヘキモノナキニ徴スルモ明瞭ニシテ今之ヲ第三者カ民事訴訟法第五百四十九条ニ依リ強制執行ノ目的物ニ付所有権ヲ主張シテ訴ヲ以テ異議ヲ主張スル場合ニ対照シテ考フルニ二者何レモ実体法上ノ権利ヲ主張シテ競売又ハ強制執行ノ効果ヲ排除スルヲ目的トシ其ノ性質上相容レサルモノニ非サルカ故ニ競売ノ目的物ニ付第三者カ所有権ヲ主張シ競売ヲ廃除スル訴ヲ提起スルコトヲ得ヘキモノト解スヘキモノトス」(大判大一一・四・二〇民集一・二一七)。

右の判例では、競売法第一九条にいわゆる、競売の目的物に関して提起せられた第三者の訴は、必ずしも第三者異議の訴に限らぬとする(同旨、岩松・競売法一〇六頁)ようにとれるが、たとえば、単に、所有権存在確認の訴提起の証明のみに基いて執行吏が動産の競売手続を停止しなければならないものと解することは、妥当でない。むしろ、競売法第一九条は、単に、動産の競売手続における第三者異議の訴の提起に基因する手続の停止および取消に関する特則を規定したにとどまるものと解するのが正当である（小野木・競売法六〇頁、小野木・法学論叢四〇巻三四二頁以下参照）。

二　当事者

一　原告適格

第三者異議の訴を提起し得る者は、強制執行の目的物につき、所有権そのほか目的物の譲渡または引渡を妨げる権利を有する第三者に限る（民訴五四九Ⅰ）。執行債務者が相続の限定承認をした場合には、相続債権者のなす強制執行の対象は、相続財産に限られるから、固有財産については、執行債務者は、第三者たる地位に立ち、従つて、かかる相続人は、固有財産に対する相続債権者の強制執行につき、第三者異議の訴を提起して、その不許を求めることができる。もつとも、その債務名義の形成過程において限定承認の事実が看過せられたため、無留保の給付判決があつた場合には、その執行力は、相続人の固有財産に及ぶから（大判昭七・六・二民集一一・一〇九九参照）、第三者異議の訴によることはできない。判例（大判昭一五・九・二三民集一一〇・一一）は、債権者が悪意でかかる無留保の給付判決を得て債務者の固有財産に執行した場合の救済として、債務者に請求異議の訴を認めるが、既判力の時間的範囲（民訴五四五Ⅱ）の点で、その当否は甚だ疑問である。

強制執行の目的物につき譲渡または引渡を妨げる権利を有する第三者が異議の訴を提起しない場合には、その第三者に対する債権者が、債権者代位権に基き、これを提起することができる(判例【2】)。目的物につき、第三者の債権者が先取特権を有する場合でも、同様である(判例【3】)。第三者異議の訴に限らず、一般的に、実体法上の利益を主張する形式としてなされる訴訟法上の権利行使は、債権者代位制度の趣旨から見て、当然、代位の目的となり得るものと解すべく、ただ、訴訟開始後において、その訴訟を遂行するための訴訟手続上の個々の権利の行使は、その手続の主体のみに限られるのであって、代位の目的とならないことを注意すれば足りる。

【2】 原審が、第三者異議の訴の訴訟物は、訴訟法上の異議権であり、訴訟法上の権利行使者の適格は訴訟法の規定により限定されるもので、第三者の異議権の行使の代行を認めた規定がないからという理由で否定的見解を採ったのに対し、大審院は、「此ノ訴ニ於テ原告タルヘキ者ハ強制執行手続ニ於ケル第三者ニシテ而モ実体法上ノ権利ヲ主張スルモノナリ故ニ苟モ同条所定ノ実体法上ノ権利ヲ主張スル者ハ何人タルヲ問ハス他人間ノ強制執行ニ参加シテ右異議ノ訴ヲ提起シ得ヘク民事訴訟法上其ノ他ニ何等ノ資格ヲ必要トセス果シテ然ラハ強制執行ノ目的物ニ付前記ノ実体法上ノ権利ヲ有スル第三者カ該権利ヲ主張シテ異議ノ訴ヲ為ササルニ於テ其ノ者ニ対スル債権者ハ民法第四百二十三条ニ依リ自己ノ債権ヲ保全スル為其ノ債務者ニ属スル該実体法上ノ権利ヲ主張シテ右異議ノ訴ヲ提起スルノ権利ヲ有スルモノト謂ハサル可ラス」とした(大判昭七・七・二二民集一一・六二九。評釈、兼子・判民昭和一一年度一二八事件、山田・民訴判例研究I三五五頁)。

【3】 代金債権につき動産売買の先取特権(民三二二)を有する甲が、買主乙よりその動産を賃借した丙に対する債権者丁の差押につき、乙に代位して第三者異議の訴を提起した事件において、「乙において、その所有権に基いて右差押に対し、第三者異議の訴を提起すれば格別その提起のないこと当事者間に争のない本件において

は、右差押手続が続行せられ、本件物件が競売により第三者たる競落人に取得せられるに及べば、該物件が動産たる関係上、その上に存する甲の先取特権は消滅し、しかも甲において、その売得金について、先取特権に基く優先弁済の請求をする方途もなく、ここに、甲の代金債権は、本件物件より得られるべき優先弁済権を失い、その満足を受け得る確実性は、それだけ減殺されるものと言うべきを以て、これを防ぐため、甲において、先取特権自体に基き、直接第三者異議の訴を提起し得る余地あるの点は、しばらくおき、甲の代金債権保全の必要性に依拠して、その債務者たる乙に代位し、乙に対する所有権を主張して、第三者異議の訴を提起し、これによつて先取特権を保存し、以て右代金債権の優先弁済権を確保し得るものと解するを相当とする。」とした（大阪高判昭二八・七・一七民集六・五一〇）。

なお、信託財産については、信託前に生じた権利または信託事務の処理につき生じた権利を執行力ある請求権とする場合を除き、信託財産に対する強制執行に対しては、一般的に、委託者、その相続人、受益者および受託者は、第三者異議の訴を提起することができる（信託法一六）。

二　被告適格

第三者異議の訴の被告たる適格を有する者は、当の強制執行を追行する執行債権者である（民訴五四九Ⅰ）。執行債権者の承継人は、自己のために承継執行文の付与（民訴五一九Ⅰ本）を受けた場合に限つて、被告たる適格を有する。執行債権者の複数の場合には、場合を区別して考えなければならない。すなわち、数人の執行債権者がそれぞれ別個の債務名義に基いて強制執行を追行する場合には、これを被告とする第三者異議の訴は、通常の共同訴訟にほかならないが、数人の共同債権者が執行債権者として同一の債務名義に基き強制執行を追行する場合には、被告の側における必要的共同訴訟が存する。なお、破産執行の対象たる破産財団に属する財産に対する個別執行は、禁止されるが(破一六・七〇I本・III)、破産宣告前、すでに、後日の破産債権者が執行債権者としてかかる財産に対して個別執行を追行する場合には、破産管財人は、破産財団のために、この個別執行を続行することができるから(破七〇I但・III)、かかる場合における第三者異議の訴は、破産管財人をその被告としなければならない。

執行債務者が第三者の異議を正当なものと認めない場合においては、かかる執行債務者に対してもまた、これを主張すべく(民訴五四九I)、この場合における第三者異議の訴は、執行債権者および執行債務者の両者を共同被告とする。かかる場合において、執行債務者に対する請求の内容、従つて、必要的共同訴訟の成否に関し、疑問を生ずるが、第三者異議の訴は、執行処分の不許の宣言を目的とするにとどまり、本来、執行債務者は、これに関して、直接、なんらの利害関係をも有しないから、かかる共同訴訟を認める民事訴訟法五四九条二項は、同法五九条以下の例外として、とくに、執行債権者を被告とする訴訟法上の確認の訴である第三者異議の訴と執行債務者を被告とする私法上の確認または給付の訴との併合を許容することを、その趣旨とし、従つて、執行債権者および執行債務者の両者を共同被告とする場合にあつても、単に、通常の共同訴訟が存するにすぎないと解すべきである。判例も、執行債務者に対する請求が私法上の権利または法律関係の確認または給付を目的とすることを認め(判例【4】【5】【6】【7】)、必要的共同訴訟の成立を否定する(判例【6】)。

【4】　執行債務者をも共同被告とする第三者異議の訴は、所有権の存在を認めさせることを目的とする積極的確認訴訟を包含するものと推定せられ、実質上、強制執行の異議と所有権の確認と二個の訴訟を包含したも

のと認められる、とし、執行の目的物に対し自己の所有権を主張する者が第三者異議訴訟の原被告を相手方として主参加の訴(旧民訴五一、現行民訴六〇)を提起することを適法と認めた(大判明三四・一〇・七民録七・九・二三)。

【5】　第三者異議の訴は、「強制執行ノ排除ヲ目的トスル特種ノ訴ナルカ故ニ債権者ニ対スル関係ニ於テハ普通訴訟ノ如ク実体法上ノ権利ノ実行ヲ目的トスルニ非サルハ勿論ナルモ」「債務者カ第三者ノ異議ヲ正当トセス即チ債務者ヲ共同被告ト為スヘキトキハ債務者カ目的物ニ関シ第三者ノ所有権其他ノ権利ヲ認メス之ヲ争フモノナリ随テ債務者ニ対スル関係ニ於テハ主トシテ実体法ノ実行ヲ目的トスル訴ナリトス」、従って、第三者異議訴訟の進行中に、執行債権者が強制執行を解除した場合でも、第三者は執行債務者に対する請求の部分を持続することを妨げない、とした(大判明四〇・六・五民録一三・六三七)。

【6】　第三者異議の訴において、執行債務者をも共同被告としながら執行不許の宣言のみを申し立てた事案につき、右【5】と同一の理論を示した後、「第三者ハ債務者ニ対シテハ強制執行ノ目的物ノ所有権其他ノ権利カ自己ニ属スルコトヲ確定スル為メ権利確認ノ請求ヲ為スヲ要スヘシト雖モ元来執行参加ノ訴ニ於テハ執行ニ対スル第三者ノ異議ノ基本タル権利関係ノ存否ヲ判断スルコトヲ要スルモノナルヲ以テ第三者カ特ニ債務者ニ対スル基本権確認ノ請求ヲ表明セサルモ其趣旨ハ当然執行不許ノ消極的異議ノ訴ニ包含セラルルモノト推定セサルヘカラス」とし、さらに、必要的共同訴訟の成否に言及し、「第三者カ其異議ヲ正当トセサル債務者ヲ共同被告ト為ス場合ト雖モ其訴訟ハ権利関係カ共同被告ニ対シ常ニ合一ニノミ確定スヘキ必要的共同訴訟ナリト為スヲ得ス第三者カ本件ノ如ク強制執行ノ債権者債務者ニ対シ其執行ノ目的物ニ付キ所有権ヲ主張シ之ヲ以テ異議ノ原因トナス場合ニ於テハ債権者ニ対スル請求ハ執行手続ノ違法ヲ理由トシ其排除ヲ目的トスル訴訟法上ノ請求タルヘク債務者ニ対スル請求ハ所有権ヲ原因トスル実体法上ノ請求ニシテ確認又ハ給付ヲ目的トスル訴ニ外ナラサレハ彼是目的原因ヲ異ニシ当然民事訴訟法第五十条ニ所謂必要的共同訴訟ノ性質ヲ具有スルモノト為シ難シ民事訴訟法第五百四十九条第一項が異議ヲ正当トセサル債務者ニ対シテモ共同訴訟トシテ異議ヲ主張スヘキモノト為シタルハ同時ニ審理判決ヲ為ス便宜ニ出テタルモノニ外ナラスシテ常ニ権利関係カ必要上債権

者債務者ニ対シ合一ニノミ確定スヘキ共同訴訟ト為ス趣旨ニ非ス」と判示した(大判大八・一〇・八民録二五・二二五〇)。(もっとも、この判例は、場合によって、必要的共同訴訟となる場合もあり得るとし、第三者の主張する実体権の存否が、論理法則上、執行債権者、執行債務者につき同一に認定されるべき場合は、必要的共同訴訟であるが、本件では、執行債務者に対する関係において第三者に所有権ありとしても、登記の欠缺に基き執行債権者に対抗できないならば、執行債権者に対する関係では、強制執行を適法とすることを妨げないから、必要的共同訴訟にならない。要は、事案の具体的内容によって決すべきである、としている。共同訴訟人の全員につき合一にのみ確定すべき場合(民訴六二I)とは、同一権利関係に関する認定が単に論理上区区たり得ない場合を包含しないことは、通説の認めるところであって、判旨の見解は、右の部分においては、誤りといわなければならない。)

【7】 前掲判例【6】と同一の事案につき、「第三者カ強制執行ニ対シ其ノ目的物ノ所有権ニ基キ訴ヲ以テ異議ヲ主張スルニ当リ債務者モ其ノ異議ヲ正当トセサルニ因リ債権者及債務者ヲ共同訴訟トシテ其ノ異議ヲ主張スル場合ニ在リテハ其異議ノ主張ハ即債務者トノ関係ニ於テハ実質上所有権ノ確認ヲ求ムルモノニ外ナラサルモノト解スルヲ相当トス」とし、原審が、示談による差押の解放後、請求の趣旨の変更がないのになした確認判決を適法と認めた(大判昭一三・三・二六民集一七・五〇九。評釈、兼子・判民昭和一三年度三一事件)。

三 異議の原因

第三者異議の訴を提起し得るためには、第三者は、強制執行の目的物につき、所有権、そのほか、目的物の譲渡または引渡を妨げる権利を有することを必要とするが(民訴五四九I)、第三者異議の訴は、執行処分の不許の宣言を目的とし、第三者のかかる権利の存在確認を目的としないから、ここにいう譲渡または引渡を妨げる権利は、第三者異議の訴における異議の原因たるにとどまる。異議の原因は、一般的には、当該執行処分によつて自己の権利圏内に干渉を受け、従つて、かかる干渉を排除することができる第三者の地位を意味するものと解すべきである。従つて、いわゆる譲渡または引渡を妨げる権利は、必ずしも、物件に限らず、債権その他の財産権の権利主体たる地位のほか、物の移転を目的とする人的請求権を除き、物の引渡を目的とする人的請求権もまた、譲渡または引渡を妨げる権利となるが、第三者のかかる地位は、これを以て執行債権者に対抗できるものであることを必要とする。いかなる権利または地位を以て異議原因たり得るものとするかについては、若干の問題がある。

一 物権

物権が譲渡または引渡を妨げる権利たり得ることは、もちろんであつて、所有権、従つて、共有権がこれに当ることは、強制執行法の例示するところである(民訴五四九I)。執行債務者の所有物として差し押えられた物につき、第三者が自己の所有権を主張するために、対抗要件の具備を必要とすることは、いうまでもないが、この点について、次の三つの判例を注意しなければならない。

【8】 甲が丙の先代から不動産を取得し、所有権移転登記を経由したが、登記簿焼失後、登記回復の手続を怠り、その不動産が未登記の状態になつている間に、これに対し、乙が丙に対する債権に基き、仮差押を執行したので、甲より第三者異議の訴を提起した。大審院は、甲勝訴の原判決を支持し、つぎのようにいう。「本件不動産ハ債務者丙ノ所有ニ属セサルコト明白ナレハ本件ノ仮差押ハ之ヲ許スヘキモノニ非ス又甲ハ本件ノ不動産ニ付キ実体上所有権ヲ有スルヲ以テ本訴ヲ提起スルノ利益ヲ有スルコト明白ナリ甲カ本件ノ不動産ニ付キ有スル所有権ハ適法ノ期間内ニ回復登記ヲ為ササリシカ為メニ未登記ノ所有権ト為リ乙ニ之ヲ対抗スルコトヲ得サルモノナルヤ否ヤハ所有権ニ基ク民法上ノ訴ニ在リテハ之ヲ判断スルノ必要アリト雖債務者ニ属セサル財

産ニ対シ実施セラレタル強制執行ノ許スヘカラサル旨ノ宣言ヲ求ムル本訴ニ在リテハ之ヲ判断スルノ必要ナキコト言ヲ俟タス（大判大六・三・二〇民録二三・五〇二）。（第三者異議の訴においても、「民法上ノ訴」と同じく、異議原因たる所有権の対抗力の有無を判断すべく、本件において、乙は、甲の登記欠缺を主張する正当の利益を有するから、判旨が、対抗力の存否につき判断を要せずとするのは、正当でなく、ただ、本件では、甲がすでに所有権移転登記を経ている故に、問題がないだけに過ぎないことを注意する必要がある。）

【9】　差押の目的となつた「立稲竝束稲ハ甲カ其ノ所有権ニ基キ本件土地ヲ耕作シテ得タルモノニシテ恰モ田地ノ所有者ヨリ適法ニ之ヲ賃借シタル者カ賃貸借ノ登記ナキモ其ノ田地ヲ耕作シテ得タル立稲竝束稲ノ所有権ヲ以テ第三者ニ対抗シ得ルト同様甲カ本件土地ノ所有権移転登記ヲ受ケサルモ本件ノ立稲竝束稲ノ所有権ヲ以テ訴外丙ニ対スル債務名義ニ基キ該物件ノ差押ヲ為シタル乙ニ対抗シ得ルモノナルコト言ヲ俟タサル所ナルカ故ニ本件差押当時未タ甲ノ為本件土地ノ所有権移転登記ナキノ故ヲ以テ右ノ対抗力ヲ争フ所論ハ理由」がない、とした（大判昭和一七・二・二四民集二一・一五一。評釈、末川・民商一六巻二号六五頁、川島・判民昭和一七年度一一事件）。

【10】　家屋につき、債務者の占有を解き執行吏をして保管せしめ、現状不変更を条件として債務者の使用を許す旨の仮処分があつたが、その執行に当つては、執行吏が公示書を宅内壁に貼布したにとどまり、登記簿には、なんらの記入がなかつた。仮処分後にその家屋につき所有権を取得した第三者が第三者異議の訴を提起。「強制執行又は仮差押に対する第三者異議の原因たる権利が特別の規定のない限り執行当時既に第三者に帰属しかつ執行債権者に対する優先的地位を対抗しうるものでなければならないことは、いわゆる差押の効力即ちこれにより債務者は差押の対象に関する処分権を失うことのためであつて、仮処分にあつては必ずしもそうでなく、仮処分債権者がその仮処分を以て第三者に対抗しうる場合、たとえば、不動産の譲渡又は抵当権の設定を禁じた仮処分において登記簿にその禁止を記入したような場合には、その後において第三者が仮処分の目的物につき所有権その他目的物の譲渡もしくは引渡を妨げる権利を取得したからといつて、これを原因として右仮処分に対し異議を主張することはできないけれども、もしその仮処分を以て第三者に対抗しえない場合に

は、たとえ第三者がその執行後において目的物の所有権を取得したとしても、その取得を以て仮処分債権者に対抗しうるときは、これを原因として異議を主張しうるものと解するを相当とする。これ仮処分の執行から善意の第三者を保護せんとする趣旨に出たものであつて、このことは、いわゆる善意取得について規定した民事訴訟法第六百五十条第一項の趣旨からもうかがわれるところである。」(東京高決昭二七・一一・一五二四民集五)。

物の占有・使用を内容とする地上権、永小作権、質権、留置権も、譲渡または引渡を妨げる権利として、これを侵害する執行につき、第三者の異議原因となることができる。もつとも、不動産の強制競売は、民訴六八七条二項・三項による引渡命令の執行がある場合を除き、原則として、これらの権利に基く占有・使用を妨げないから、異議原因とならないが、強制管理は、目的物の占有・収益を内容とするから、これらの権利に基いて異議を主張し得る(民訴七一三)。不動産質権につき、つぎの判例がある。

【11】　強制管理の対象たる不動産につき質権を有する第三者が、強制管理開始決定に対して即時抗告をなした事件において、大審院は、抗告を棄却した原決定を正当とし、第三者の不動産質権は、強制管理に対する第三者異議の原因とはなり得るが、第三者に開始決定に対する即時抗告を許した規定はない、とした(大決明三八・五・一八民録一一・七三一)。

これに反し、先取特権、抵当権は、目的物を換価した代金から優先的に弁済を受ける権利たるにとどまり、強制執行によるその物の換価や引渡を妨げる利益を有しないから、かかる権利は、第三者の異議原因とならないのを原則とする(判例【12】)。しかし、一体として担保価値を有する目的物の一部のみに対する強制執行は、抵当権または先取特権についても、その担保価値を毀損するから、かかる場合には、これらの権利も、例外として、第三者の異議原因となることを認めなければならない(判例【13】)。

【12】　一定の時期に収去すべき旨を約した建物につき、事後、第三者のために抵当権を設定。右の抵当権に

基く競売開始決定後、建物収去の強制執行のため、授権決定がなされたので、抵当権者は、抵当権を害されることを主張して、授権決定につき、執行方法の異議を申し立てた。大審院は、設定当時、すでに一定の時期に収去すべき物権的運命に在つた建物の上の抵当権は、その運命の下に成立するに過ぎず、建物収去の強制執行を阻止するなんらの力を有しない、とするとともに、かかる事由は、第三者異議の訴を以て主張すべく、執行方法の異議事由とならないと説示した(大決昭二・八・六民集六・四九〇評釈、我妻・判民昭和二年度七五事件)。

【13】　工場抵当権の及ぶ工場備附の機械その他の物件に対する差押につき、工場抵当権者より第三者異議の訴を提起。原審は、抵当権者は優先弁済を主張し得るにとどまり、差押を妨げることができない、として、抵当権者を敗訴せしめたが、大審院は、上告を認めて、破棄差戻した。「按スルニ工場抵当法第二条ニ依レハ工場ニ属スル建物ノ上ニ設定シタル抵当権ハ其ノ建物ニ備附ケタル機械器具其ノ他工場ノ用ニ供スル物ニ及フモノナレハ工場建物ヲ目的トスル抵当権ヲ有スル者ハ之ニ備附ケタル機械器具其ノ他工場用ノ物ニ付テモ抵当権ヲ有スルモノトス而シテ此等ノ物ハ建物ト共ニスルニ非サレハ差押仮差押又ハ仮処分ノ目的ト為スコトヲ得サルコト同法第七条第二項ノ規定ニ依リ明ナレハ他ノ普通債権者カ債務名義ニ基キ如上ノ物件ノミニ対シ動産ノ強制執行トシテ差押ヲ為シタルトキハ其ノ違法ナルコト論ヲ俟タサレトモ此ノ違法ナル差押ヲ為シ遂ニ競売手続ニ及フトキハ該物件ハ競落人ニ競落シ建物ヨリ分離セラレテ工場建物ニ対スル抵当権者カ該物件ニ対スル抵当権ヲ喪失スルニ至ルコトアルヘキノミナラス該物件ノ売却代金ハ建物ト共ニ売却シタル場合ニ比シ低廉ナルコト少カラスシテ抵当権者ニ不利益ヲ来スヲ以テ該工場建物ノ抵当権者ハ民事訴訟法第五百四十九条ニ所謂目的物ノ譲渡若ハ引渡ヲ妨クル権利ヲ有スルモノト解スルヲ相当トス故ニ工場建物ノ抵当権者ハ之ニ備附ケラレタル物件カ動産ニ対スル強制執行トシテ差押ヘラレタル場合ニ於テハ其ノ売得金ヨリ優先弁済ヲ受クルノミヲ以テ満足スヘキニ非スシテ民事訴訟法第五百四十四条ニ依ル異議ノ申立ヲ為シ得ルト同時ニ同法第五百四十九条ニ依ル異議ノ訴ヲ提起スルコトヲ得ルモノト謂ハサルヘカラス(大判昭六・三・二三民集一〇・一一六。評釈、我妻・判民昭和六年度一五事件、山田・民訴判例研究I二三一頁)。

債権またはその他の財産権の権利主体たる地位もまた、所有権におけると同一に解すべく、権利の共有または合有も、譲渡または引渡を妨げる権利に該当することは、いうまでもない。権利質の質権者は、その権利の差押命令によつては侵害を受けないが、取立命令、転付命令に対しては、自己の取立権(民三六七Ⅰ)を害せられる限り、異議を主張することができる。なお、信託法による信託的法律関係に関しては、委託者の債権者を執行債権者とすると受託者の債権者を執行債権者とするとを問わず、信託財産に対する強制執行につき、原則として委託者、受益者および受託者たる地位は、譲渡または引渡を妨げる権利に該当することを注意しなければならない(信託法一六条)。

問題となるのは、いわゆる譲渡担保権である。譲渡担保権は、主として有体動産以外に担保物を有しない商人の経済上の需要を充たすために、信託的に、その経済上の需要以上に出る法律上の形式を借りて設定せられ、判例法上、その有効性を認められる担保権である。譲渡担保権には、種種の形態が区別せられるが、売渡抵当、すなわち、具体的に例示すれば、金融を求める商人(譲渡担保権設定者)が商品を担保として債権者(譲渡担保権者)から金融を受け、担保権設定のために法律上形式的に商品を債権者に譲渡すると同時に債権者からこれを借り受け、占有改定により外部的には依然として商品の占有権を保有するが、計算関係においては、商品の代金は同時に借金であり、商品の借賃は同時に借金の利息という関係に立つのを普通とする。売渡抵当の場合につき、譲渡担保権者たる債権者が担保物たる商品に対して他の債権者から強制執行を受けた場合に、譲渡担保権設定者たる商人は、いかなる救済を求め得るか、さらに、商人が担保物たる商品に対して他の債権者から強制執行を受けた場合に、譲渡担保権者たる債権者は、いかなる救済を認められるか、これが問題である。民法学者は、多く、反対の見解を採るが、前の場合、すなわち、譲渡担保権者が強制執行を受ける場合には、譲渡担保権設定者は、第三者異議の訴を提起して、担保物に対する強制執行の排除を求め得るものと解する。反対に解するならば、担保物は、依然として、担保権設定者の占有に属するから、これを信用する一般第三者の期待を裏切り、不当に一般取引を害する結果を免れない。後の場合、すなわち、譲渡担保権設定者が強制執行を受ける場合には、譲渡担保権者は、優先弁済の訴を提起して、担保物の売得金につき、その優先弁済を確保すべく、第三者異議の訴を提起することはできないものと解する。法律上、形式的には、担保権者が担保物の所有権を有するが、これを理由として第三者異議の訴を認めることは、必要以上に担保権者を保護し、担保物の占有を信頼する一般第三者に不測の損害を及ぼすからである（拙稿「譲渡担保と差押」法学論叢三六巻六号一一四四頁以下参照。なお、村松・民事裁判の諸問題一五〇頁以下参照）。後の場合につき、つぎの下級審判例が同旨の見解を示している。

【14】「本件物件ノ所有権カ原告（註―担保権者）ニ属スト謂フモ此ハ専ラ原告カ右訴外者（註―債務者）ニ貸付ケタル金員ノ弁済担保ノ為即右弁済ヲ得サルトキ該弁済ニ充当シ得ル金員ヲ得ンカ為之ヲ換価シ得ルノミト謂フニ外ナラス即所有権ノ全権能ヲ発揮シ得ルモノニアラスシテ所有権中ノ換価ノ目的ヲ達スヘキ範囲ニ於テノミノ権能ヲ有スルモノニ外ナラス然ラハ原告ハ所有権者ト謂フト雖正ニ民事訴訟法ニ謂フ所ノ差押物ニ付物上ノ担保権ヲ有スル第三者ニ異ラサルカ少クトモ之ニ準スヘキモノト謂ハサルヲ得ス斯ク解スレハトテ決シテ新タナル物権ヲ創設スルモノニアラス単ニ所有権ノ全権能中ノ一部ノミヲ行使シ得ルニ過キサル所有タルニ止マルモノナリ（例之夫ノ質権設定権ノ譲渡ノ可能ナルカ如シ）然ラハ原告ハ右差押ヲ妨ケ以テ該目的物ノ上ニ一般担保ヲ有スル他ノ債権者ヲ該目的物ノ換価金ニヨル弁済受領ヨリ排斥スルコトハ到底之ヲ為シ得サルモノト謂フノ外ナシ唯若シ原告ニ於テ其主張ノ譲渡ヲ第三者ニ対抗シ得ル要件（引渡）ヲ具有セハ該物件ノ換価金ニヨリ優先弁

ヲ受ケ得ル権利ハ毫モ妨ケラレサルヲ以テ之ニヨリ該担保ノ実ヲ挙クルハ格別右差押ノ排除ハ之ヲ求メ得サルモノト謂ハサルヘカラス」（東京区判昭一一・八・八新聞四一一三・七以下）。

二　占　有　権

占有権が、譲渡または引渡を妨げる権利、従つて、第三者の異議原因となるか否かは、疑問の存するところであるが、直接占有の侵害がある場合には、占有者たる第三者は、方法に関する異議（民訴五四四）を主張することができるから（民訴五六七・七三二参照）、間接占有に対する侵害がある場合を除き、一般的に、占有権は、譲渡または引渡を妨げる権利とならないものといわなければならない。あるいは間接占有を侵害せられる第三者は、つねに、本権を主張することを要するとの見解もあるが、間接占有者も、本権の推定を受け（民一八八）、必ずしも、本権を主張する必要はなく、かつ、自己の意思に反して占有を奪われた場合には、みずから占有訴権を有すると解せられるから、その異議を認めるのが正当である。もつとも不動産の強制競売の場合には、原則として、第三者が目的物を占有することを妨げないから、占有権を異議の原因となし得ないことは、もちろんである。判例は、間接占有者に対する侵害がある場合（判例【15】）のみならず、直接占有の侵害がある場合にも、占有権者は第三者異議の訴を提起しうるものとする（判例【16】【1715】）。強制執行の目的物につき、第三者が自己の占有権を主張する場合、同時に、民訴五六七条との関係において、執行方法の適否が争われることが多い。かかる場合には、第三者異議の訴と方法に関する異議との関係が問題となる。判例は、第三者の異議内容が、単に強制執行の目的物に対する占有名義を争う形を採り、従つて、執行債務者と誤認され若しくは提出を拒んだのに差押えられたことを主張しない場合につき、当初は、専ら、第三者異議の訴によるべく、方法に関する異議によることを許さないものとする態度を採ったが(判例【16】)、後に、両者の競合を認めている(判例【17】)。

【15】　執行債務者が直接占有している有体動産に対する差押に対し、所有者たる未成年の子の親権者が、未成年者の財産の管理者として有する間接占有を主張し、みずから、原告として、第三者異議の訴を提起した。原審は、親権者の占有には、自己のためにする意思がないから、占有権その他占有に伴う法律関係は、すべて未成年の子のみに帰属し、親権者は、自己の名において異議の訴を提起し得ない、として、これを敗訴せしめたが、大審院は、上告を容れ、つぎのように述べて、破棄差戻した。「民事訴訟法第五百四十九条ニ所謂物ノ引渡ヲ妨クル権利ニハ占有権ヲ包含スルモノト解スヘキモノトス」、「而シテ未成年ノ子ノ財産ヲ管理スル親権者カ其ノ子ノ所有物ヲ所持セル場合ニハ子ノ為ニスル意思ヲ以テスルト同時ニ又自己ノ為ニスル意思ヲ以テ之ヲ所持セルモノト認ムルヲ相当トスヘク従テ子ハ其ノ代理人タル親権者ニ依リテ占有権ヲ保有スルト同時ニ親権者自身モ亦占有権ヲ有スルモノト云ハサルヘカラス従テ親権者ノ所持セル子ノ所有物ニ付親権者自ラ原告トシテ其ノ有スル占有権ヲ主張シテ民事訴訟法第五百四十九条ニ依ル強制執行異議ノ訴ヲ提起シ得ヘキハ論ヲ俟タス」(大判昭六・三・三一民集一〇・一五〇。評釈、山田正三・民訴判例研究I二四三頁、戒能・判民昭和六年度一八事件)。

【16】　その占有物につき仮処分の執行を受けた第三者が、方法に関する異議を以て、目的物の占有名義を争ったのに対し、大審院は、第三者異議の訴によるべきものとした原審を支持し、つぎのようにいう。「第三者ノ異議ノ訴ハ均シク訴訟法上認メラレタル異議ノ権利ヲ行ヒ強制執行手続ノ不当ヲ主張スルモノナレトモ執行ノ目的物ニ対スル第三者ノ私法上ノ権利カ害セラレタルコトヲ理由トスルモノニシテ其異議ノ当否ニ付キ判断ヲ為スニ当リテハ自然私法上ノ権利ノ存否ニ及ハサルヲ得サルヲ以テ特ニ鄭重ナル審理手続ヲ規定シタルモノナリト解スルヲ相当トス故ニ第三者カ強制執行ノ目的物ニ対シ所有権其他物ノ譲渡若クハ引渡ヲ妨クル権利即チ私法上ノ権利ヲ主張シテ強制執行ヲ阻止シ其不法ヲ匡正セント欲セハ民事訴訟法第五百四十九条ニ定メタル手続ニ依ルヘキモノニシテ同法第五百四十四条所定ノ簡易ナル手続ニ依ルコトヲ得サルナリ而シテ占有権ハ物

権ノ一トシテ法律上保護セラレタル権利ニシテ債権者ハ第三者ノ占有スル物ヲ妄リニ差押フルコトヲ得サルヲ以テ民事訴訟法第五百四十九条ニ所謂物ノ引渡ヲ妨クル権利ニハ占有権ヲ包含スルモノト解スルヲ相当トス」(大決大一〇・二・三 民録二七・二九三)。

【17】 丙が甲会社に出資し使用させている倉庫に対し、乙は、丙を被申請人とし、丙の占有を解いて執行吏保管に付する旨の仮処分を得て、執行した。甲会社から、右倉庫の占有者は自己であつて丙でないことを理由として方法に関する異議を申し立てたが、原審は、【16】の判例に従い、かかる異議は、第三者異議の訴によるべきであるとして、甲会社の主張を斥けた。大審院は、上告を容れ、第三者異議の訴と方法に関する異議の双方を認めるべきものとし、原決定を取り消して差戻した。「金銭債権ノ執行ニ当リ第三者ノ占有セル一ノ動産ヲ債務者ノ所有ニ属ストシテ而モ第三者ノ意ニ反シテ差押タルトコロ(民事訴訟法第五百六十七条)料ラス物ハ第三者ノ所有ナリトセムカ執行方法ニ関スル異議(同法第五百四十四条)ト第三者異議ノ訴(同法第五百四十九条)ト其ノ孰ノ途ニ出ツルヤハ一ニ第三者ノ任意ナリ必ス後者ナラサル可カラステフ何等ノ理由アルコト無キハ毫モ疑ヲ容レサルトコロトナリ今本件仮処分命令(一ノ執行名義)ハ当該不動産ニ対スル丙ノ占有ヲ解キ執達吏ノ保管ニ移スコトヲ命スルモノナルカ故ニ果シテ甲主張ノ如ク其ノ占有者ハ甲ニシテ丙ナラサルニ拘ラス執達吏ニ於テ敢テ抗告人ノ占有ヲ解キ之ヲ其ノ手ニ保管シタル事実アリトセハ其ノ違法ノ執行行為タルヤ論ヲ俟タス何者斯カルハ則チ始メヨリ本件仮処分命令ノ内容トセサルトコロヲ実現シタルモノニ外ナラサレハナリ従ヒテ此執行ハ命令ノ内容ヲ実現スル手続(即チ執行方法)ソノモノトシテ業ニ已ニ瑕疵ヲ具有セリ其ノ他ニモ尚違法ノ廉アリヤ否ヤハ此ヲ問フマテモナク甲トシテ執行方法ニ関スル異議ヲ申立テ以テ右ノ執行行為ヲ排除スルヲ得ルハ多言ヲ要セス」。「玆ニ一ノ仮処分命令アリ其ノ内容ハ如実ニ実現セラレタルカ為メ執行ソノモノトシテハ毫末ノ過不及無キ場合ニ於テハ執行ノ違法テフコトハ又絶対ニ有リ得サルヤト云フニ爾ラス元来当該命令ハ当該債権者債務者間ニ於テノミ其ノ効力アルニ止マリ又其ノ以外ニ及ハサルカ故ニ苟モ其ノ執行ニ因リテ第三者ノ権利カ侵害セラレタル以上縦令命令ノ内容ヲ実現スル其ノ事自体ニハ些ノ欠点ナシトスルモ

是亦実ニ違法ノ執行タルヲ失ハス唯玆ニ違法トハ前ノ場合ニ比シ更ニ大局ノ見地ニ立チテ爾カ云フノ義タルヲ忘レサルヲ要ス而シテ違法ノ執行ナル以上之ヲ排除スルノ道無キヲ得サルハ則チ殆ント多言ヲ俟タサラムナリ」。「執行行為排除ノ理由ハ之ヲ何トカ為スヤト云ヘハ他ナシ命令ノ実現ハ命令自体ノ趣旨ニ副ハスト云フニ非スシテ其ノ第三者ノ権利ヲ侵害スル違法ノ執行ナリテフコトニ外ナラス而シテ此理由ノ下ニ当該執行行為ヲ排除スルニ付キ利益（所謂権利保護ノ利益）ヲ有スル者ハ何人ト雖起ツテ執行ノ不当ヲ鳴ラスヲ得ルモノ之ヲ所謂第三者異議ノ訴ト為ス是故ニ執行方法ニ関スル異議ト云フコトヲ広義ニ解スレハ右ノ訴モ亦此種異議ノ属類タリ唯其ノ異議ノ依ツテ以テ立ツトコロノ事由ニ於テ差異アルニ過キス夫レ仮処分命令カ其ノ内容通リ実現セラレタル場合ト雖尚且第三者ノ異議ノ訴ハ其ノ提起ノ余地ヲ存スルコト前叙ノ如シ況ンヤ其ノ其内ノ実現ソノモノトシテモ亦抑モ命令自体ノ内容ト齟齬セル場合ニ於テオヤ此場合右ノ訴ハ云フヲ俟タサルト共ニ執行方法ニ関スル異議亦之ヲ妨ケサルハ已ニ以上ノ判示ニ尽クセリ」。「本件事案ニシテ果シテ抗告人主張ノ如クンハ彼此孰ヲ択フモ幵ハ一ニ甲ノ自由ナルニ於テ必ス此ニ責ムルニ前者ヲ以テセムトスル原判決ハ誤見ニ庶幾シ」（大決昭一〇・三・二六民集一四・四九一。評釈、吉川・民商二巻二号一四二頁、有泉・判民昭和一〇年度三五事件）。

三　人的請求権

強制執行の目的物を執行債務者から取り戻し得る人的請求権を有する者が第三者異議の訴を提起し得るか否かについても、争の存するところであるが、これについては、場合を区別しなければならない。第三者異議の訴は、目的物に対する強制執行の不許の宣言を目的とするのであるから、執行債務者の財産に属しない物の引渡を目的とする第三者の人的請求権は、譲渡または引渡を妨げる権利となるものといわなければならない。破産法の一般の取戻権の規定（破八七）は、この場合をも包含する趣旨が明瞭である。もつとも、不動産の強制競売の場合には、第三者の占有を妨げないから、第三者が執行債務者に対して有する引渡請求権を異議原因となし得ないことは、いうまでもない。これに反し、執行債務者に属する物の移転を目的とする第三者の人的請求権は、譲渡または引渡を妨げる権利に該当しないものというべく、従って、供託者、寄託者、委任者または賃貸人のごときは、物の直接占有者を執行債務者とする強制執行に対しては、第三者異議の訴を提起することができるけれども、売買、交換、賃貸借または不当利得に基く請求権を原因としては、第三者異議の訴を提起する適格を欠くものと解すべきである。第三者と執行債務者間において、対内的に、所有権の移転や物権の設定があっても、引渡や登記等の対抗要件を具備しない間においては、右と異るところはない。

四　訴提起の時期

第三者異議の訴は、目的物に対する執行の開始後、その終了前に提起しなければならないのを原則とする。問題は、執行開始前または執行終了後の訴提起が許されるか否かである。

一　執行開始前

異議原因たる譲渡または引渡を妨げる権利は、強制執行の目的物につき存在することを必要とし、執行開始前においては、その目的物が執行を受けるか否かは確定しないから、第三者異議の訴を提起し得ないのを原則とすることは、いうまでもない。これに対し、特定物の引渡または明渡の請求についての執行においては、目的物は一定しているから、執行力ある正本の付与があれば、第三者異議の訴の提起を妨げないとする見解も、有力に主張されている。つぎの判例は、金銭執行において、有体物引渡請求権を差し押えた場合における補助執行（民訴六一四・六一五参照）につき、執行開始前における第三者異議の訴の提起を認めるが、必ずしも、右の見解に従う趣旨ではなく、有体物引渡請求権に対する執行においては、その引渡請求権のみならず引き渡されるべき有体物もまた間接に強制執行の目的物をなすと見ているようである。

【18】「動産ノ引渡ヲ目的トスル債権ニ対スル強制執行ハ民事訴訟法第六百十四条第五百九十八条第六百十五条等ニ依リ債権ノ差押命令ト同時ニ第三債務者ニ対シ該動産ヲ差押債権者ノ委任シタル執達吏ニ引渡スヘキコトヲ命シ之ヲ為スモノニシテ該命令ヲ第三債務者ニ送達スルニ因リテ差押ノ効力ヲ生スルモノナレハ其ノ目的物タル動産ニ付所有権又ハ其ノ引渡ヲ妨クル権利ヲ主張スル第三者ハ執達吏カ未タ第三債務者ヨリ該動産ノ引渡ヲ受ケサルトキト雖同法第五百四十九条ニ依リ強制執行ニ対スル異議ヲ主張シ差押ノ効力ヲ排除シ得ルモノト謂フヘシ何トナレハ執達吏カ第三債務者ヨリ右動産ノ引渡ヲ受ケタルトキハ執達吏ハ差押物ノ換価ニ関スル規定ヲ適用シ其ノ換価ヲ為スヘキヲ以テ第三者カ異議ヲ主張スルニ此ノ時期ヲ待ツノ必要毫モ存セサレハナリ」（大判大一三・七・七民集三・三四五。評釈、加藤・判民大正一三年度七二事件）。

二　執行終了後

第三者異議の訴は、強制執行の不許の宣言を目的とするから、当該強制執行の完結後においては、これを提起し得ないのが原則であり、訴提起当時存在した執行処分が、訴訟係属中に、失効しまたは取り消された場合には、第三者の異議は、当然、理由なきに帰する（判例【19】）。もっとも、第三者が、強制執行の終了後、訴の変更または新訴の提起により、不当利得または不法行為に基く請求権を主張し、不当執行に対する救済を求め得ることは、いうまでもない。

【19】 仮差押の執行につき第三者異議の訴が提起された後、仮差押債務者が仮差押命令記載の解放金額(民訴七四三)を供託したため、仮差押の執行が取り消された場合において(民訴七五四I)、「既ニ為サレタル執行ハ無条件ニ取消サレ爾後債権者ノ債権ハ此ノ執行トハ全然絶縁シ新ニ右ノ供託金額ニ依倚シテ其ノ将来ノ執行ヲ保全セラルルニ至ル」「従テ又一旦執行ノ取消アリタル以上執行ニ対スル異議ハ其ノ対象ヲ失フノ結果当然理由ナキニ帰シ其ノ本来ノ当否如何ノ如キ最早之ヲ審査スル何等ノ必要ヲモ観サルニ至ルモノトス」とした(大判大一五・七・七民集五・四三。評釈として、加藤・判民大正一五年度六九事件)。(なお、判決理由中、傍論としてではあるが、応急処分としての執行取消命令(民訴五四七II・五四八I・五四九IV)に基く執行取消の場合と比較し、かかる「執行取消命令ニ基キ其ノ所定ノ保証ヲ供託シタルトキハ既ニ為シタル執行其ノモノハ之ニ因リテ取消サルルモ異議ノ当否ハ尚之ヲ審査セサルヘカラス」とし、その理由として、「其之ヲ理由アリト認メテ執行不許ノ判決ヲ為シタルトキハ先ニ供託シタル保証ハ之ニ依リテ之ヲ取戻スヲ得ヘク要スルニ前記命令ノ場合ニ於テハ既ニ為サレタル執行ハ保証ノ形ノ下ニ尚存続ストモ云フヘキナリ」とする。)

しかし、強制執行の完結または終局的な取消の場合と異なり、異議の訴に基く応急処分や異議の訴を認容した第一審判決の仮執行によって執行処分が取り消されたに過ぎない場合には、その結果を維持すべきか否かは、判決の確定にまたなければならないから、異議の訴の当否については、これを度外視して判断しなければならない(判例【19】の傍論および判例【20】)。

【20】 乙より丙に対しその占有する自動車に仮差押の執行をしたが、甲は、自動車の所有権を主張して第三者異議の訴を提起した。第一審では、甲勝訴の仮執行宣言附判決があり、これに基き、執行の取消がなされた。控訴審では、右の仮執行宣言は担保の供与を条件としていないから、仮差押の解除により異議の目的物は消滅したとして、第一審判決を取り消したが、大審院は、上告を容れ、破棄差戻の判決をした。「第三者カ仮差押執行ノ目的物ニ付所有権ヲ主張シテ其ノ執行不許ヲ求ムル異議ノ訴ハ仮差押執行ノ目的物ニ所有権ノ帰属ヲ確

定シ之ニ対シ将来ニ於テモ差押ヲ禁止セントスルモノニ外ナラサレハ其ノ判決未確定ノ間ニ於テ仮差押執行ノ取消アリタリトスルモ尚其ノ異議ノ当否ニ付審理ヲ遂ケ判決ヲ為スヲ要スルモノトス」。「第一審裁判所カ原告ノ勝訴ノ判決ヲ為シ之ニ仮執行ノ宣言ヲ附シタル結果仮差押執行其ノモノカ取消サレタリトスルモ右判決ニ対シ被告ヨリ不服申立アリタル以上第二審裁判所ハ尚其ノ異議ノ当否ニ付審理判決ヲ為ササルヘカラス蓋仮差押執行ノ取消ニ依リ異議訴訟ノ目的物消滅シタリトノ理由ノ下ニ該訴訟ヲ終了セシムルニ於テハ更ニ仮差押ヲ繰返スニ至リ而モ異議ノ訴ハ竟ニ其ノ本来ノ目的ヲ達スルヲ得サレハナリ而シテ右ノ理由ハ仮執行ノ宣言ニ担保供与ノ条件ヲ附シアルト否トニ依リ差異アルコトナシ」(大判昭一二・五・一二民集一六・五七五。評釈、兼子・判民昭和一二年度四〇事件)。

五 訴訟手続

一 管轄

第三者異議の訴は、訴訟物の価額のいかんを問わず、執行裁判所たる地方裁判所の管轄に専属する(民訴五四九・Ⅲ五六三)。請求に関する異議の訴におけると異なり、これらの訴が具体的に個々の財産に対してなされる強制執行の不許の宣言を目的とするからである。

二 強制執行に関する応急処分

第三者異議の訴の提起があっても、強制執行自体は、当然には、その続行を妨げられないが、(民訴五四九Ⅳ・五四七Ⅰ)、異議訴訟の結果、強制執行の不許が宣言せられることもあり得るから、第三者異議の訴の受訴裁判所は、応急処分として、一定の要件のもとに、強制執行の停止、続行または取消を命ずることができる。すなわち、原告たる第三者が異議のため主張した事情が、法律上、理由ありと見え、かつ、事実上の点につき、疎明があった場合には、受訴裁判所は、申立に基き、判決をなすに至るまで、保証を立てさせもしくは立てさせないで強制執行を停止すべきことを命じ、または、保証を立てさせて強制執行を続行すべきことを命じ、あるいは、そのなした執行処分を保証を立てさせまたは立てさせないで取り消すべきことを命ずることができる（民訴五四九Ⅳ・五四七Ⅱ）。かかる応急処分に関する判例については、本書別項「執行の停止・取消」に譲る。なお、競売法による有体動産の競売手続に関しては、第三者が、その目的物たる有体動産に関して、訴すなわち第三者異議の訴を提起したことを証明した場合には、執行吏は、競売手続を停止することを要するとともに、物の保管につき過分の費用を要する場合、または、遅滞のために著しく物の価格を減少するおそれがある場合には、執行吏は、競売手続を続行して、売得金を供託することができる（競一九条、なお、二〇条）。これは、単に、有体動産の競売手続のみについて認められる特則たるにとどまるものと解すべきである。

三　審理および判決

第三者異議の訴に基く訴訟手続の経過は、通常の訴訟手続におけると異るところはない。第三者異議訴訟における反訴につき、つぎの判例がある。

【21】「本訴ハ強制執行上ノ訴ナルモ其訴訟手続ハ通常訴訟手続ナルカ故ニ其訴訟手続ニ於テ反訴ヲ提起スルコトハ固ヨリ法ノ許ス所ナレハ本訴カ強制執行法上ノ訴ナルノ故ヲ以テ被上告人ノ反訴ヲ不適法ナリト為スハ理由ナシ」（大判大四・三・二〇民録二一・三二二）。

第三者異議の訴と通常の損害賠償請求の訴とを併合することも、一般の規定に従つて可能であるし（判例【22】）、第三者異議訴訟の係属中に、その不許の宣言を求めた当の執行が完了した場合には、訴を変更して、執行債権者に対し、不当利得もしくは不法行為による損害賠償を請求することができる。ちなみに、第三者が不当な強制執行に際して第三者異議の訴を提起したか否かは、これに基く損害賠償請求権の成否と無関係であるが（大判明三八・六・五民録一一・八七三）、事情によっては、その不提起が損害賠償額の算定につき過失相殺の原因となることがある（大阪高判昭二七・四・三〇民集五・一七六）。

【22】「第三者カ民事訴訟法第五百四十九条ノ規定ニヨリ強制執行異議ノ訴ヲ提起スルニ当リ執行債権者ニ対シ該強制執行ニ基ク損害賠償ノ請求権ヲ有スル場合ニ同法第百九十一条ニ規定スル要件ニ適合スルトキハ之ヲ一個ノ訴訟ニ併合スルコトヲ得ルモノナリトス」（大判大一〇・三・一九民録二七・五五二）。

なお、仮差押の執行につき、第三者異議の訴を提起した後、仮差押に対する本案判決が確定し、仮差押が本差押に転移した場合に、本差押に対する第三者異議の訴に改めるにつき、訴変更の方式によることを要するか否かにつき、旧民訴当時の判例ながら、つぎのものを注意すべきである。

【23】「仮差押ハ強制執行ノ保全ヲ目的トスルヲ以テ其基本タル請求権ニ付キ強制執行ノ要件完備スルニ至リタルトキハ仮差押ハ強制執行トシテ存続シ其効力ヲ失フヘキ筋合ニアラス又民事訴訟法第五百四十九条ニ依ル仮差押ニ対スル執行異議ノ訴ハ第三者カ原告トシテ執行ノ目的物ニ付キ所有権其他目的物ノ譲渡若クハ引渡ヲ妨クル権利ヲ主張シ以テ相手方ノ仮差押若シ仮差押カ本差押ト為ルトキハ其差押ニ依ル権利ノ実行ヲ否認スルニ他ナラサレハ訴訟中仮差押カ強制執行トシテ存続スルニ至リタルトキハ原告ハ仮差押ヲ許ササル旨ノ判決ヲ求ムル申立ヲ強制執行ヲ許ササル旨ノ判決ヲ求ムル申立ニ訂正スルコトヲ得且ツ斯ル訂正ハ民事訴訟法第百九十六条第一項第一号ニ所謂申述ノ更正ニ該当シ申立ノ変更若クハ其拡張ニ属セス」（大判大五・九・一五民録二二・一七八六）。

第三者の異議を理由あるものと認める第三者勝訴の判決においては、当該目的物に対する執行処分の不許を宣言する。

しかし、かかる執行処分の取消を求めることができるためには、第三者において、その勝訴判決を執行機関に提出することを必要とすることを注意しなければならない（民訴五五〇1・五五一・五六〇）。

六　訴の性質

第三者異議の訴の性質に関しては、見解が分れている。これを給付の訴と解し得ないことは、いうまでもないが、あるいは、第三者の権利の侵害が存することを前提として、これを実体法上の妨害排除の訴または消極的確認の訴となし（私法説）、あるいは、強制執行による侵害という観点のもとに、侵害の対象をなす第三者の権利に対する執行処分の不許の宣言を目的とする訴訟法上の形成の訴となすのであつて（訴訟法説）、最後の見解を多数とする。むしろ、第三者異議の訴は、当該執行処分の目的物に関する責任の不存在の確認を目的とする訴訟法上の確認の訴と解すべく、原告たる第三者勝訴の判決主文において強制執行の不許を宣言すべきことは、なんら、これを左右するに足らない。さきに挙げた判例【20】は、第三者異議の訴を以て、第三者の実体上の権利の積極的確認の訴と解するごとくであるが、賛成することができない。

七　異議の競合

第三者の譲渡または引渡を妨げる権利を原因とする異議は、原則として、第三者異議の訴によってのみ、これを主張すべく、第三者異議の訴と方法に関する異議との競合を認め得る場合（判例【16】【17】参照）を例外とする。第三者の権利の存在または執行債務者の権利の不存在の確認を目的とする訴は、法的（権利）保護の利益を欠く意味において、排斥を免れないが、執行債権者は、第三者の側における第三者異議の訴の提起にさきだつて、第三者の譲渡または引渡を妨げる権利の不存在の確認を目的とする確認の訴を提起するを妨げないものと解すべきである。

執行の停止・取消

中野貞一郎

はしがき

「執行は法の終局にして果実なり」(executio est finis et ffuctus legis) といわれるが、それだけに、執行の停止・取消によつてこれを一時的または終局的に排除することは、実際上、重要な問題を含んでいる。執行の停止・取消の要件は、厳格に法の明定するところであるが、その運用のいかんによつては、あるいは、法の実効を失い、執行制度への不信を招き、あるいは、不当執行の機会を増加する危険を免れない。現行法上、執行の停止・取消は、多く、債務名義に対するなんらかの反対名義の執行機関への提出にかからしめられているが、そのなかで、執行法上の若干の異議または異議の訴に付随して認められる応急処分すなわちいわゆる一時的執行停止命令について、理論上も実務上も、もつとも問題が多く、とくに、判例が制度の運用のいかんにつき大きな比重をもつていることを注意しなければならない。本稿において、執行の停止・取消の要件や手続等の問題に先きだつて、あらかじめ、かかる応急処分に関する判例をとり上げたのは、そのためである。

一 概念

強制執行の停止とは、執行機関が、法律上の原因により、一債務名義に基づく全体としての強制執行を開始または続行し得ず、あるいは、すでに開始せられた個個の執行手続を続行し得ないことをいう。執行機関や当事者の態度によつて執行の開始または続行が事実上中絶されるのは、ここにいう停止ではない。停止が、一債務名義に基づく全体としての強制執行または個個の執行手続の全部に及ばず、単に、執行力ある請求権の一部につき、特定の執行債権者のみにつき、あるいは、目的物の一部について執行の範囲を縮限するに過ぎぬ場合を、法はとくに強制執行の制限と称する。かかる場合、制限外の範囲における執行の開始または続行を妨げない。ただし、本稿では、記述の便宜上、強制執行の制限をも含めて強制執行の停止と呼んでおく。なお、強制執行の取消とは、執行機関が、執行手続中に、その中で、すでになされた執行処分の全部または一部を除去することをいう。広義では、強制執行の取消をも含む意味において強制執行の停止ということがあるが(例、加藤・執行法要論一三七頁)、両者は厳に区別しなければならない。

二 執行の停止・取消を命ずる応急処分——一時的執行停止命令

債務名義作成機関と執行機関とを峻別する現行制度のもとにおいては、執行申立につき債務名義の執行機関への提出が必要である（民訴五三三・六四三Ⅰ・七〇六など参照）のと同様、何らかの反対名義が執行機関に提出されない限り、執行の停止または取消はなされないのを原則とする（民訴五五〇・五五一）。即ち、一旦債務名義が成立した以上、債務名義の失効を求め、執行力ある正本の効力を争い、または、個個の執行手続または執行処分の違法乃至不当を主張して執行法所定の救済手続が取られても、それらは原則として執行手続には直接影響を及ぼさず、執行の続行は妨げられない（民訴五四七Ⅰには明文がある）。しかし、かくては、救済手続中に執行が終了し、実際上救済が間に合わない危険がある。かかる危険に具えて救済手続と執行手続の間隙に架橋し、両者の調節を画るために認められるのが、強制執行の停止・取消または立保証による続行を命ずる応急処分、即ち、いわゆる一時的執行停止命令の制度にほかならない。民事訴訟法上、特別上告・再審の場合の五〇〇条、仮執行宣言付判決に対する上告の場合の五一一条、仮執行宣言付判決に対する控訴・仮執行宣言付支払命令に対する異議の場合の五一二条、執行文付与に対する異議の場合の五二二条二項、執行方法の異議の場合の五四四条一項後段、請求異議の訴・執行文付与に対する異議の訴の場合の五四七条・五四八条、第三者異議の訴の場合の五四九条四項、優先弁済請求の訴の場合の五六五条二項、差押禁止拡張の場合の五七〇条ノ二第三項にそれぞれ規定せられる応急処分がこれであつて、各規定の内容にはかなり不統一な点が少くないが（これを克明に整理したものとして、三ケ月「執行に対する救済」民訴講座四巻一一二七頁以下）、いずれも根本においては共通の趣旨に出で同一の性格を有するものであることを注意しなければならない。

二　要　件

（一）　応急処分の許される場合　応急処分は、債務名義成立後において執行手続と救済手続との間隙を調整せんとするものであるから、これを認めた執行法の各規定は、執行法がこの限度において執行両当事者のそれぞれの立場と執行の能率的な運営との調和を求めたものと解せられ、従つてこれを法定の場合以外にみだりに類推することができないのは明らかである。例えば、判決更正の申立を理由としてその判決の執行停止を求め得ないことは当然で、判例も存する。

【1】　上告審判決に対し更正申立をした場合に、その判決に基づく執行の停止をなすことを認めた何等の法規がないから、かかる停止命令を求める申立は許されない、とした（大決大一一・二・二四新聞一九八四・一七）。

なお、判例が訴訟上の和解の当然無効を認め、当事者がその無効を主張して期日指定の申立をしたときは期日を指定し判決を以て裁判しなければならないとすること（大決昭六・四・二二民集一〇・三八〇、大決昭八・七・一一民集一二・二〇四〇）に関連し、次の判例が出ているが、和解調書に確定判決と同一の効力が認められる限りは（民訴二〇三）、再審事由に相当する事由を再審の訴に準ずる訴を以て主張する場合ならば格別、和解調書につき単なる期日指定の申立に基づいてかかる応急処分を許しているのは誤りといわねばならない。

【2】　執行債務者が債務名義たる訴訟上の和解の無効を主張し、弁論期日の指定申立をなすとともに執行停止命令の申立をした事案。「期日指定とこれに伴う審理が行われても係争の和解調書に基づく強制執行が当然に停止されるいわれがないから債務者救済の観点からすれば、これが一時停止の方途を見出さなければならないのであるが」、「右期日指定の申立は、確定判決に対しその訴訟手続又は判断資料における重大な瑕疵や欠陥を主張してその判決の取消とこれによつて終了した訴訟の復活を求める再審の申立と相似たものがあることに

鑑み、民事訴訟法第五〇〇条を類推適用して右執行の停止を許すことが相当である」（仙台高決昭三一・二・二三民集九・二・六二）。問題となるのは、仮処分命令に対する上訴があつた場合、民訴五一一条・五一二条を準用（民訴七四八・七五六参照）して応急処分を求め得るかどうかであり、大審院の判例【3】は、これを消極に解したが、最高裁判所の判例【4】【5】は、いずれも例外的にではあるにしても準用の余地を認めるに至つたことを注目すべきである。

【3】「仮処分ハ判決ノ形式ニ依リ為サレタル場合ト雖性質上直ニ其ノ執行ヲ為スコトヲ得ルモノニシテ特ニ仮執行ノ宣言ヲ付スヘキモノニ非サレハ仮執行ノ宣言ヲ付シタル裁判ニ付規定セラレタル執行停止ニ関スル民事訴訟法第五百十二条第五百条ハ仮処分ニハ其ノ適用ナキモノトス」（大決昭四・六・二九新聞三〇三五・一四）。

【4】原則論としては、仮処分は権利の終局的実現を目的としないから、仮処分判決に対し上訴を提起した場合にも一時的に応急措置を講じて執行停止をする本来の必要性が存在しない点と、若し執行停止をこの場合に許すとなれば、緊急事態に対してなされる仮の緊急処置たる仮処分の効果を阻害し、仮処分制度の目的を滅却するに至る点からして、執行停止を許すべきでない、としつつ、「しかしながら、上述の原則論は現実になされた仮処分が、その本来の使命である権利保全のためにする仮の緊急処置たる範囲を逸脱しておらないことを必要条件とする。若し万一誤つて仮処分裁判の内容が権利の終局的実現を招来するごときものであつて、その執行が債務者に対して回復することのできない損害を生ずる虞のある場合には、」例外として民訴五〇〇条・五一二条の規定を類推して、債務者のために一時的の応急処分により執行停止を許すべきである、としたが、事案はこの例外の場合に当らぬとして仮処分判決に対する執行停止命令の申立を却下した（最決昭二三・三・三民集二・三・六五）。

【5】原審が第一審の仮処分判決に対する控訴に基づき民訴五一二条・五〇〇条に従い右判決の執行停止を命じたのに対する特別抗告事件につき、判例【4】におけると同一の原則論を展開した後、「しかしながら各場合において具体的になされた仮処分の内容が、権利保全の範囲にとゞまらずその終局的満足を得せしめ、若く

はその執行により債務者に対し回復することのできない損害を生ぜしめる虞あるようなものであるならば、その執行は実質上終局的執行のなされた場合と何等えらぶところはないのであるから、この場合においてのみ、例外として民訴五一二条を準用する必要あるものといわざるを得ない。」とし、本件の仮処分判決は、「被申立人は申立人組合の組合員に対しそれぞれ一人金六〇五円づつの金員を支払わなければならない」というのであり、その執行により請求の終局的実現を招来する虞があることその内容自体から明らかであつて、原審の執行停止命令は違法でない、とした（最決昭二五・九・二五民集四・九・四三五）。

これらの最高裁判所の判例が、曾つてドイツの学説・判例の主流に見られたような消極説より積極説への転回（吉川「保全処分命令の執行の停止取消」保全訴訟の基本問題一八七頁以下参照）の契機となるか否かは予測の限りでないが、いずれにしても、折衷的・中間的見解に止まつており、とくに、仮執行宣言附判決に対する控訴に伴う応急処分が保証以外のなんらの要件なしに当然かつ無反省に与えられている従来の誤つた裁判慣行が立論の基礎となつていることがうかがわれる点で、その出発点を誤つたものというべく、結果的にも、その例外とする範囲によつて妥当かつ必要な救済を益し得るかは疑問といわねばならない（吉川・保全訴訟の基本問題六〇四頁以下参照）。

（二）　管　轄　応急処分は、一般に応急処分に対する本案の裁判所の権限であるが、民訴五二二条の場合のみは、裁判長の権限とされているほか、急迫な場合における例外も認められる（民訴五四七Ⅲ後・Ⅳ・五四九Ⅳ・五六五Ⅱ）なお、次の判例が示すように、応急処分の管轄と本案の手続の管轄とは、区別して考えなければならない。

【6】「民事訴訟法第五百四十七条第二項所定の強制執行停止決定をなす管轄裁判所は、受訴裁判所即ち、異議の訴訟が現に係属する裁判所の謂であるから該訴訟係属後は仮令受訴裁判所に右訴訟につき管轄権がない

としても管轄裁判所に移送される迄の間は右係属中の裁判所が強制執行停止決定をなし得るものと解するのが相当である。右は急迫なる場合は裁判長がこれをなし執行裁判所も亦此の権利を行使することが出来るという同条第三項第四項の法意からも首肯できることである」（広島高決昭二八・九・一六民集六・九・五三六）。

（三）時　期　執行停止の原因が債務名義または執行力ある正本に存する場合（例、上訴・再審・請求異議・執行文付与に対する異議に基づく場合）には、執行手続の全部について停止が認められるから、応急処分についても、執行着手前において執行停止命令の申立および裁判がなされ得ることは、いうまでもない。次の判例がある。

【7】民訴五一二条・五〇〇条による執行停止命令につき、民訴五〇〇条一項の規定は、執行の停止につき執行手続に着手した場合であると未だ着手しない場合とを区別していないから、未だ執行を開始しない場合でも停止を相当とする事情があれば停止命令を発し得る、とし、「若シ之ニ反シテ執行手続ニ着手シタ後ニアラサレハ執行ノ停止ヲ命スルコトヲ得サルモノトスルトキハ執行ニ着手スルヤ間モナク其完結ヲ告クル場合ノ如キハ停止命令ヲ発スルノ時機ヲ失ヒ大ニ債務者ノ不利益トナルニ至ルヘケレハナリ」とした（大決大六・一一・二一民録二三・一八〇四）。

これに反し、執行の取消は執行の開始前には考えられない。また、個個の執行手続が終了した場合、これを応急処分によつて停止し、またはその中でなされた執行処分を取り消す余地がないのは、当然である。

【8】建物の占有移転の仮処分の執行完了後に執行停止決定を得ても、執行処分を取り消させる効力がないから、かかる停止決定を求める申請は利益を欠く、とした（大決昭一〇・七・一〇法学五・三五九）。

なお、次の二つの判例は、いずれも転付命令の送達により終了した執行につき、もはや執行停止命令の余地がないことを認めるが、当の執行により執行力ある請求権の一部の満足が得られたに止まる場合には、残部につき執行の可能性があるから、停止命令もその範囲で許されることを注意すべきである。

【9】 債権転付命令が第三債務者および債務者に送達された以上、「債権者ノ債権ハ弁済セラレタルヲ以テ債権者ハ更ニ同一債務名義ニ基キ強制執行ヲ為スヲ得ス従テ停止スヘキ強制執行アルコトナケレハ停止命令ヲ発スヘキ限ニ非ス」とした（大決大五・一二・一評論六・民訴一三）。

【10】 「強制執行カ未完結ノ状態ニ在ルコトハ第五百条ニ依リ強制執行ノ停止又ハ強制処分ノ取消ヲ命スルノ一条件タリ是レ此等ノ命令ハ強制執行ノ完結ニ対シ債務者ヲ保護スルニ在ルヨリ当然知リ得ヘキ所ナリ」（大決大八・七・二二民録二五・一三四〇）。

なお、意思表示義務の強制執行につき、次の判例を注意すべきである。

【11】 抹消登記手続を命じた判決が確定すれば、もはや強制執行の余地はなく（民訴七三六）、権利者が確定判決に基づき登記申請をなし、登記官吏が登記の抹消をなす手続は、その判決に基づく強制執行行為でないから、義務者において再審申立をなすとともにかかる行為を停止させるために執行停止を申請することは許されない、とした（大決昭一六・四・一六民集二〇・四八六）。

（四）手　続　応急処分が申立に因り、かつ、口頭弁論を経ずしてなし得ることについては、概ね、明文があるが（民訴五〇〇Ⅱ・五一一Ⅱ・五一二Ⅱ・五四七Ⅲ・五四九Ⅳ・五六五Ⅱ）、民訴五二二条・五四四条の場合には規定がない。しかし、これらの点において差別をつけるなんらの理由がないし、とくに、民訴五二二条・五四四条の場合には、本案の手続自体が決定手続でなされるので、応急処分が決定手続でなされることを当然として規定しなかつたに過ぎないものと解せられる。

（五）応急処分の要件につき、民訴五〇〇条・五四七条（およびこれを準用する五四九条四項・五六五条二項）の場合には、不服の理由としてまたは異議のため主張した事情が「法律上理由アリト見エ且事実上ノ点ニ付キ疎明アリタルトキ」に限るとせられ、また、民訴五一一条では、「執行ニ因リ償フコト能ハサル損害ヲ生スヘキコトヲ疎明シタルトキ」という要件が付せられているのに対し、民訴五二二条（およびこれを準用する五四四条一項後段）および民訴五一二条ではなんら要件の規定を設けていない。要件の規定がないこれらの場合に、裁判所は申立がある以上裁量の余地なく応急処分をしなければならないものであろうか。とくに、民訴五一二条の場合につき、これを肯定するのが実務上一般であるとせられるが（村松・民事裁判の諸問題一三二頁参照）、執行債務者の応急処分申立が本案たる不服申立または異議が全く理由がないのにかかわらず単に執行の遅延乃至妨害のためになされる場合にもこれを許容すべきものとなし得ないことは当然である。のみならず、三ケ月助教授の説かれるように（民訴講座四巻一一三二頁以下）、本案における執行債務者の主張が殆ど理由がないのに執行停止を与えることは制度の建前でなく、他面勝訴の確実な見込あるときに限るのでは緊急の用に間に合わないところから、両者の要請をにらみ合わせて勝訴の見込の蓋然性の判断を以て執行停止をするというのが応急処分であり、これを表現するのが「法律上理由アリト見エ事実上ノ点ニツキ疎明アリタルトキ」という要件にほかならない。従つて、かかる要件のない民訴五二二条、五四四条の場合にも、当然に同一の要請が存するというべく、民訴五一二条の場合には規定の沿革上（三ケ月・民訴講座四巻一一三三頁参照）問題があるにしても、同様に少くとも本案事件につき法律上理由ありと見える程度の主張があることを前提とするものと解すべきであろう（なお、岡垣「一時的執行停止命令に対する不服申立」（判例タイムス二九号）二九頁は、停止につき要件の規定がない場合でも、裁判所は当然に停止命令を発しなければならないものでなく、むしろ、裁判所の実質的判断を受けねばならないと解することが、停止命令をなすことを「得」とする規定の文言に合するし、執行遅延を防止することになるとし、さらに、「法律上理由アリト見エ」という要件と「事実上ノ疎明アリタルトキ」という要件とを区別し、後者は明文ある場合に限るが前者はすべての場合の停止命令につき必要である、とする。）。

なお、応急処分の要件たる、「異議ノ為メ主張シタル事情カ法律上理由アリト見エ」（民訴五四七Ⅱ）る場合にあたらないと判断された事例として、次の判例がある。

【12】　土地所有者Yが土地賃借人Aに対し賃貸地上に存するA所有建物の収去、土地の明渡を命ずる確定判決（Aの土地賃料支払義務不履行のため土地賃貸借契約が解除されたことを理由とする）を得て、建物収去・土地明渡の強制執行に着手したのに対し、Xは、右建物につき抵当権を有することを理由として第三者異議の訴を提起し、同時に執行停止命令を申し立てた事案。第三者異議の訴の場合の停止命令の要件として「異議のため主張した事情が法律上理由ありと見えるか否かは結局その第三者が強制執行の目的物につき所有権その他目的物の譲渡若しくは引渡を妨げる権利を主張しているか否かにかかるものであるところ」、土地の賃貸借契約が賃借人の義務不履行により解除された以上Yは賃貸借の終了を地上建物の抵当権者に対しても対抗できるから、「本件建物につき抵当権を有するとのXの主張は、強制執行の目的物につきその譲渡若しくは引渡を妨げる権利の主張には該当せず、従って民事訴訟法第五百四十七条第二項にいわゆる「異議のため主張した事情が法律上理由ありと見える場合に該らない」」、とした（高松高決昭三一・一二・九民集九・一一・七）。

三　内容および効力

（一）　応急処分の内容としては、多くの場合、(1)　保証を立てしめて執行を停止すること、(2)　保証を立てしめずに執行を停止すること、(3)　保証を立てしめて執行を続行すること、(4)　保証を立てしめて既存の執行処分を取り消すこと、の四態様が認められるが（民訴五〇〇Ⅰ・五一二・五四七Ⅱ）、民訴五一一条の場合には、(3)の態様を欠き、民訴五二二条およびこれを準用する民訴五四四条の場合には、(4)の態様を欠くし、民訴五四九条の場合には、(5)　保証を立てしめずに執行を取り消すこと、を許すことができる（民訴五四九Ⅳ但）。第三者異議の訴についての(5)の特例は、執行当事者でない第三者の財産についてなされた不当な執行の解除について常に保証を要求するのは酷だという理由に基づくが、執行文付与に対する異議および執行方法の異議につき⑷の態様を欠く根拠は必ずしも明瞭でない（三ケ月・民訴講座四巻一一三二頁は、民訴五二二条の場合を例示的列挙とみ、解釈論として必要があれば⑷の態様を認めてよい、とする。）。

（二）　応急処分たる停止命令の効力の範囲は、本案たる救済手続、従つてまた、これに対する裁判の内容により定まるべきものといわねばならない。例えば、執行文付与に対する異議は執行文を付与すべからざることを理由として執行力ある正本の効力を争うものであるから、これに基づく停止命令（民訴五二二Ⅱ）は、その執行力ある正本に基づく一切の執行を停止せしめ、また、執行方法の異議は一定の執行方法乃至執行処分に関するから、これに基づく停止命令（民訴五四四Ⅰ後）は、その執行処分を前提とする執行手続の続行のみを停止せしめる。請求異議の訴は、債務名義の執行力を争うものであるから、これに基づく停止命令（民訴五四七・五四八）は、その債務名義による執行債務者に対する一切の執行を停止するものというべく、この場合には、すでに開始した執行の続行のみならず、同一債務名義の他の執行力ある正本に基づきまたは他の執行方法によりあるいは他の目的物に対する執行もまた許されない筈である（兼子・判民昭和一五年度五事件評釈参照）。次に掲げる判例【13】は、従つて、明らかに誤りであるし、判例【14】も、請求異議の訴において具体的執行行為の取消を求め得るとする誤つた態度（これを認めるものとして、大判大三・五・一四民録二〇・五一三、反対、大判明四一・三・一六民録一四・二七〇、大判昭四・一一・一三評論一九・民訴一三九。なお、実務上は、実際の便宜から、かかる訴を許容しているのが一般であるといわれる。近藤・執行関係訴訟一一一頁・三一八頁参照）を前提とする点で、賛成できない。

【13】　民訴五四七条にいう強制執行の停止とは、「執行力其物ヲ停止ストノ云ヒニアラスシテ執行手続例ヘハ着手シタル差押ノ遂行若クハ競売ノ如キ行為ヲ停止スルノ意義ナリト解スヘキモノトス」とし、原審が、執

行手続の停止を求めず特定の執行正本に基づく執行の全般的停止を求めた申立を却下したのは相当である、とした（大判明三六・一一・二六民録九・一三〇一）。

【14】 請求異議事件において発せられた停止命令の効力につき、原審が「前記停止決定ハ動産ニ対スル強制執行ニ付発セラレタルモノニ係リ本件ノ不動産ニ対スル強制執行トハ何等関係ナキモノナリ」としたのに対し、大審院は、「強制執行停止決定ノ正本ヲ閲スルニ原裁判所認定ノ如キ制限的記載ナク」、かかる場合には本件債務名義に基く執行は凡て停止する趣旨と解すべきであるとし、原審の解釈を不当とした（大決大一二・一一・二二評論一三・民訴二二〇）。

さらに、第三者異議の訴を以て、執行の目的物が執行債務者の責任財産に属しないことの確認を求める訴と見るならば（兼子・執行法五九頁、小野木・中野・執行破産講義六〇頁参照）、これに基づく停止命令の効力は同一当事者において同一目的物に対する全執行に及ぶと解すべく、その目的物に対しては、同一債務名義に基づく再度の執行は勿論、原則として、他の債務名義に基づく執行も許されない（兼子・判民昭和一五年度五事件評釈参照）。この意味において、次の判例の結論は正当であるが、理由には不満がある。

【15】 第三者異議の訴に基づく停止命令により強制執行が停止された場合、執行債権者が、停止命令の効力を回避するため、当の執行処分を解除すると同時にさらに同一債務名義に基づき執行吏に委託して同一物件を差し押え強制執行を遂行することは強制執行の濫用であって許されず、執行吏も、かかる委任により執行すべき職責を有しない、とした（大判昭一五・二・三民集一九・八三）。

（三） 応急処分の効力の存続時期もまた、本案たる救済手続との関係において決すべく、本案の裁判がなされたのにかかわらず、応急処分のみが効力を持続するとみる必要はなく、不当でもある。民事訴訟法はある場合には「判決ヲ為スニ至ルマテ」と規定し（民訴五四七、およびこれを準用する民訴五四九・五六五）、ある場合には単に一時停止と規定するが（民訴五〇〇・五一一・五一二・五二二・五四四）、いずれも同一であり、理由のない言葉の使い分けといわねばならぬ。判例も、これを認める。

【16】 民訴五一二条・五〇〇条による仮執行停止命令は、「故障後ノ弁論又ハ上訴審ニ於テ終局判決ノ言渡アルマテ其ノ効力ヲ存続スヘキモノト解スヘク」、「蓋等シク執行ノ停止若クハ取消命令ニ関スル規定タル同法五百四十七条第二項ニハ『判決ヲ為スニ至ル迄』トアリ這ハ判決カ外部ニ対シテ成立スル時即言渡ノ時ヲ指スコト論ナケレハナリ」、とした(大決大一五・一二・二五民集五・九〇三)。

四　不服申立

前述のように応急処分はいずれも共通の使命乃至性格を有する。しかるにこれに対する不服申立の許否に関し現行規定の内容は甚だ統一を欠き、また、かかる不統一について合理的な根拠を欠くため、学説・判例上、種種の紛乱を招いている。ことに、民訴五〇〇条(およびこれを準用する五一一条・五一二条)による応急処分については、不服申立を禁ずる明文(民訴五〇〇Ⅲ後)があるのに、他の場合にはなんらの規定がなく、僅かに判決中での応急処分につき民訴五四七条による不服申立禁止が注意され得るにとどまることは最も問題である。就中、民訴五四八条三項による応急処分について民訴五〇〇条三項後段の規定を類推すべきや、あるいは逆に反対解釈すべきやについて、戦後の高裁判例の間にきわめて尖鋭な対立が生じ且つ拡大しつつあるのであって、問題が執行当事者の重要な利害に関するものであるだけに、早急な解決が切に望まれる。

(一)　応急処分申立却下の裁判に対する不服申立

民訴五〇〇条(およびこれを準用する五一一条・五一二条)の応急処分に対し不服申立を許さないことについては明文(民訴五〇〇Ⅲ)がある。かかる場合、応急処分の申立を理由なしとして却下する決定に対しても不服申立は許されないが、これを不適法として却下する決定に対しては即時抗告が許されるとするのが、判例となつている。

【17】　仮執行宣言附判決に対し控訴を提起すると同時になされた執行停止の申立を理由なしとして却下した裁判に対し不服を申し立て得ないのは、民訴五一二条および五〇〇条の規定するところである、とした（大決大五・四二・六民録二二・二六四）。

【18】　原審が民訴五一二条・五〇〇条による執行停止命令の申請をなんらの理由を付せずに却下したのに対し、大審院は、原審が申請につき実質上の審査をしたうえ停止の必要なしとし申請を理由なしとして却下したのであれば、民訴五一二条・五〇〇条三項により右却下決定に対する抗告はできないが、申請を不適法としその実質上の審査をせずに却下したのであれば、これに対する抗告を妨げない、とした（大決大六・一一・二一民録二三・一八〇三）。

なお、右判例【18】と同旨の判例（大決大一〇・三・九民録二七・四二九）があるほか、戦後の高裁判例として、民訴五四七条の応急処分の申請を理由なしとして却下する裁判に対しても即時抗告は許されない、としたもの（後掲【33】）がある。

（二）　民訴五〇〇条の応急処分に対する不服申立　判例は、民訴五〇〇条三項の不服申立禁止規定にかかわらず、例外的に不服申立の余地を認める。次の二つの判例がそれである。

【19】　民訴五〇〇条三項の規定は、「同条を適用スヘキ条件ノ存スル場合ニ於テ為シタル裁判ニ付キ適用アルニ止マリ其条件ノ存セサル場合ニ為シタル裁判ニ対シテハ之ヲ理由トシテ同法第五百八十八条ニ依リ抗告ヲ為スコトヲ得ヘシ」とし、債権転付命令の送達による執行手続完結後になされた民訴五〇〇条による執行取消決定に対して即時抗告をなしたのを適法と認めた（大決大八・七・二二民録二五・一三四〇）。

【20】　民訴五〇〇条三項後段により不服申立を禁止せられる「其裁判」とは、同条を適用すべき要件が存在し且つ裁判所が実質的審査をしたうえでなした裁判を意味し、その要件が存在しないのに誤つてこれありとし

てなした裁判はたとえ実質的な審査をしていても、その前提を誤つたものであるから右の裁判に含まれず、これに対し即時抗告（民訴五五八）をなし得る、とし、仮処分の内容が権利保全の範囲を逸脱せず民訴五一二条を準用できない場合（判例【4】【5】参照）に誤つて同条・五〇〇条を準用してした仮処分決定の執行停止決定に対する即時抗告を適法とした（大阪高決昭二九・一二・二二民集七・一一・一〇五三）。

そのほか、「最高裁判所が民訴五一一条によりなした執行停止決定に対しては異議を認めた規定がないから、右決定に対する異議の申立は許されない」として、異議を却下した最高裁判所の判例（最決昭二八・四・二四民集七・四・四三七）があるが、上告裁判所の判決に対する異議申立を認めていた民訴四〇九条ノ四の削除（昭二九法一二七）により、その意義を失つたものというべきであろう。

（三）　民訴五二二条二項および五四七条の応急処分に対する不服申立　　民訴五二二条二項（およびこれを準用する五四四条・五七〇条ノ二）ならびに五四七条（およびこれを準用する五四九条四項・五六五条二項）による応急処分に対しては、不服申立許否の明文を欠くため、民訴五〇〇条三項後段を類推すべきか否かをめぐつて、最も争われるところである。大審院当時より種種学説判例の対立が存したが、ことに戦後においては、判例自体の間に顕著な対立が見られ、殆ど収拾し難い様相を呈するに至つている。この問題を詳論せられた岡垣裁判官（「一時的執行停止命令に対する不服の申立」判タ二九号二一頁以下）の分類に従えば、学説上、(1)　民訴五二二条および五四七条による応急処分に対してはともに即時抗告をなし得るとする説（松岡・要論上巻七四三・七四八頁、板倉・養海一一〇九頁・一一二二頁）、(2)民訴五二二条による応急処分に対しては不服申立を認めず、民訴五四七条の応急処分に対しては即時抗告をなし得るとする説（加藤・要論一〇九頁・一一二八頁、菊井・民訴（二）五一頁・九四頁・一一〇頁。Vgl. Stein-Jonas-Schönke, ZPO. 18. Aufl. §732, III, §769, IV. Baumbach-Lauterbach, ZPO. 22. Aufl. §732, 4. §769, 3.）、(3)　民訴五二二条・五四七条による応急処分に対しては即時抗告をなし得ないが、通常抗告をなし得るとする説（岡村「即時抗告を許す裁判と其の執行力発生の時期」法曹会雑誌一四巻一二号）、⑷　民訴五二二条・五四七条の応急処分に対してはともに不服申立を許さないとする説（兼子・執行法一〇四頁・一一九頁、三ヶ月・民訴講座四巻一一三九頁）が対立している（ほかに、民訴五二二条による応急処分のみについて不服申立を許さずと説かれるものに、小野木・概論二六八頁、吉川・執行法一九八頁）。

ところで、わが国従来の判例の大勢は第一説に拠っていたが、近時、下級審判例中に第四説を採るものが遂次勢を得つつある、とせられる（岡垣・前掲二三頁、三ヶ月・民訴講座四巻一一三九頁）。ただ、この点に関する判例の殆ど全部が、民訴五四七条による応急処分のみを直接の対象としている点で、必ずしも民訴五二二条による応急処分に対する不服申立の許否に関する結論を知ることができないから、右の分類をそのまま規準として判例の傾向を判定することは困難である。以下には、右両条の応急処分のそれぞれに対する不服申立の許否について各別に判例の結論を見ることで満足しなければならない。

⑵　民訴五二二条二項による応急処分に対し不服申立を許すか否かの点につき、これを直接に取り扱った大審院判例を見ることができないが、例えば後に掲げる判例【24】のように、その決定理由から、即時抗告を認める趣旨がうかがわれるものは存する。戦後においては、ただ一つではあるが、不服申立を許さないとした次の高裁判例が見出される。

【21】　民訴五四四条一項後段の規定に基づいて発せられた同法第五二二条二項の応急処分に対する即時抗告につき、「かかる応急処分に対しては、同法第五百条第三項の規定の趣旨を類推して不服申立を許さないものと解するのを相当とする」として、即時抗告を不適法として却下した（札幌高決昭三〇・一・二四民集八・一・三二）。

⑶　次に、民訴五四七条による応急処分に対する不服申立の許否についての判例を見よう。

（イ）大審院判例　いずれも即時抗告を許し、民訴五五八条の文理のみを論拠とする点で共通している。

【22】 請求異議の訴を提起した者の申立により民訴五四七条二項、三項によりなされた執行停止決定に対しては、「即時抗告ヲ為スコトヲ得ヘキハ同法第五百五十八条ノ規定上明ナル所ナリ」、とした(大決昭六・一二・一七評論二一・民訴六八)。

【23】 請求異議の訴に際し民訴五四七条によつてなされた執行停止決定に対し即時抗告がなされたが、原審は、執行方法の異議によるべしとして却下した。これに対し、大審院は、「五百四十七条第三項ニ依レハ右裁判ハ口頭弁論ヲ経スシテ之ヲ為スコトを得ルモノナルヲ以テ之ニ対スル不服ハ同法第五百五十八条ニ依リテ申立ツヘキモノ」で執行方法の異議によるべきでない、とした(大決昭七・二・一裁判例六・民法一三)。

【24】 「民事訴訟法第五五八条ニハ強制執行ノ手続ニ於テ口頭弁論ヲ経スシテ為スコトヲ得ル裁判に対シテハ即時抗告ヲ為スコトヲ得トアリテ執行ノ停止若ハ取消ヲ命スル裁判ハ同法第五四八条ヲ外ニシテハ孰レモ所謂口頭弁論ヲ経スシテ為スコトヲ得ル裁判ナルヲ以テ特ニ不服申立ヲ禁セサル限リ(例ヘハ同法第五〇〇条第三項)之ニ対シ即時抗告ヲ為シ得ヘキハ言ヲ俟タス」(大決昭二・二・一評論一六・民訴二〇九)。

特異なものとして、次の判例が応急処分に対する即時抗告を認めながら、その即時抗告には執行停止の効力(民訴四一八)を否定するという理論構成をとつているのが注目される。

【25】 民訴五四七条二項による強制管理停止命令は、同法五五〇条一項二号にいわゆる執行又は執行処分の一時の停止を命じた裁判に該当するから、その正本が執行機関に提出されれば執行機関は強制管理の執行を停止すべく、その停止は停止命令に対する即時抗告の有無にかかわらないとし、その理由として、「即時抗告ニ依リ不服ヲ申立ラレタル裁判所ハ原則的ニ其ノ執行ヲ停止スヘキモノナルコト民事訴訟法第四百十八条第一項ノ規定スルトコロナレトモ停止命令ニ至リテハ其ノ性質上不服ノ申立アリタル一事ニ依リ其ノ執行ヲ阻止スヘカラサルモノアルニヨリ右原則ノ適用ハ制限セラレ」る、とした(大決昭一一・二・六民集一五・一四七)。

(ロ) 高等裁判所判例　高等裁判所の判例は極めて不統一であり、高等裁判所ごとに異るだけでなく、同一高等裁判所内でも相反する判例が出ている状態である。

(a)　即時抗告を許す判例　大審院判例、就中【23】【24】の理論を踏襲するものとして、次の四つの高裁判例があるが、いずれも、単純に民訴五五八条を引いて形式的に即時抗告を許容することなく、反対説を意識しまたはこれとの対決のために実質的な論拠を展開しているのが注目される。

【26】　民訴五四七条二項による執行停止の裁判は口頭弁論を経ないでなされ且つ強制執行の手続における裁判であるから、これに対し即時抗告をなし得ることは法規上明瞭である、としたうえ、反対説の当否に触れて次のように述べた。「第五百条第三項が原則的な規定であつて其他の場合は右第五百条第三項を類推適用して不服申立を許すべきでないとの所論は、立法論として見るときは洵に傾聴に値するものがあるが、」民訴五四七条二項・五四九条三項による執行停止の裁判に対して五〇〇条三項のような不服申立禁止の明文を設けなかつた現行訴訟法規の下では無理な解釈である、とした(名古屋高決昭二八・三・一二八下級民集四・三・四四六)。

【27】　執行停止決定に対しては民訴五〇〇条三項を類推適用しまたは他の理由によつて即時抗告を許すべきでないとの理論は十分に考えられる、と前提しつつ、しかし民訴五四七条二項以下による執行停止決定は「執行裁判所でない受訴裁判所の裁判であり、この決定に対しては第五〇〇条第三項後段のような規定が存しないから、第五五八条の規定の適用を排除すべき積極的な根拠もなく、」従前の大審院の判例も即時抗告を許すとの態度をとつていることを形式的論拠とし、また、本来「例外的な裁判であるのであるから、もしその裁判に誤りがあつたとすれば、一時も早くこれを取消して債務名義に基く強制執行を続行せしめるのが、強制執行の本来の精神に合する」ことを実質的論拠として即時抗告を認めるを相当とし、さらに付言して、「第五四七条第二項以下の停止決定と第五〇〇条による停止決定とは停止の要件についても差異があつて、必ずしも同一ではないから、第五〇〇条第三項後段の規定は第五四七条には準用せられないと解する。」とした(東京高決昭二八・一一・二〇下級民集四・一一・一七二六)。

【28】　民訴五四七条二項以下に基づく執行停止決定に対する即時抗告を許さない形式的論拠として、かかる決定は強制執行の手続に関する裁判であることは明かであるし、口頭弁論を経ずになし得るから、民訴五五八条による即時抗告の対象たる要件は完全に充足しており、他に不服申立を禁じた特別規定もなく、同条の適用を排除すべきものとする充分な根拠も発見できない、ということを挙げるほか、実質的論拠として、かかる執行停止の裁判では、異議のために主張された事情が法律上理由ありと見えるかどうか、事実上の点につき疎明があるかどうか、また保証を立てしめ、若くは立てしめないでするかどうかという「独立の判断事項（要件）について認定が加えられているのであるから、もしその認定にして争いがあるならばその是非につき上訴審の審理を求める必要性と合理性が存在する」となし、この必要性は執行債権者の利益保護のためのみならず、執行停止申立却下の場合の執行債務者の利益保護のためにも同じことがいえるし、元来、執行停止命令は例外的裁判であつて誤りがあれば一時も早く取り消し得るものとするのが強制執行本来の目的に合致する、とする（大阪高決昭三〇・二・一二民集八・一・九三）。

【29】　第五四七条が第五〇〇条第三項を準用していない以上、「法律の精神は第五四七条の決定に対しては、原則に従い第五五八条によつて即時抗告を許していると解するのを相当とし、」かつ、本来、例外的な裁判であるからもしそれが誤つてなされている場合には、なるべく早くこれを取消す方法を認めるのを相当とし「殊に第五四七条第二項の停止決定が管轄裁判所でない裁判所からなされたり、又抵当権の実行について同条による停止決定がなされるというように誤つてなされている場合もないではないことを考えると、同条による停止決定に対しては即時抗告を許さないと解すると、債務名義を有する債権者の権利を不当に害することになる」、として、これに対する即時抗告を許すべきものとした（東京高決昭三一・三・二六民集九・三・一二七）。

なお、不服申立の許否に直接関連するものではないが、大審院の判例【25】の理論をさらに敷えんした高裁判例として次のものがある。

【30】　民訴五四七条二項による執行停止決定に対し即時抗告を申し立てるとともに民訴四一八条二項により

右停止決定につき執行停止処分を申し立てた事案において、「執行停止命令には民事訴訟法第四百十八条第一項の原則の適用はないものと解するを相当とするのみならず、即時抗告の申立ありたるの故をもつて、同条第二項により容易に執行停止命令の執行停止を求めることができるとすれば、」「執行停止制度の目的は簡易に滅却されることとなるし、この点を無視して原決定の執行停止を命ずべき事情を窺い得る資料もない」として民訴四一八条二項による処分の申立を却下した(東京高決昭二九・三・四東京高時報五・二一民四九)。

(b) 不服申立を許さない判例　論拠は、いずれも、民訴五四七条による応急処分は一時的応急的裁判であつて独立にその当否を争わせるべきものでなく、民訴五〇〇条三項を類推すべきであるとするに尽きる。

【31】 民訴五四七条の執行停止決定に対し不服申立を許さない、とするにつき次の二点を挙げている。第一に、民訴五五八条の規定によれば「強制執行の手続において、口頭弁論を経ずしてなすことを得る裁判」とあるだけで、その裁判の性質につき明示するところがないが、独立した不服申立の対象となる裁判は、それ自体において独立した裁判であることを要すると解すべきであつて、しかるに、民訴五四七条二項による執行停止決定は将来なされる異議の訴についての判決の効果を無に帰せしめないため右本案判決の言渡までを存続期間としてなされるいわば一時的応急的裁判であると共に、異議の訴に依存して附帯的性質を有する裁判であるから、民訴五五八条の即時抗告に服すべき執行上の独立の裁判に該当しないし、他に不服申立を許した規定もないこと。第二に、民訴五四七条二項による停止決定と民訴五〇〇条、五一二条による停止決定の間に性質上の差異が認められないから、後者につき不服申立を禁止した五〇〇条三項の規定を前者にも類推すべきであること(福岡高決昭二四・七・一五民集二・二・一四三)。

右判例と同様の二つの理由を掲げて不服申立を許さずとするものに、なお、東京高決昭二七・九・一二判タ二七・五九、東京高決昭二九・二・二六東京高時報五・二・民三二、東京高決昭二九・一〇

・二七東京高時報五・一〇・民二五一および東京高決昭三一・二・一七民集九・三・一一三などがある。

【32】 民訴五四七条の執行停止決定および執行処分取消決定は「いずれも後に異議の判決において取消、変更、認可される意味において後の裁判であるから、これに対し独立にその当否を争わせることは単にその必要がないばかりでなく、かえつてその弊害として異議に対する裁判がその目的を失うにいたる危険すら存する」から、民訴五〇〇条三項を類推し、即時抗告を許さぬものと解すべきである、とした(札幌高決昭二七・二・二〇民集五・二・六六)。

【33】 右判例【32】と同一の理由を述べたうえ、「いやしくも申請の内容について実質的に審理判断されたものであれば、強制執行を停止すべきことを命ずる裁判、強制執行を続行すべきことを命ずる裁判、またはすでになした執行処分を取消すべきことを命ずる裁判のみならず、申請を理由なしとして却下した裁判に対してもまた即時抗告を許さないものといわなければならない。」とした(札幌高決昭二八・三・一二民集六・二・六三)。

【34】 民訴五四九条・五四七条に基づく執行停止決定は異議の判決までの一時的裁判にすぎず、これに対し「更に即時抗告を許し別個独立の手続として当否を争うことを許すものと解することは当事者をして無用に争を重ねさせる弊害を生ぜしめる結果を来すのみであつて、他に何等此の手続を必要とする理由を認めることはできない」から、民訴五〇〇条三項を類推し即時抗告は許されないものと解するのが相当である、とした(大阪高昭二九・一・二一民集七・一・六)。

(四) 応急処分に関する裁判に対する不服申立の許否につき理論的解決を試みることは、本稿の任務でない。以下には、対立する判例上の争点のみにつきその理論的な輪郭をまとめておくにとどめる。もちろん、争の中心は、民訴五二二条二項および特に民訴五四七条の応急処分に対する不服申立の許否の問題であるが、その解決は、単に法文の形式的・文理的な解釈論によつては不可能であり、不服申立の必要性、合目的性、両当事者の利害の衡平等を比較考量して決せられねばならないことを予め注意してかかる必要がある。問題の焦点は、(1) 民訴五五八条適用の可否、(2) 民訴五〇〇条三項後段類推の可否、(3) 即時抗告と執行停止の効力の三点にしぼることができる。

(1) 民訴五五八条適用の可否　民訴五四七条の応急処分に対し即時抗告を許す（以下に積極説という）判例が、いずれも民訴五五八条の適用を文理上当然とする（判例【22】【23】【24】【26】【27】【28】参照）のに対しては、古く岡村博士の反対がある。即ち、民訴五四七条による応急処分は「訴訟手続に於て為す決定で、強制執行の手続に於て為す決定ではない」とされるのであって（岡村・法曹会雑誌一四巻一二号一五頁）、民訴五五八条の文辞からすれば相当に有力な疑問といえるかも知れないが、応急処分は、異議の訴訟手続に付随する場合でも専ら執行手続における措置を内容とする点で、これを強制執行の手続における裁判と解することに一般に異論を見ないのである。しかるに、不服申立を許さない（以下に消極説と称する）判例の多く（判例【31】およびこれと同旨の諸判例、【32】【33】参照）は、民訴五四七条による応急処分の一時的応急的性質乃至付帯的性質を強調して民訴五五八条の即時抗告に服すべき独立の裁判に該らない、と主張する。これに対しては、更に積極説の陣営から、民訴五四七条による応急処分をなすについては「異議ノ為メ主張シタル事情カ法律上理由アリト見エ」ることのほか、「事実上ノ点ニ付キ疎明アリタル」ことを必要とし、この点で独立の判断事項を含むから、この点の認定について争がある場合には上訴審に対してその是非に関し審査を求める合理性と必要性がある、との反駁（判例【28】および、岡垣・判タ二九号二九頁、近藤・執行関係訴訟三二四頁）が加えられている。しかし、およそ、応急処分が本案の手続を無意義に終らせないためにこれと執行手続との間隙を調整する意味で本案に付随する裁判に過ぎない以上、本案に関与しない上級裁判所または他の裁判所にこの処分のみの当否を別に審査させるのは制度自体の趣旨に反するというべく、この観点から民訴五五八条の適用を制限する理由があるものと考える。即時抗告を許さないことによつて生ずることあるべき不当な結果（判例【27】【28】【29】参照）は、実体法上の損害賠償のほか、裁判所が本案の手続の進行に応じ適時に申立により原裁判を変更し得ることを解釈上認めることによつて救済すべきであろう（菊井・判例民事手続法一七五頁、三ケ月・民訴講座四巻一一三四頁。なお、かかる救済を不充分かつ不当とするのは、岡垣・前掲二九頁、近藤・前掲三二六頁）。

(2)　民訴五〇〇条三項後段類推の可否　積極説の判例（【26】【27】【28】【29】）が、民訴五四七条の応急処分につき、民訴五〇〇条三項後段に相当する規定がないことを論拠とするのに対し、逆に、消極説の判例は、殆ど例外なしに民訴五二二条二項または五四七条の応急処分につき民訴五〇〇条三項後段を類推すべきことを論拠とする（判例【21】【31】【32】【33】【34】参照）。従来、積極説が民訴五〇〇条三項後段の類推に反対するについては、民訴五四七条の応急処分については「事実上ノ点ニ付キ疎明アリタル」ことを要するが、民訴五〇〇条（および五二二条）の応急処分については保証以外のなんらの実質的要件の規定がないという、実質的要件の著しい差異が挙げられたが（岡垣・前掲・二八頁、近藤・前掲・三二四頁、なお判例【27】参照）、昭和二九年の民訴法改正により後者についても前者と同様の要件が設けられるに至つたから、この理由はもはや通用しないばかりか、却つて積極説に武器を与える結果となつた。しかし、反面、性質を共通にし、要件を共通にする二種の執行処分の一方にのみ不服申立禁止の明文を置き他方に準用規定を置いていないことは、明文なき場合に原則に従い即時抗告を許す趣旨と見るべきものとする有力な理由となる（判例【29】参照）ことは否定できない。

(3)　即時抗告と執行停止の効力　積極説の最大の難点は、即時抗告により応急処分の効力が停止

（民訴四一八Ⅰ）されると、勢い執行手続が続行せられその完結により救済手続および応急処分の制度を無意義ならしめる危険があることである。従つて、積極説としては、応急処分に対する即時抗告につき明文に反し例外として執行停止の効力を否定せざるを得ない（判例【25】【30】参照）。しかし、かかる態度は応急処分に対する即時抗告を認めることによつて生ずる弊害を自認するものであり、これに対し、特則もないのに執行停止の効力のみを否定することによつて辻褄を合わせるよりは当初から不服申立を許さずとして問題を解決するのが正道である、という非難を免れないであろう（斉藤・民商二六巻五号七一頁、三ケ月・判例研究三巻三号一三六頁参照）。

要するに、積極説消極説ともそれぞれ長短があるが、概言すれば、積極説が現行民訴法の規定内容に重点を置いた保守的な傾向に根ざすものと考えられるのに対し、消極説は応急処分自体の性格なり応急処分の制度の意義から出発してもともと合理的な統一を欠く実体規定の中に筋を通さんとする進取的な方向を辿るものというべく、結局は立法的解決に俟つとしても、今後、判例がいかなる動向を示すかは、まことに興味深いものがある。

五　認可・変更・取消

応急処分は、一時的応急的措置にすぎないから、本案の裁判があれば効力を失い、執行債務者は、折角、本案で勝訴しながら、その確定前に執行を受けるおそれがある。民訴五四八条にいう認可、変更の裁判は、この危険に対し本案の裁判確定まで既存の執行停止の状態を維持するつなぎの措置にほかならない（これに対し民訴五四八条にいう取消の裁判は、本案の判決言渡による応急処分の効力の消滅を宣言する意味しか有しない。近藤・執行関係訴訟三二九頁参照。なお、厳密にいうと、本案の裁判につき上訴の道がある応急処分に関しては常に民訴五四八条に相当する規定が必要であり、明文なき場合にも同条の類推を妨げない。三ケ月・民訴講座四巻一一三一頁参照）。認可・変更の裁判は、受訴裁判所が判決において新たに民訴五四七条の命を発する場合と同様に新たな裁判であるが、本案の審理に現れた証拠に基づき且つ本案の裁判に対応する内容を有する筈であるから、独立の不服申立を許す必要もない。次の判例がある。

【35】 民訴五四八条三項が不服申立を禁じた「右裁判」とは、同条第一、二項の裁判のいずれをも意味するとし、その理由として、右という文字が原則として上文各項の総てを指すことは多数の用例(民訴五〇〇Ⅲ・五四九Ⅲ・五九三Ⅲ・六三九Ⅴ・六八〇Ⅲ・七五四Ⅲ・七六一Ⅲなど)より明白である、とした(大判昭一〇・一〇・一民集一四・一七三二)。

異議訴訟の判決における停止決定認可・変更・取消の裁判には、職権を以て仮執行宣言が附せられるが、これは、そのままにしておいたのでは判決である以上確定しなければ執行力を生ぜず、結局つなぎの役割を果し得ないからに過ぎぬ。従つて、かかる認可の裁判も一時的裁判にほかならないが、判例がこれを民訴五五〇条一号の「停止ヲ命シタル旨ヲ記載シタル裁判」にあたるものと見、その提出あるときは執行停止の存続のみならず既往の執行処分の取消をもなすべきものとするため(後述四の二(二)(イ)参照)、実務上、かかる裁判を含む判決に対する上訴審手続において執行債権者が民訴五一一・五一二・五〇〇条によつてその執行停止をはかることを容認する不当な結果を生じていること、および、異議訴訟の判決において原告たる執行債務者または第三者が敗訴し停止決定取消の宣言がなされた場合に上訴審において新たに民訴五四七条に基づく停止決定を申し立てるのは格別、別に民訴五一一・五一二・五〇〇条による執行停止を認める余地は理論上存しないことについては、村松「執行異議事件の停止決定」(村松・民事裁判の諸問題一七五頁以下)ならびに近藤・執行関係訴訟三三一頁以下参照。

六　保　証

執行停止のための保証についても一般の訴訟上の担保に関する理論が適用されるが、とくに注意すべき一、二の点を判例に従つて挙げておこう。

(一)　執行停止のための保証によつて担保せられるものは、執行停止により生ずべき損害に対する賠償請求権に限られ、それ以外のものは、いかに密接な関連性があつても担保されない。判例上、この理論の適用を示すと、次のとおりである。

【36】「執行停止ノ為債務者ヲシテ保証ヲ立テシムルハ此ノ停止ノ為相手方タル債権者ニ生スルコトアルヘキ損害ノ賠償ヲ確保スル趣旨ニ外ナラス」、従つて保証を条件として一定時期まで執行を停止した場合に、この時期の到来後保証供与者が相手方の同意を得てその返還を求めることは当然許される、とした(大決大一五・三・三民集五・一〇九)。

【37】執行停止のための保証は、執行停止により生ずべき損害を担保するもので、「強制執行ノ基本タル債権又ハ其ノ遅延利息ノ支払ニ充ツヘキモノニアラサルハ勿論」で、かかる債権の元本または遅延利息の額がたまたま執行停止による損害額と一致する場合でも、両債権は性質を異にするから、基本たる債権を有する者は保証のため供託した物件につき質権を有するものではない、とした(大判昭八・五・一評論二二・民訴二〇二)。

【38】「仮執行の宣言を附した判決に対し上訴を提起したとき保証を立てさせて仮執行の停止を命じた場合、右保証によつて担保せられる債権は、右仮執行の停止によつて生じた損害賠償請求権であつて、本案訴訟事件において生じた訴訟費用の請求権はこれに該当しないものと解するを相当」とし、従つて、単に訴訟費用額確定決定を申し立てただけでは、保証につき権利行使があつたとはいえない、とした(東京高決昭二七・二・二五民集五・四・一二一)。

上告審が上告による執行停止につき保証を立てさせる場合には、担保される損害の範囲につき二種のものが区別される。上告審が第一、二審の仮執行宣言に基づく執行を全部停止し、従つてその担保は控訴審、上告審を通じての停止期間中の損害を担保せしめる場合と、上告審の停止期間中の損害のみを担保せしめる場合とであり（その判別は、第二審の判決が控訴棄却か原判決変更か、および、保証金額の多寡などの点からする外はないであろう。近藤「訴訟上の担保」民訴講座三巻九七一頁。）、そのいずれであるかにより、担保取消の申立がある場合にその許否の結論を異にするに至る。次の判例【39】は、前の場合、【40】は、後の場合に関する。

【39】債務者の上告に基づく大審院の停止命令において命じた保証が第一審判決の執行停止により債権者に生ずべき損害賠償請求権の全額を担保する趣旨である以上、その保証の供託があれば、債務者が控訴審の停止命令に基づき供託した保証はすでにその必要を見ないものとなり、債権者の同意がなくても債務者においてその返還を請求できる、とした（大決大一一・四・四民集一・一六三）。

【40】上告審において執行停止のため命じた保証が第二審判決に基づく仮執行の停止により執行債権者の蒙るべき損害を担保するに止まる趣旨である場合には、その供託があっても、第二審の執行停止決定に基づいて供託した担保の事由が止んだものということはできない、とした（大決昭一一・二・二二評論二五・民訴三三）。

なお、【39】と同趣旨の判例（大決昭三・一一・一五民集七・九九三）がある（賛成評釈、加藤・判民昭和三年度九四事件。なお、近藤・執行関係訴訟三三七頁は、異議訴訟における停止については、かかる二種の停止を認めるべきでなく、数個の停止決定による各保証は、それぞれ、一債務名義の執行停止による全損害を担保するものとし、上級審において保証を供与しても、下級審の保証取消をなすべきでない、とする。）。

（二）保証に対する権利の実行について、次の判例が注意せられる。

【41】執行停止のための保証を立てたからといって担保権利者が当然に右執行停止による損害の賠償を請求できるものでなく、請求できるか否かは実体法の規定に従い相手方による執行停止が不法行為となるか否かによって決せられる、とした（大判昭六・一一・一〇評論二〇・民訴一四三）。

三　執行の停止・取消を命ずる仮処分

以上のような応急処分（einstweilige Anordnung）は、これを「仮処分」という名称で呼んでいる規定(民訴五二二Ⅱ)さえあるが、民訴七五五条・七六〇条に基づく一般の仮処分(einstweilige Verfügung)とその要件・効力等において全く異るものであることは、一般に認められている(ただし、両者の本質的差異については困難な問題がある。詳論するものとして、吉川・保全訴訟の基本問題二五五頁以下参照。)。問題は、応急処分のほか、これと独立にまたは少くとも補充的に、一般の仮処分によつて執行の停止・取消を求め得るか否かということである。就中、応急処分による救済が与えられ得る法定の場合に執行債務者や第三者が一般の仮処分による救済を求め得ないことは、学説上異論のない所に属するが(吉川・前掲三三五頁参照)、一時的執行停止命令を認める明文なく且つその準用の余地もない場合にもなお絶対に執行の停止・取消を命ずる仮処分が排除されるか否かは、疑問として残されている。次の二つの大審院判例【42】【43】は、これを積極に解したが、最高裁判所判例【44】は反対の態度を明らかにした。

【42】　債務者が公正証書による金円貸借契約の無効確認、抵当権登記抹消請求の訴を提起し、これを本案として右公正証書に基づく強制執行を禁止する旨の仮処分を求めたのに対し、大審院は、請求異議の訴は執行開始前には提起し得ない、という前提に立ち、右の訴を許すとともに、民訴七五五条または七六〇条により仮処分の要件が具備する以上、これを許さざるを得ない、とした(大判明三五・一一・二八民録八・一〇・一九三)。

【43】　YはAに対し確定判決ある債権をもつていたが、Xはこの債権の譲渡を受けた旨主張し、Yに対し債権存在確認訴訟を提起するとともに、右確定判決に基づく執行停止の仮処分を申請した事件につき、大審院は、次のように述べて、かかる仮処分の許容を肯定した。即ち、右の場合、XはYが右確定判決に基づいてなす執行につきなんら執行法上の異議を申し立て得ない反面、Xは右判決の既判力を受けないから、Yに対し債権存在確認訴訟を提起することを妨げられないとともに、「Yカ其ノ所謂債権ヲ裁判外若クハ裁判上ニ於テ行使スル結果、Xトシテハ或ハ蒙ルコトアルヘキ債権ノ喪失(民法第四七八条参照)若クハ無資力ニ因ル弁済ノ事実的不

能ヲ予防セムカ為メ、Yハ当該権利ヲ行使ス可カラステフ趣旨ノ仮処分命令ヲ求ムルハ固ヨリXトシテ其ノ処分ナラスンハアラス」と（大判昭六・五・三〇新聞三二九三・一二）。

【44】　建物所有権確認訴訟の原告たるXがYに対し、先に右建物の明渡に関しXY間に成立した調停の無効を主張し、その調停調書に基づく強制執行を禁止する仮処分を得た事件において、原審が、確定判決（これと同一の効力ある債務名義を含めて）の債務者は民訴五〇〇条、五四七条の規定によりその確定判決に基づく強制執行の停止を求めることができる場合の外は一般に仮処分によつて右の停止を求め得るとして、仮処分を認可したのに対し、最高裁判所は反対の見解を示して破棄自判した。「確定判決に基く強制執行を停止することのできる場合については強制執行編にそれぞれの規定があつて、右は制限的に列挙したものと認むべきであるから、右の場合を除き、一般に仮処分の方法により強制執行を停止することは許されないものといわなければならない。」「原審は、強制執行に対する異議は強制執行着手前には許されずまた執行に対する異議は執行手続上の非違を是正することを目的とするだけで、基本たる権利または法律関係そのものの存否を確認するものでないことを理由として、債務名義表示の権利の不存在確認及びこれを本訴とする仮処分を許す必要があると判示しているが、いわゆる請求異議は強制執行の着手前であつてもこれを提起することができるのでありまたそれは単に手続上の非違を是正するものでなく、実体上の理由に基いて債務名義の執行力を排除することを目的とするものであるから、債務名義表示の債権の不存在を争い得る場合に、請求異議の訴を起して強制執行の停止を得る方法がないことを憂える必要がないばかりでなく、強制執行を仮処分により停止できるかどうかは、一に強制執行法全般の趣旨から判断すべきであつて、単に本訴を提起し得ることから当然に仮処分が許されるものと速断することは誤りであるといわなければならない。」（最高判昭二六・四・三民集五・五・二〇七）。

右【42】の事案にあつては、執行着手前に請求異議の訴を提起して（【44】参照）停止命令を得べく、【43】の事案でも、債権の譲受を主張する者が債権者・債務者を共同被告として執行文付与に対する異議の訴を提起すること（兼子・執行法一二一頁参照）により停止命令の機会を与えられるし、【44】の事案では、調停につき再審事由に準ずる事由ある場合にかぎり、第五〇〇条の準用による救済を認るのを正当とする点で、いずれも執行停止仮処分を認める余地と必要を欠いている。一般的に見ても、執行法が執行の一時的停止をとくに個別的に認めているのは、執行法がその範囲においてのみ救済手続と執行手続の調整のため係人の地位の均衡と能率的な執行の運営という二面の考慮の調和を求めたものと解せられ、かかる停止が許されない場合に、広く一般の仮処分によって執行の一時的停止を求めることは執行法の理念に矛盾するといわねばならない（中田・民商二七巻二六九頁（判例【44】評釈）三ケ月・民訴講座一一三五頁参照）。しかし、有力な学者の反対（吉川・前掲、二七〇頁、三三六頁。その根拠は執行停止命令に関する規定が執行阻止の目的のための特別手段として同様の目的に奉仕する他の手段を排斥し得るのは、この特別手段を認めた規定の適用又は準用の余地ある場合にのみ合理的基礎をもつ、執行停止命令を許す各規定は必ずしも網羅的でなく多分に欠陥を含んでいるのみならず、準用の余地にも自ら制限がある、従って、かかる規定の適用・準用の余地なく且つ仮処分の要件の具備する場合には、執行停止仮処分を許す必要があるという点にある）がある。

四　執行の停止

一　機　関

強制執行の停止は、主として申立により、時に職権を以て、執行機関の手で実施される。受訴裁判所や執行裁判所（執行機関としてでなしに）が執行停止を命ずる裁判をした場合でも、かかる裁判を得た執行債務者または第三者からこれを執行機関に提出して執行の停止を求め得るに止まる。次の判例がある。

【45】　強制執行停止決定があっても執行機関にその正本が提出されない限り執行を阻止できないとする民訴五五〇条・五五一条の法意よりすれば、たとい執行債権者がかかる停止決定及び停止の条件たる保証供託の事実を知りまたは知り得べかりし場合でも、停止決定正本が執行機関に提出される前にした強制執行は不当でなく、その執行費用を執行債務者に請求できる、とした（大判昭一九・五・九民集二三・二九五）。

二　要　件

一　執行機関が執行を当然無効にする執行要件の欠缺または執行障害（被七〇・和四〇Ⅰ・会更六十Ⅰ等）の存在を発見した場合には、職権を以て執行を停止すべきである。しかし、執行要件の欠缺が執行行為を取り消し得るものとするに止まる場合には、関係人の不服に基づく取消の裁判の正本が提出されない限り停止は許されない。次の二判例が、事案を右のいずれと見たのか明瞭でないのは遺憾であるが、職権を以て停止すべき場合に当るものと考える（中田「訴訟行為の瑕疵」民訴講座一〇三〇頁参照）。

【46】　執行吏は執行委任を受けるに当って執行債権者の法定代理人の資格、権限を調査することを要するから、執行に際し、執行債務者より執行委任者たる会社清算人の職務執行停止の仮処分の正本を提出せられ執行委任者の無権限を知つた以上、単に右正本が民訴五五〇条四号の証書に該当しないという理由では執行の停止を拒み得ない、とした（大決昭六・二・二三評論二〇・商三二六）。

なお、右と全く同趣旨の判例（大決昭六・三・五評論二〇・民訴一七〇）がある。

（二）　申立による停止については、執行債務者または第三者が執行機関に対し民訴五五〇条各号列挙の次の書面を提出することを要する。

(1)　執行すべき判決もしくはその仮執行を取り消す旨、または強制執行を許さずとして宣言し、もしくはその停止を命じた旨を記載した執行力ある裁判の正本（民訴五五〇1）。

（イ）　執行すべき判決を取り消す判決とは、支払命令に対する異議または終局判決に対する上訴・再審を理由ありとする判決をいい、仮執行を取り消す裁判とは、上訴審が本案判決の当否に先き立ち仮執行宣言のみを取り消す場合（民訴一九八I・III）をいう。執行の不許を宣言する裁判とは、執行文付与に対する異議、執行方法の異議または執行抗告を認容する決定、および、請求異議の訴、執行文付与に対する異議の訴または第三者異議の訴を認容した終局判決のうち執行の終局的不許を宣言する趣旨の裁判を指すのに対し、執行の停止を命ずる裁判とは、右の裁判のうち執行の一時的不許を宣言するもの（例えば、期限の猶予や条件の変更に基づく請求異議を認容する判決や履行期日到来前に開始した執行に対する執行方法の異議を認容する決定）を指し、いわゆる一時的執行停止命令すなわち応急処分を含まない。

必ずしも、裁判の主文の字句に把われる必要がないことは、次の判例の示すとおりである。

【47】 民訴五五〇条一号に「強制執行ヲ許サストシテ宣言シ若クハ其停止ヲ命シタル旨ヲ記載シタル執行力アル裁判ノ正本」とある規定は民訴五二二条および五四五条乃至五四九条の規定により裁判すべき場合に適用があり、此等の場合に、「或ハ強制執行ノ申立アルモ未タ差押ニ至ラサルノ故ヲ以テ単ニ執行ヲ許サストノミ宣言シ又ハ差押中ニ係ル物件ノ解除若クハ解放ヲ宣言スルコトアルヘク」、また、ある場合（民訴五四七II・五四八I・五四九IV）には、「強制執行を停止、取消若クハ変更ヲ為スヘキ旨ヲ宣言スルコトアルヘキモ」此等の宣言は総て右規定に含まれる、とした（大判明三六・一〇・二六民録九・一一五八）。

問題となるのは、民訴五四八条により終局判決中でなされる裁判、とくに一時的執行停止命令を認可する仮執行宣言付裁判が民訴五五〇条一号にいう執行の停止を命ずる裁判にあたるか否かであり、判例はこれを肯定している。

【48】 民訴五五〇条一号にいう強制執行の停止を命じた執行力ある裁判とは、「終局的停止ヲ命シタル確定判決又ハ確定前仮執行力アル裁判ヲ云ヒ同法第五百四十八条ニ依リ既ニ為シタル強制執行停止決定ヲ認可シ之ニ仮執行ノ宣言ヲ付シタル裁判ノ如キモ其ノ一ナリ」、とした（大決昭六・一二・一一評論二一・民訴六四）。

【49】　民訴五四八条により強制執行停止決定を認可した仮執行宣言付裁判が民訴五五〇条一号にいう強制執行の停止を命じた執行力ある裁判の一であることは「当院ノ判例トスル所ナルヲ以テ（昭和六年（ワ）第一三三六号同年十二月十一日決定）（右【48】の判例である─筆者註）原審カ右ト同趣旨ニ出テ（中略）タルハ正当」である、とした（大判昭一二・四・二〇民集一六・八五三）。

学説は、右の各判例と同様、民訴五五〇条一号にいう強制執行の停止を命じた執行力ある裁判にあたると見る説（加藤・要論一四〇頁、松岡・要論七五九頁、菊井・民訴(二)八三頁など）と、同条二号にいう執行または執行処分の一時の停止を命じた裁判にあたるとなす説（山田・執行法二六三頁、菊井・判例民事手続法一七八頁、兼子・執行法一三二頁、三ケ月・民訴講座四巻一一三六頁など。ドイツにおいて有力である。Vgl. Stein-Jonas-Schönke, § 775, II, 2. Baumbach-Lauterbach, §775, II, 2, c.）に分かれている。すでに述べたように、民訴五四八条は、先になされた一時的執行停止命令が判決の言渡と同時に失効するので、判決確定までのつなぎのためにさらに判決中で応急処分をなすことを認めたものであるが、そのままでは、判決である以上確定しなければ執行力を生ぜず従ってつなぎの役目を果さないので職権で仮執行宣言をつけることにしたまでであって、終局判決中で執行の停止が宣言せられたからといって、その停止が終局的停止となるものではない。後説が明らかに正当であり、従ってまた、かかる仮執行宣言附裁判があっても、同時に執行処分の取消を命じない限り、これに基づいて執行処分を取り消すべきではないのである。

（ロ）　民訴五五〇条一号にいう「執行力アル裁判」とは、執行力ある正本と異なり、広義の執行力を有する裁判の正本を意味し、従って執行文の付与を要しない（通説）。同旨の判例がある。

【50】　民訴五五〇条一号に執行力ある裁判の正本というのは、「執行シ得ヘキ裁判ノ正本ノ意義ニシテ執行力アル正本ヲ指スモノニアラス元来執行文ハ執行ヲ為スコトヲ得ル裁判ニ之ヲ付与スヘキモノニシテ本件ノ如

キ強制執行ヲ許ササル旨ヲ宣言シタル判決ニ対シテハ之ヲ付与スルコトヲ要セサルモノト解スルヲ相当トス」、とした（大決大五・六・五民録二二・一一三七）。

【51】　民訴五五〇条一号の執行力ある裁判の正本とは、執行し得べき裁判の正本を指し、「仮執行ノ宣言ヲ附シタル判決ハ執行シ得ヘキ裁判ナルカ故ニ其ノ正本ハ前記法条所掲ノ執行力アル裁判ノ正本ニ外ナラスシテ而モ其ノ判決文ノミニ依リテ該裁判ノ執行シ得ヘキモノナルコトヲ知リ得ルヲ以テ特ニ其ノ正本ニ執行文ノ附記ヲ要スルコトナシ」、とした（大判昭一二・四・二〇民集一六・八五三）。

執行文を要しない理由は、【50】の判例の説くように、この裁判により執行を開始するのでなく逆にこれを停止するものであるためで（加藤・要論一三九頁、松岡・要論一三九頁、兼子・執行法一三一頁）、執行力の有無が【51】の判例の説くように判決文のみによつて分るからではない（菊井・判例民事手続法一八〇頁参照）。

(2)　執行または執行処分の一時の停止を命じた旨を記載した裁判の正本（民訴五〇2）。これは、終局的停止を得るまでの応急処分として許される裁判（例、民訴四一八Ⅱ・五〇〇・五一二・五二二Ⅱ・五四四Ⅰ・五四七ⅡⅠⅣ・五四八・五七〇ノ二Ⅲなどによる裁判）の正本で、保証を条件として停止を命じたものである場合には、保証を供した証明書（民訴五一三Ⅱ）を共に提出すべきである。なお、前出(1)（イ）参照。

(3)　執行を免れるため担保を供したことを証する書面（民訴五〇3）。担保を供して仮執行を免れることを仮執行宣言中で債務者に許した場合（民訴一九六Ⅱ）における、その担保を供した旨の証明書（民訴五一三Ⅱ）のごときである。

(4)　債務名義成立後に執行債権者が弁済を受けまたは履行の猶予を承諾した旨を記載した証書（民訴五〇4）。弁済または履行の猶予に基づいて執行を終局的に阻止するには請求異議の訴によらねばならないが、執行債権者の作成したこの種の証書の提出があれば、一応執行を停止することとして執行債務者の保護をはかる趣旨である。この場合の停止と競落許可についての異議(民訴六七二1)との関係を説く判例として、次のものがある。

【52】「執行スヘキ判決ノ後ニ債権者カ義務履行ノ猶予ヲ承諾シタル旨ヲ記載シタル証書ヲ提出シタルトキハ民事訴訟法第五百五十条第四号ニ依リ強制執行ヲ停止又ハ制限スヘキモノナルヲ以テ斯クノ如キ場合ハ同法第六百七十二条第一号ニ所謂『執行ヲ続行ス可カラサルコト』ニ該当スルモノト解スルコトヲ得ヘシ」(大決大三・八・三民録二〇・六五一)。

なお、民訴五五〇条四号は「執行ス可キ判決ノ後ニ」云々と規定しているが、この点と関連して次の判例が見られる。

【53】訴訟費用額確定手続では訴訟費用完済の抗弁を提出し得ないが、訴訟費用確定の裁判前に訴訟費用を完済した当事者は、訴訟費用取立の強制執行につき民訴五五〇条四号により執行の停止を求め、または請求異議の訴によりその利益を防禦できる、とした(大決大六・五・四民録二三・七二六)。

因みに、訴訟費用償還請求権が訴訟費用額確定手続の審判の対象とならないことは、通説・判例によつて認められている(鈴木「訴訟費用の裁判」民訴講座三巻九五〇頁参照)。

(三) 職権または申立のいずれによる場合でも、未だ執行が完了しない場合であることを要するのは、もちろんである。

三 方法および効力

停止の方法は、場合により異なるが、執行吏の執行にあつては差押や競売を事実上避止し、また、執行裁判所の執行にあつては停止を宣言する裁判をなすごときである。停止の効力として、執行機関は新たな執行を開始し得ず、また、すでに開始された執行を続行し得ない。しかし、すでになされた執行行為を除去することは、停止に伴う本来の処置でなく、後述の取消の要件がある場合に限る。この点につき、次の判例を注意すべきである。

【54】 鉄道財団の強制管理が請求異議の訴に伴う執行停止命令正本の提出により停止された場合につき、「停止命令正本ノ提出ニ依リ開始決定ハ其ノ執行ヲ停止セラレ、従テ相手方会社ハ開始決定以前ノ状態ニ於テ其ノ事業ヲ経営シ得ヘキモノニシテ鉄道省ノ任命シタル管理人等ノ職務モ亦当然停止セラルヘキモノ」だ、とした（大決昭一一・二・六民集一五・一四七）。

しかし、この判例は、執行の停止と取消の効力の差異を誤解するものといわねばならない。単純な執行停止命令に基づいては、執行手続は、その正本が執行機関に提出された当時の状態において進行を止めるにとどまる。従って、既に管理人の選任があり管理が行われている限り、執行機関に対する執行停止命令の提出があっても管理行為は停止すべきでなく、管理に次ぐ将来の行為（執行債権者への配当など）のみが行われるべきでないというべきだからである（菊井・判例民事手続法一七六頁参照）。

停止にかかわらず執行が開始続行された場合には、執行方法の異議または即時抗告の理由となる（別項「執行方法の異議」二の二(七)参照）。なお、停止原因が解消した場合、執行債権者は、これを証明して執行の開始または続行を求め得る。

五　執行の取消

一　機　関

執行の取消も、その執行処分をした執行機関が申立によりまたは時に職権を以て実施する。受訴裁判所が応急処分として執行処分の取消を命じた場合にも、取消決定の発効（民訴二〇四）とともにその目的たる執行処分の取消を結果するものでなく、執行機関にこれを提出して執行処分の取消を求め得るに止まる。判例もこれを認める。

【55】　民訴五一二条・五〇〇条により控訴裁判所の執行処分取消決定を得た場合、その正本を執行機関に提出して執行処分の取消を求めるべく、「控訴裁判所カ執行処分ヲ取消ス旨ノ裁判ヲ当事者其ノ他ノ者ニ送達スルニヨリ取消ノ効力ヲ生スルモノニ非サルコト」は民訴五五〇条二号・五五一条の規定に徴して明瞭である、とした（大判昭六・八・二八民集一〇・六六三）。

二　要　件

執行機関が執行または執行処分の当然無効を来すべき執行要件の欠缺を発見した場合には、職権を以て取消をなすべきである。執行債務者または第三者の申立による取消は、民訴五五〇条一号・三号の書面、または執行または執行処分の一時の停止を命じた裁判（民訴五〇〇2）のうち、とくに従前の執行処分の取消をも命じた裁判の正本が執行機関に提出せられた場合に許される。なお、応急処分として執行処分の取消のみを命ずる裁判（民訴五〇〇・五一二・五四七II）は、民訴五五〇条・五五一条の規定から洩れているが、執行処分の取消につき、執行停止とともに執行処分の取消を命じた裁判と異別に取り扱うべきでないことは、すでに述べた（判例【55】、および、これに対する評釈、菊井・判例民事手続法一八三頁参照）。

なお、いずれの場合においても、取消は、執行開始後その終了前においてのみ許されることは当然であり、次の判例は、傍論としてではあるが、これを認める。

【56】 民訴五五一条にいう執行処分の取消は、「執行ノ終点（例ヘハ有体動産ニ対スル執行ニ於テ売得金ヲ交付スルコト）ニ達スヘク執行手続ハ現ニ進行ノ道程ニ在ル場合ニ」過去の執行処分を取り消す意味で、すでに終点に達し執行としてはもはや完了した部分を取り消し原状回復することは許されない、とした（大判昭八・九・二九民集一二・二四五九）。

三　方法および効力

執行取消の方法は、場合により異なるが、執行吏の執行にあつては、差押動産を執行債務者に返還しまたは差押の標示を除去し、執行裁判所の執行にあつては、執行処分たる裁判（例、債権差押命令、取立命令、不動産競売開始決定）を取り消す旨の裁判をするごときである。取消によつて、執行処分の効力は完全に消滅する。従つて、取消原因が事後に消滅しても、停止の場合のように執行の続行を求める余地はないし、さらに執行をなすためには、新たな執行申立を必要とする。

地方裁判所判例

簡易裁判所判例

区裁判所判例

最高裁判所判例

控訴院判例

朝鮮高等法院判例

高等裁判所判例

判 例 索 引

大審院判例

著者紹介

中野貞一郎（なかの ていいちろう）　大阪大学授教

斎藤秀夫（さいとう ひでお）　東北大学教授

小野木常（おのぎ つね）　大阪大学教授

総合判例研究叢書　**民事訴訟法 (2)**

昭和32年11月30日　初版第1刷発行
昭和39年1月30日　初版第5刷発行

著作者　中野貞一郎　斎藤秀夫　小野木常

発行者　江草四郎

東京都千代田区神田神保町2～17

発行所　株式会社 有斐閣

電話 (331) 0323・0344
振替口座 東京370番

秀好堂印刷・稲村製本

総合判例研究叢書 民事訴訟法(2)
(オンデマンド版)

2013年1月15日　発行

著　者　中野　貞一郎・斎藤　秀夫・小野木　常
発行者　江草　貞治
発行所　株式会社 有斐閣
〒101-0051　東京都千代田区神田神保町2-17
TEL　03(3264)1314(編集)　03(3265)6811(営業)
URL　http://www.yuhikaku.co.jp/

印刷・製本　株式会社 デジタルパブリッシングサービス
URL　http://www.d-pub.co.jp/

AG494

ISBN4-641-91020-0
Printed in Japan